# Max von der Grün

# Flächen brand

**Roman**

Zu diesem Buch

«Max von der Grün gelingt in ‹Flächenbrand›, was schon immer die Qualität seines erzählerischen Handwerks ausmachte: die spannende Gestaltung einer verwickelten Geschichte mit konkret und sinnlich wahrnehmbaren Menschen» (Heinz Ludwig Arnold in «Der Spiegel»). «‹Flächenbrand› ist ein dickes, spannendes Buch, leicht zu lesen, aber nicht ohne Gewicht. Vor allem ist es spannend. Wer je unter der Bettdecke Abenteuerromane gelesen hat, wird es nicht wieder aus der Hand legen» («Frankfurter Rundschau»).

Max von der Grün, am 25. Mai 1926 in Bayreuth geboren, besuchte die Handelsschule und absolvierte bei den Rosenthal-Porzellanfabriken in Marktredwitz eine kaufmännische Lehre. Nach dem Krieg arbeitete er zunächst in der Bauwirtschaft. 1951 siedelte er dann nach Heeren bei Unna im Ruhrgebiet über, wo er als Schlepper und Hauer unter Tage tätig war. Nach einem schweren Unfall ließ er sich zum Grubenlokführer umschulen. Seit etwa 1953 beschäftigt sich Max von der Grün mit schriftstellerischen Arbeiten. Er schrieb zunächst Gedichte, Essays, Stories, Literaturkritiken und stellte Anthologien zusammen. Der breiteren Öffentlichkeit wurde er erst durch seine Grubenromane «Männer in zweifacher Nacht» (1962) und vor allem «Irrlicht und Feuer» (rororo Nr. 916) bekannt, der inzwischen in West und Ost verfilmt wurde und bei Unternehmern lebhaftes Aufsehen, zum Teil stürmische Proteste auslöste. Der Roman, in vierzehn Sprachen übersetzt, erzielte bisher eine Auflage von über drei Millionen Exemplaren. Max von der Grüns Initiative ist die Gründung der «Gruppe 61», einer Vereinigung westdeutscher Arbeiter-Schriftsteller, zu verdanken. Die Arbeit unter Tage gab er 1964 wegen literarischer Verpflichtungen auf. In der Reihe der rororo-Taschenbücher liegen ferner vor der Erzählungsband «Am Tresen gehn die Lichter aus» (Nr. 1742), der kritische Bericht einer Orientreise «Wenn der tote Rabe vom Baum fällt» (Nr. 4251), das Reisebuch «Unterwegs in Deutschland» (Nr. 4653) und das vom Fernsehen verfilmte Jugendbuch «Vorstadtkrokodile» (rotfuchs Nr. 171). Max von der Grün lebt in Dortmund.

Max von der Grün

# Flächenbrand

Roman

Rowohlt

52.–56. Tausend Februar 1988

Veröffentlicht im Rowohlt Taschenbuch Verlag GmbH,
Reinbek bei Hamburg, März 1982
Copyright © 1979 by Hermann Luchterhand Verlag,
Darmstadt und Neuwied
Umschlagentwurf Werner Rebhuhn
(Foto aus der gleichnamigen Fernsehverfilmung
des WDR mit Horst Frank)
Satz Garamond (Linotron 404)
Gesamtherstellung Clausen & Bosse, Leck
Printed in Germany
780-ISBN 3 499 14907 9

# 1. Teil
## Ich stehe am Ufer des Flusses

Frank hatte zweimal schnell hintereinander geschossen.

Er schoß in dem Augenblick, als wir uns einig geworden waren, nicht zu schießen. Ich stand wie gelähmt, als die zwei dumpfen Schläge durch den Wald blafften; dann rannte ich einfach fort, ohne mich nach Frank umzusehen.

Nur fort, versinken, unsichtbar machen oder einfach in Luft auflösen, und beim Laufen hörte ich die beiden Schüsse tausendfach an meine Ohren trommeln.

Als ich Franks Wagen erreichte, den er in einer Feldeinfahrt geparkt hatte, schloß er gerade den Wagen auf.

Bist du geflogen? fragte ich keuchend.

Mir war, als dauerte es Stunden, bis das Auto ansprang und Frank losfuhr, ich hatte den Eindruck, als bewegte er sich im Zeitlupentempo auf der schmalen Straße, die von Hagen nach Dortmund von der Ruhr bergauf führt.

Fahr doch schneller! schrie ich. Fahr! Fahr!

Ich fahre genau fünfzig, erwiderte er ruhig, und die Straße ist nur für Anlieger. Sind wir vielleicht Anlieger? Na also, hab dich nicht so.

Franks Finger trommelten nervös am Steuerrad, er saß steif auf seinem Sitz und schaltete ruckartig wie ein Anfänger, er sah mehr in den Rückspiegel als durch die Frontscheibe nach vorn. Zwei Schüsse hast du abgegeben, sagte ich.

Klar, einen für mich, einen für dich, wie es ausgemacht war.

Nichts war ausgemacht, erwiderte ich heftig, verdammt noch mal! Ausgemacht war, daß wir nicht schießen.

Hör auf, Lothar, mach dich nicht verrückt. Wenn man so ein Ding in der Hand hat ... ein Gefühl ist das ... ein Gefühl.

Nun waren Franks Hände ruhig geworden, gelassen lenkte er den Wagen stadteinwärts durch den starken Verkehr.

In der «Linde», unserer Stammkneipe, trank ich mein erstes Bier in einem Zug leer. Das Bier war lau. Der Wirt, den wir den lachenden Bajazzo nannten, hatte kurz vorher ein neues Faß angezapft, die Kühlung war für eine Stunde ausgefallen, erklärte er entschuldigend. Bajazzo stand mit verschränkten Armen hinter dem Tresen und grinste in die halbdunkle Gaststube, in der außer dem angetrunkenen Türken Osman niemand saß. Osman brabbelte leise vor sich hin. Immer wenn sich Bajazzo wie jetzt von seinen Gästen abwendete, bedeutete das, daß er die Gespräche aufmerksam verfolgte. Als ich mein zweites Bier ausgetrunken hatte, sagte ich leise zu Frank: Du bist blöd, einfach in die Luft ballern.

Ich war überzeugt, daß Bajazzo meine Worte gehört hatte.

Frank trank langsam sein Glas leer und ging. An der Tür rief er mir zu: Zahl mein Bier mit. Oder Bajazzo soll anschreiben bis zum nächsten Zahltag.

Ich hing mehr am Tresen als ich stand, mir war plötzlich speiübel. Wenn Frank nun getroffen hätte. Was dann. Nur nicht daran denken.

Einen betrügerischen Konkurs hatte er von Anfang an geplant, das wußten wir seit gestern aus den Zeitungen, und seinetwegen sind wir seit sieben Monaten arbeitslos, Frank und ich und hundert andere auch. Wir haben für Bäuerlein, dieses Schwein, gearbeitet, damit er seine Profite in die Schweiz schieben konnte, auf ein Nummernkonto, und wir sollen hier im Dreck ersticken mit Weib und Kind und Haus und Garten und der Hypothek auf dem Haus. Die Kredite, die ihm Banken gegeben hatten, waren plötzlich wie vom Erdboden verschwunden; würden wir, Frank und ich, zu diesen Banken gehen und um diese sechs- oder gar siebenstelligen Summen anklopfen, wir bekämen nicht einmal ein müdes Lächeln. Halbfertige Häuser hat er ihnen als Sicherheit angeboten, von denen er wußte, daß sie niemals fertig werden würden.

In die Luft ballern ist kindisch, das mußte man anders machen, von Angesicht zu Angesicht, damit er wußte, von wem und wofür. Dieser ewig freundliche Bäuerlein, der den Mund nur aufmachte, um anzutreiben: Los Leute, Bewegung, time is money Leute, jeder kann bei mir Polier werden, ohne Thermosflasche und Prüfung, ich bezahle euch nicht fürs Rumstehen, Bewegung, das Denken überlaßt mir, keine Widerrede!

Das war Bäuerlein.

Er kam nie mit seinem Mercedes zur Baustelle, stets mit einem vergammelten VW, der wohl schon seine zwanzig Jahre auf dem Buckel hatte, und er war immer mit einer verdreckten Jeanshose bekleidet und gelben Gummistiefeln, auf dem Kopf trug er, ob Kälte oder Hitze, eine mit bunten Blumen bestickte Jeansmütze. Das war Bäuerlein, mein früherer Brötchengeber, es gab genug in unserer Belegschaft, die ihn verehrten und um seine Gunst buhlten, nur weil sie ihn als duften Kumpel ansahen wegen seiner dreckigen Kleidung und seines vergammelten VWs und seiner flotten Sprüche: Na Kumpel, gehts heute noch auf die Mama. Immer flott weg, wer rastet der rostet.

He, Lothar, willst noch ein Bier? Bajazzo zapfte bereits ein neues Glas voll.

Mach mal, antwortete ich abwesend.

Sag mal, bist du schon besoffen, weil du so rumhängst wie ein Schlapper. Bajazzo grinste mich an, immer etwas verlegen, wenn er nicht genau wußte, womit er ein Gespräch beginnen sollte, und vor allem, wenn er etwas Bestimmtes wissen wollte. Es gehörte zu seinem Beruf, informiert zu sein, um anderen Gästen etwas erzählen zu können. Er grinste ständig, irgendwer hatte ihm einmal den Namen lachender Bajazzo gegeben.

Ich sags immer, Lothar, arbeitslos müßte man sein, dann hat man noch was vom Leben; aber er sagte es nicht zu mir, er sprach es in den halbdunklen Raum hinein, wo Osman noch immer einsam am Tisch saß und leise, fast weinerlich vor sich hinsang. Stimmts Lothar? Hab ich recht, fragte Bajazzo.

Ich hatte keine Lust, mich mit ihm zu unterhalten und wandte mich ab. Bauschulte betrat die Kneipe, er sah sich suchend um und stellte sich neben mich an den Tresen.

Pensionierter Kriminaler müßte man sein, frotzelte ich so, wie mich vorher der Wirt aufgezogen hatte, und ich beneidete Bauschulte auf einmal um seine Pension, sein Haus, seine Gewächshäuser, in denen er seine Tage und halbe Nächte zubrachte und seltene und empfindliche Pflanzen und Blumen züchtete, mit denen er sprach und die alle einen Namen trugen.

Ich habe ihn nie gefragt, was er im letzten Krieg gemacht hat, ob er an der Front war oder in der Heimat «Volksschädlinge» und Nichtarier hinter Gitter und in Lager brachte, nur einmal, bei einer SPD-Ortsversammlung, als er neben mir saß, hatte er gesagt: Es werden noch schlimme Zeiten kommen, denk dran, Lothar, noch ganz schlimme.

Hast schlechte Laune, fragte er.

Soll ich vielleicht nach sieben Monaten arbeitslos Halleluja singen, erwiderte ich schroff, und es tat mir schon leid, daß ich so unfreundlich zu ihm gewesen war.

Bin ich schuld? fragte er und lächelte mich an. Bauschulte war so schmal und zart, daß ich mir nie habe vorstellen können, er hätte jemals jemandem Handschellen umgelegt.

Geh nach Hause und brüte in deinen Glashäusern, sagte ich, immer noch unfreundlich.

Da komme ich gerade her, sagte er versöhnlich, als wäre nicht ich, sondern er zu mir schroff gewesen. Komm, Lothar, ich schmeiß eine Runde.

Kugel dir bloß deinen Arm nicht aus, ich kann mein Bier immer noch selber bezahlen, erwiderte ich und ärgerte mich über meine Unfreundlichkeit.

Na, dann eben nicht, ersäuf dich meinetwegen in deinem Ärger, du kannst dich heute mal wieder selber nicht leiden, antwortete Bauschulte lächelnd und freundlich.

Als Bajazzo Osman ein neues Bier brachte, sagte ich zu Bauschulte: Frank hat auf den Kerl geschossen.

Auf welchen Kerl, fragte er unbeteiligt.

Auf diesen Bäuerlein natürlich.

Mit was? fragte er, wieder unbeteiligt.

Mit einer Pistole, erwiderte ich und sah prüfend in sein Gesicht. Aber er verriet keine Reaktion.

Und wo hat er die Pistole her? fragte er, immer noch unbeteiligt.

Das geht dich einen feuchten Dreck an, verstehst du mich, Bauschulte.

Ich bin nicht mehr im Dienst, erwiderte er leise, weil Bajazzo wieder zum Tresen zurückkehrte.

Daß ich nicht lache, Leute wie du, die dienen nie aus, bis sie sterben, sagte ich, und ich ärgerte mich erneut über mich selbst, weil ich ihm gegenüber grundlos unfreundlich war.

Witzig bist du heute wieder, aber ich kann nicht mehr darüber lachen, Lothar.

Das bringt der Tag so mit sich, antwortete ich, bezahlte und ging.

Bauschulte rief mir nach: Du kannst dir deine Staude abholen, ich hab sie ausgegraben, sie steht in einem Sack vor dem Gartentörchen.


Man kommt auf die blödsinnigsten Gedanken, wenn man ohne Arbeit herumläuft, zu Hause sitzt und grübelt. Warum haben andere Arbeit und ich nicht?

Manche fahren zweimal im Jahr in Urlaub an die schönsten Flecken dieser Erde, dabei wohnen sie hier in Villen mit nicht einsehbaren Gärten und beschäftigen einen Steuerberater, der ihnen verrät, wie man die Urlaubsreise als Geschäftsreise absetzt. Man kommt ins Grübeln, wenn die Frau am Monatsletzten ihr selbstverdientes Geld zum Leben einbringt, wenn sie am Morgen aus dem Haus geht und am Abend erschöpft heimkommt und trotzdem fröhlich fragt: Na, wie wars. Hast den Tag gut rumgekriegt?

Wer bin ich, daß ich zu Hause sitzen muß und warten, ein Mann

Mitte Vierzig, wer bin ich, daß mich keiner mehr haben will, weil so viele Junge es billiger und williger machen. Wer bin ich. Ist meine Erfahrung und meine Zuverlässigkeit nicht mehr gefragt, ist nur noch Jugend Trumpf. Gehöre ich schon zur ausgepowerten Generation, die sich alles gefallen ließ, gehorsam war bis zum Rausschmiß. Überstunden klopfte, wenn es verlangt wurde und sich dann nach Hause schicken ließ, wenn es verlangt wurde. Wer bin ich.

Frank hatte nicht unrecht, als er einmal zu mir sagte: Lothar, wir müssen ein Zeichen setzen. Etwas in die Luft sprengen oder eine Bank ausräumen, irgendwas ausrauben ... irgendwas. Wir können doch nicht rumsitzen und warten, warten, bis uns die gebratenen Tauben in den Mund fliegen.

Frank, hör auf, wir sind doch keine Kriminellen, hatte ich damals gesagt, denn mehr fiel mir dazu nicht ein. O dieser Frank, er hatte immer solche Ideen.

Und was sind die, die uns arbeitslos gemacht haben. Lothar, was! Das sind ehrbare Bürger, die sind natürlich keine Kriminellen, die haben sich nur verspekuliert. Und spekulieren ist in unserem Land erlaubt.

Vergleiche hast du, erwiderte ich.

Es wird höchste Zeit, daß wir einmal anfangen zu vergleichen, verstehst du, Lothar. Und dann wirst du staunen, was bei diesem Vergleich dabei herauskommt.

Frank und ich waren in einem Alter, wo einem leicht die Nerven durchgehen, vom Warten und Warten auf Arbeit. Mitte Vierzig sein heißt, wir sind noch zu jung, um warten zu können, aber schon zu alt, um Zeit zu haben. Die Tage rasen dahin und überschlagen sich. Soll ich mich auf die Couch legen und von Helen ernähren lassen. Das Brot, das ich esse, wird von ihr bezahlt, das Buch, das ich lese, leiht sie mir.

Helen hatte an dem Morgen, an dem Frank abends die Schüsse abgab, gesagt: Wann willst du dich eigentlich mal wieder rasieren. Du siehst verhauen aus.

Sie goß uns dabei Kaffee ein.

Für wen soll ich mich rasieren, für wen soll ich nicht verhauen aussehen, fragte ich.

Für mich ... du läßt dich gehen.

Beim Abschied küßte sie mich und strich mit dem Handrücken über meinen Stoppelbart. Dabei lächelte sie. Sie lächelte wie damals in der Buchhandlung, als ich mich in sie verliebte.

Ich wollte ihr nachrufen, daß der Wagen etwas nach rechts zieht, wenn sie scharf bremst, aber sie fuhr schon um die Straßenecke, als ich vor die Haustür trat. Sie wird es merken, sie ist eine umsichtige Fahrerin, sie ist so sicher, daß ich beim Fahren neben ihr schlafen kann.

In der Küche trank Claudia im Stehen ihren Kaffee und aß meine mit Käse bestrichenen Brote auf; sonst verschmäht sie Käse am Morgen. Sie sagte nichts, stieß mir nur den Ellenbogen in die Seite und stürzte dann aus der Küche, ich hörte sie den Abschiedsgruß klingeln, als sie ihr Mofa aus der Garage schob und auf dem Bürgersteig vor dem Haus den Motor ankickte.

Sie hätte zu Fuß gehen können, die Schule war nur ein paar Meter entfernt. Früher hatte ich mich über ihre Bequemlichkeit aufgeregt, ich habe sie geschluckt, so wie ich vieles zu schlucken gelernt habe.

Die Schutzbleche ihres Mofas waren mit Abziehbildern beklebt, die Eiserne Kreuze zeigten, und um den Hals trug Claudia eine Kette, an der nicht etwa ein Schmuckstück baumelte, sondern wieder ein Eisernes Kreuz aus Blech.

Helen hatte das Claudia einmal, in einem Anfall von Wut, vom Hals gerissen, als unsere Vorwürfe nichts nutzten. Aber am nächsten Tag trug Claudia wieder ein Eisernes Kreuz um den Hals, und als Helen es wieder abreißen wollte, hielt ich sie zurück: Laß das, Helen, das Zeug gibt es jetzt überall zu kaufen.

Nächstens kommt sie auch noch mit einem Hakenkreuz an, sagte Helen und stampfte mit dem Fuß auf, und das uns . . .

Auch das gibt es jetzt überall zu kaufen, warf ich ein. Was sollte ich sagen, ich kam mir so hilflos vor.

Ich war wieder allein im Haus, das ich so sehr liebe und für das ich ein halbes Leben geschuftet habe und das mir jetzt immer öfter auf den Kopf zu fallen droht. Drohend war auch die Leere geworden, in der ich mich tagsüber bewegte: vom Haus in den Garten, vom Garten in das Haus, vom Dach zum Keller, vom Keller zum Dach. Seit sieben Monaten, seit sieben langen Monaten. Ja, die Zeit kann schrecklich lang sein.

Während ich das Frühstücksgeschirr spülte, klingelte es an der Haustür. Es war Frank. Es war neun geworden.

Frank sah aus, als hätte er die ganze Nacht durchgezecht, er folgte mir in die Küche und nahm wortlos ein Geschirrtuch vom Haken an der Wand und trocknete das gespülte Geschirr ab, so selbstverständlich, als wäre das der Job, mit dem er sein Geld verdiente. Er tat es ernst und sorgfältig.

Ganz schön blöd sind wir gewesen, sagte er endlich.

Stell das trockene Geschirr auf die Anrichte, ich ordne es später in die Schränke, Helen mag keine Unordnung, sagte ich und wagte nicht, ihn anzusehen.

Verrückt müssen wir gewesen sein, einfach herumballern, einfach so, aus lauter Langeweile ... erwachsene Männer ... Lothar, verrückt müssen wir gewesen sein, sagte er und rieb an einem Teller.

Frank, wo hast du die Pistole, fragte ich und trat ihm vor das Schienbein.

Du, die Nordsiedlung soll abgerissen werden, ich weiß es von unserem Ortsvorsitzenden und der hat es wieder von einem aus dem Stadtrat.

Wo hast du die Pistole, fragte ich lauernd.

Im Werkzeugkasten neben dem Reserverad im Wagen, wenn du es genau wissen willst ... und jetzt laß mich mit der Pistole in Ruhe.

Wirf die Pistole weg, Frank, was sollen wir damit.

Wegwerfen? Es sind noch vier Patronen drin. Sie könnte einer finden. Wir haben sie auch gefunden ... die Nordsiedlung. Verdammt, und meine Partei macht da mit.

Ich löffelte Kaffeemehl in das Filterpapier und goß heißes Wasser nach. Der Kaffeeduft füllte die Küche, ich kann mich an ihm berauschen.

Wir saßen uns gegenüber und schlürften unseren Kaffee. Es war schon zu einer Gewohnheit geworden, daß Frank einmal bei mir Kaffee trank und ich anderntags bei ihm.

Auf einmal sagte er: Ich halts nicht mehr aus. Bin ich vielleicht schon Invalide. Bin ich Schrott.

Bist du im Bett schon Invalide, fragte ich. Er schüttelte den Kopf und sah an mir vorbei.

Na also, dann gehts noch weiter, Frank.

Lothar, wir können doch nicht so dasitzen und zugucken, wir müssen selber etwas tun.

Was denn? Das Parlament in Bonn in die Luft sprengen, wenn die wieder so ein idiotisches Gesetz verabschieden, das nur ihnen Vorteile bringt.

Manchmal kommt man auf die blödsinnigsten Gedanken, antwortete er, das kommt nur vom Rumsitzen. Aber Parlament in die Luft sprengen geht nicht, macht zu viel Krach.

Er sah zur Küchenuhr.

Als wir die Uhr kauften, hatte der Verkäufer gesagt, weil wir uns über das leise Ticken freuten, das werde immer so bleiben. Jetzt ist das Tick-Tack zur Tortur geworden, es ist so laut wie das Metronom, das

Claudia auf ihrem Klavier stehen hat, aber seit Jahren schon nicht mehr benutzt, nur ich spiele manchmal mit dem Metronom.

Als meine Mutter starb, fünfundsechzig war sie geworden, ein Jahr nach dem Tod meines Vaters, den die Silikose erstickte, hinterließ sie mir fünftausend Mark. Weiß der Himmel, wie sie zu diesem Geld gekommen ist mit ihren 640 Mark Rente im Monat nach dem Tod meines Vaters.

Von diesem Geld kauften wir Claudia ein gebrauchtes, fast neues Klavier, das alte klang nicht mehr.

Helen schrieb den Scheck aus im Musikhaus. Am nächsten Morgen um neun wurde das Klavier angeliefert. Nachbarn standen neugierig auf der Straße und staunten, denn in unserer Siedlung hatte es das noch nicht gegeben, daß vier gewichtige Männer mit Gurten ein Klavier in ein Haus trugen. Es ist schon komisch, wie über Kinder verfügt wird. Vor zwölf Jahren, als Claudia sechs Jahre alt war und kurz vor der Einschulung stand, besuchten wir Freunde. Claudia zupfte auf der Gitarre, die an der Wohnzimmerwand hing. Helen beschloß darauf, daß unsere Tochter ein Instrument erlernen soll, am besten Klavier, denn es war nach Helens Meinung das einzige Instrument, das einem zu Hause nicht auf die Nerven geht. Sie hatte sich gründlich getäuscht.

Frank und ich saßen uns stumm gegenüber, bis die Kaffeekanne leer war. Frank erhob sich mühsam, er hielt sich an der Tischplatte fest und sagte stockend, als müßte er sich bei mir entschuldigen: Ich habe was in Aussicht.

Das traf mich.

Du hast was in Aussicht? Und das sagst du einfach so ruhig. Ist da nicht auch was für mich drin? Ich hatte Mühe, ruhig zu sprechen. Für dich ist nichts drin, tut mir leid. Die suchen Fahrer. Für den Job mußt du Führerschein Klasse zwei haben. Lastwagen fahren bei einer Speditionsfirma.

Scheiße, sagte ich, mehr zu mir als zu ihm.

Frank war gegangen.

Warum hatte er mir die Pistole nicht dagelassen. Wir hatten sie gefunden. Einfach so, wie man etwas findet. Wir fuhren nachts von der Kneipe nach Hause. Da blitzte etwas auf im Scheinwerferlicht. Frank bremste scharf. Lothar, steig aus, sieh nach, was es ist.

Als ich die Pistole vor mir auf der Straße liegen sah, hob ich sie vorsichtig auf wie etwas Zerbrechliches. Ich setzte mich wieder neben Frank in den Wagen und hielt ihm mit beiden Händen die Pistole vor die Nase. Frank sah sie ungläubig an: Na so was ... und dann streichelte er die Pistole mit zwei Fingern seiner rechten Hand.

Gib sie mir, sagte er laut und entriß sie mir, er steckte sie einfach in seine Hosentasche, wie man ein Feuerzeug darin verschwinden läßt.

Acht Tage später, als ich nach dem Verbleib der Waffe fragte, antwortete er nebenbei: Damit werden wir Bäuerlein erschießen.

Ich lachte.

Doch wenige Tage später waren wir Bäuerlein tatsächlich mit dem Wagen gefolgt. Wir hatten ihn zufällig vor einem Apartmenthaus entdeckt, nicht weit von der Kronenbrauerei, als ein attraktives Mädchen in seinen Wagen stieg, hochhackig und mit langen Haaren. Und weil wir nichts anderes zu tun hatten, folgten wir ihm bis hinunter ins Ruhrtal und hatten an unserer Verfolgungsfahrt unsere Freude. Bäuerlein fuhr in einen Hohlweg, der von Schlehen- und Hagebuttensträuchern völlig verdeckt wurde. Ein idealer Ort für Liebespärchen, die vor der Neugier der Großstadt flüchten.

Während Frank und ich uns durch das Gebüsch in die Nähe seines Autos schlichen, dachte ich nur: Bankrott machen. Junge Dinger umlegen. Arbeiter auf die Straße schmeißen.

Und dann hatte Frank, um ihn zu erschrecken, zweimal in die Luft geschossen.


Claudia tobte sich oben in ihrem Zimmer auf dem Klavier aus. Früher hatte ich das nie so wahrgenommen; tagsüber war ich bei der Arbeit und abends spielte sie selten, und nur dann, wenn ich sie bat, mir etwas vorzuspielen.

Jetzt haßte ich das Klavier. Immer öfter ging ich aus dem Haus, wenn sie das Klavier traktierte. Aber es mußte sein.

Wenn Frank, wie wir es abgemacht hatten, mir die Pistole gibt, wo werde ich sie verstecken? Im Wagen nicht, so wie er. Seit ich arbeitslos bin, fährt Helen mit dem Wagen in ihre Bibliothek und auch zur Werkstatt, waren kleinere Reparaturen notwendig geworden.

Ich hatte das Abendessen gerichtet. Helen wirkte erschöpft, als sie sich an den Abendbrottisch setzte. Wir sprachen während des Essens kein Wort miteinander, ich sah nur staunend zu, wie Claudia und Helen sich das Essen hineinstopften, mit dem ich mir so viel Mühe gegeben hatte. Meine fragenden Blicke, ob es ihnen auch schmeckte, ließen sie unerwidert. Vielleicht nehmen sie mich dann erst wieder wahr, wenn ich kein Essen mehr koche, nicht mehr den Tisch decke.

Nach dem Abendbrot sagte Helen: Es war mal wieder ein hektischer Tag. Es wird immer hektischer.

Immer wenn sie das sagte, versuchte ich mir vorzustellen, wie sie, als Leiterin einer Büchereiaußenstelle, überhaupt einen hektischen Tag haben konnte. Die Bücher stehen stumm in den Regalen und die Ausleiher bewegen sich auf lautschluckenden Böden. Bücher können doch nicht hektisch sein, nur spannend oder langweilig, dünn oder dick, leicht oder schwer.

Die Wäsche, rief Helen und lief hinauf in den ersten Stock, in das Badezimmer. Obwohl ich den ganzen Tag zu Hause bin und Zeit habe, darf ich die Wäsche nicht waschen. Nur einmal habe ich sie durch die Trommel laufen lassen, und daraufhin hat Helen drei Tage lang nur das Nötigste mit mir gesprochen. Ich habe sie manchmal beim Wäschewaschen beobachtet: Es war für sie keine Arbeit, sondern eine Lust.

Frank, dem ich von meiner Beobachtung einmal erzählte, winkte ab: Gib es auf, darüber nachzudenken. Es gibt nur zwei Sorten von Frauen: Die Putzteufel und die Schlampen. Meine Gabi ist eine Schlampe, und ich weiß wirklich nicht, was schlimmer ist, Putzteufel oder Schlampe.

Ich geh mal eben zu Frank, sagte ich zu Helen, als die Waschmaschine zu summen begann.

Und beide geht ihr dann in die Kneipe, rief mir Helen ohne Vorwurf nach.

Gabi öffnete mir die Tür.

Als ich Frank vor zehn Jahren auf einer Baustelle kennenlernte, er wurde meiner Arbeitskolonne zugeteilt, habe ich mich anfangs über Gabi lustig gemacht. Doch bald gewöhnte ich mich an ihre Figur, an ihren unförmigen Hintern: denkt man sich ihre Beine weg, würde sie einer großen Birne gleichen. Sie selbst aber schien unter ihrer Unförmigkeit nie gelitten zu haben. Ich traf sie immer nur heiter, und ihre Heiterkeit ließ ihre Figur vergessen.

Frank, den ich nur ein einziges Mal auf das Aussehen seiner Frau angesprochen hatte, erwiderte, ohne das Gesicht zu verziehen: Weißt du, es ist ganz angenehm, ich liege weich auf ihr. Ich bin doch kein Hund, der auf Knochen liegen will. Und dann lächelte er doch, als er noch hinzufügte: Nur wenn sie in meinen Wagen einsteigt, dann habe ich manchmal das Gefühl, der Wagen kriegt Schlagseite.

Laß doch einfach auf die zwei rechten Reifen ein Atü mehr drauf pumpen, erwiderte ich lachend.

Halt deine Schnauze, sagte er böse. Nur Frank durfte sich über seine Frau lustig machen, taten es andere, reagierte er empfindlich und gereizt.

Nie wieder habe ich mich über Gabi lustig gemacht. Sie umgab etwas Weiches. Ihre Stimme klang tief, obwohl ihr Kopf viel zu klein geraten war, vielleicht aber wirkte er nur klein im Verhältnis zu ihrem Hinterteil. Von Zeit zu Zeit flocht sie sich ihre langen blonden Haare zu Zöpfen und umwickelte sie an den Enden mit bunten Schleifchen.

Frank ist nicht da ... noch nicht da ... er wollte sich irgendwo vorstellen, bei einer Spedition, wegen einer Stelle. Hoffentlich kriegt er die Stelle, zu Hause ist es mit ihm nicht mehr auszuhalten.

Ich weiß, sagte ich, deshalb bin ich ja hier. Ich wollte fragen, ob es geklappt hat mit der Stelle, er hat mir davon erzählt. Gabi bat mich ins Haus, ich winkte ab. Was sollte ich mit ihr reden, wir sprachen nie viel miteinander. Besuchte ich Frank, dann saß Gabi nur dabei, lächelte uns an und lutschte Karamelbonbons. Ihr Vorrat an Karamelbonbons schien unerschöpflich.

Wie geht es ihm, fragte ich und deutete nach oben.

Er schläft, er hat eine gute Nacht gehabt, antwortete sie warmherzig. Aber du kannst ihn ruhig besuchen kommen, Lothar, er freut sich immer wenn du kommst.

Ich besuche ihn morgen, Gabi.

Angetrunken und ausgelassen vor sich hinsingend traf ich Frank in der «Linde», er sprang auf, als er mich sah, breitete die Arme weit aus und rief: Lothar, komm her, setz dich zu mir, ich gebe dir einen aus. Wenn Frank nicht am Tresen stand, sondern an einem Tisch saß, mußte etwas Ungewöhnliches vorgefallen sein. Er schob mir sein halbvolles Bierglas hin: Trink, sagte er, schon lallend, trink, sollst nicht leben wie ein Hund. Ich habe die Stelle. Morgen fange ich an. Morgen fängt wieder ein neues Leben an.

Mir war zum Heulen.

Dann schmiß Frank eine Thekenrunde nach der andern und kommentierte seine Bierspende mit den Worten: Sauft, Leute! Morgen kommt die Trockenzeit.

Am Tresen standen sechs Männer. Woher aber hatte Frank das Geld? Ob ihm die Firma Vorschuß ausbezahlt hatte. Unwahrscheinlich, die Betriebe geizten jetzt mit Vorschüssen. Es war nicht mehr wie früher, wo sie einem das Geld nachwarfen, nur um die

Leute zu ködern und zu halten. Jetzt mußte man erst einmal acht Tage arbeiten, bevor sie auszahlten. Die Zeiten hatten sich geändert, am Geld war es am ehesten zu merken.

Hellwach verfolgte ich, wie ich langsam betrunken wurde, aufstand und mich auf Franks Schulter stützte und ihn anlallte: Geh nach Hause. Frank, du bist besoffen. Wenn du morgen anfangen willst, dann mußt du nüchtern sein. Du kannst doch nicht besoffen am Steuer sitzen, mit einer Fahne, nicht am ersten Tag, die werfen dich gleich wieder raus.

Neidhammel. Ich habe wieder Arbeit, verstehst du, nach sieben Monaten. Weißt du, was das heißt. Er glotzte mich an, wollte sprechen, bekam aber die Lippen nicht auseinander, er stand auf und wankte aus der Gaststube. Bajazzo grinste Frank hinterher, er stand hinter dem Tresen und streichelte mit beiden Händen wohlgefällig seinen Bauch. Ein zufriedener Mensch, neidisch konnte man werden.

Ich blieb noch eine Weile allein am Tisch sitzen und auch die Frotzeleien der Thekengäste konnten mich nicht aufheitern. Ich dachte nur: Frank hat Arbeit und ich hänge herum wie einer, der nichts mehr wert ist. Osman schlich einmal an meinem Tisch vorbei und sagte fast verschwörerisch: Ich gewinne einmal Lotto.

Hau ab, Mufti, zischte ich ihn an und scheuchte ihn weg. Dann zahlte ich und ging nach Hause.

Als ich in unsere Straße einbog, die den schönen Namen Marienkäferweg trägt, sah ich Frank vor dem Pfeiferschen Haus auf dem Bürgersteig sitzen und mit dem Rücken an einer Peitschenleuchte lehnen. Er stierte mich betrunken an, als ich vor ihm stand und auf ihn runtersah.

Spionierst du mir nach, fragte er mit schwerer Zunge.

Komm nach Hause, ich helf dir.

Was soll ich zu Hause, da ist doch nur die Gabi und keine Kinder. Und mein Vater wartet schon seit drei Jahren auf seinen Tod. Aber Gabi hat sich in den Kopf gesetzt, daß er nicht sterben darf, damit sie ihn ewig pflegen kann. Ich sag dir nur, Lothar, Menschen gibts, die gibts gar nicht.

Ich setzte mich neben Frank und lehnte mich an den Gartenzaun, ich war überzeugt, daß die Pfeifer im Fenster hing und zuhörte. Die Alte schlief nie.

Deine Gabi kann deinen Vater ewig pflegen, bei der Rente, die er bekommt. Da würde ich meinen Vater auch pflegen, brauchst gar nicht mehr arbeiten gehen.

Neidhammel! Du Neidhammel, rief Frank laut in die Nacht.

Frank sprang auf und stieß seinen Fuß an meine Füße, ich erhob mich ebenfalls und hielt mich am Lichtmast fest. Mir war übel geworden.

Weils wahr ist, schrie Frank wieder, du bist ein Neidhammel ...

Ich war so betrunken, daß ich nur erwiderte: Weils wahr ist ... weils wahr ist ... dein Vater kriegt über tausend Mark Rente und frißt nur für dreißig Mark im Monat ... weils wahr ist.

Dafür hustet er aber tausendmal am Tag. Das mach mal nach ... du Neidhammel.

Frank torkelte auf sein Haus zu, das von meinem und dem der Pfeifer nur hundert Meter entfernt war.

Ich hörte die alte Pfeifer kichern.

Ich flüchtete in mein Haus, das auf der anderen Straßenseite lag. Das Kichern der Alten war widerlich.

Helen lag schon im Bett und las in einem dicken Wälzer, sie hat immer einen Stoß Bücher auf ihrem Nachttisch liegen, ohne Bücher kann sie nicht einschlafen.

Sie fragte: Betrunken?

Ich drehte mich um und ging wieder die Treppe hinunter in die Küche und setzte mich auf die Eckbank. Ich nahm Papier und Kugelschreiber vom Regal hinter mir und begann zu rechnen: Für jeden Huster sollte Franks Vater eine Mark bekommen, er hustet tausendmal am Tag, das sind tausendmal dreißig Tage. Franks Vater ist demnach unterbezahlt. Unsinn, er hustet nicht tausendmal am Tage, höchstens zweihundert- oder dreihundertmal aus seinen mit Steinstaub einbetonierten Lungen. Fünfunddreißig Jahre lang hat er den Staub für einen lächerlichen Lohn achthundert Meter unter Tage täglich und stündlich eingeatmet. So konnte man Menschen langsam zu Tode quälen und am Ende stand eine Rente und zum Trost hieß es dann: Er ist an einer Berufskrankheit gestorben. Franks Bruder wollte seinen Vater nicht aufnehmen, denn er fürchtete, er würde seinen drei Kindern die Schwindsucht anhusten, und jetzt gönnt er Frank die Rente seines Vaters nicht. Frank wollte sich nichts vorwerfen lassen. Er hatte schon an dem Tag, an dem er seinen Vater bei sich aufgenommen hatte, ein Konto bei der Sparkasse eingerichtet, auf das die Rente seines Vaters überwiesen wurde. Franks Bruder wußte von dem Konto nichts.

Die Küchenuhr tickte laut und entnervend.

Claudia, die noch munter war, kam zu mir in die Küche, nahm aus dem Kühlschrank eine Flasche Bier und öffnete sie.

Trink, Vater, vielleicht erstickst du mal dran, aber sie lachte dabei. Ihr Lachen machte mich wütend.

Sie setzte sich mir gegenüber, ihr Bademantel hatte sich oben ein wenig geöffnet, und ich sah auf ihre weißen Brustansätze, ich wunderte mich plötzlich, daß es meine Tochter war, die mir gegenüber saß.

Frank hat Arbeit bekommen, er wird Fahrer bei einer Speditionsfirma. Warum habe ich keine Arbeit. Claudia ... bin ich dumm ... faul.

Ich habe dir doch schon mal gesagt, Vater, daß du auf der Straße liegst, das verdankst du deiner Partei ...

Sie ist nicht mehr meine Partei, sie hat mich rausgeschmissen, und du sollst nicht immer wieder die alte Suppe aufkochen, als ob es davon besser würde.

Natürlich, die Sozis schmeißen jeden raus, der nur einen Funken Verstand im Hirn hat ... deine Sozis ...

Laß meine Sozis in Ruhe ... fünfzigtausend Mark Schulden haben wir noch auf dem Haus, ich weiß nicht, wie wir das runterkriegen sollen ... wenn ich noch länger ... und der Verdienst deiner Mutter ... ich weiß nicht, manchmal habe ich alles so satt.

Ich habe euch immer gesagt, daß ich keinen Wert auf ein Haus lege, weil es mich an einen Ort bindet. Aber du und Mutter, ihr habt euch auf das Haus gestürzt, als ob euer Leben davon abhängen würde. Bleibt doch wenigstens ehrlich, ihr habt das Haus doch nicht für mich, ihr habt es für euch gebaut.

Achtzehnjährige reden immer so wie du. Mit dreißig schon hältst du einen Dankgottesdienst, daß du als Sicherheit ein Haus im Rücken hast. Und was heißt das, wir haben für uns gebaut, das eine schließt das andere doch nicht aus.

Mach dir keine Sorgen, Vater, Mutter verdient gut, Beamte dürfen nicht gekündigt werden und der Staat geht auch nicht in Konkurs wie deine Baufirma. Es ist alles geregelt in diesem Land. Es ist alles bestens geregelt in diesem Land.

Ihr Hohn sollte mich treffen, aber ich konnte mich darüber nicht mehr aufregen, wie früher, als ich sie manchmal anbrüllte.

Ich habe in der Zeitung gelesen, daß die Arbeitslosigkeit bei Musikern ganz besonders hoch ist, die stehen an der Spitze. Und da willst du immer noch Musik studieren?

Soll ich deswegen vielleicht Chemie studieren. Morgen stehen die Chemiker an der Spitze, es ist alles geregelt in diesem Land, Vater, was die einen nicht haben, das haben die anderen. Und wenn Musiker an der Spitze stehen, wundert dich das, wenn Abgeordnete erst in einem Lexikon nachschlagen müssen, was das Wort Kultur heißt.

Ich möchte noch einmal so alt sein wie du, Claudia. Ich würde alles anders machen.

Was würdest du anders machen, Vater. Du würdest vielleicht eine andere Frau heiraten und vielleicht ein anderes Haus bauen, du würdest vielleicht Schlosser lernen statt Maurer, aber du würdest alles genauso machen wie du es gemacht hast...

Man kann ja gar nicht machen was man will, Claudia...

Weil deine Partei alles absichern will. Keiner bringt doch mehr den Mut auf, aus dieser Ordnung auszubrechen.

Claudia hatte sich wieder einmal eingeschossen, da war es besser, das Gespräch nicht fortzuführen, sie haßte die Sozis, wie sie meine Partei nannte.

Wir waren enttäuscht und beunruhigt darüber, daß unsere Tochter so dachte und sprach, immerhin waren wir alte Sozialdemokraten, und auch mein Rausschmiß vor zwei Jahren hatte Helen nicht dazu bewegt, aus der Partei auszutreten.

Claudia blieb noch einen Augenblick an der Tür stehen und sagte, ohne mich anzusehen: Noch was, Vater, ich weiß, daß dir mein Klavierspielen auf die Nerven geht. Aber ich muß nun mal pauken, anders gehts einfach nicht, will ich bei der Prüfung nicht durchrasseln... geh einfach in die Kneipe, solange ich übe.

Ich blieb sitzen und dachte, vielleicht gehe ich nicht in die Kneipe, sondern jeden Tag acht Stunden auf das Arbeitsamt und setze mich in den Flur auf die lange Wartebank, auf der schon hundert sitzen. Es wird eine Tür aufgehen und mein Name wird gerufen. Ein Beamter oder eine Beamtin werden mir sagen: Wir haben Arbeit für Sie, Monatsverdienst fünftausend Mark. Ob mir das recht ist. Ich werde keine Miene verziehen, um meine Freude nicht zu zeigen.

Ich stand auf, mir war schwindelig. Frank hat eine Arbeit. Dann braucht er auch die Pistole nicht mehr.

Helen war immer noch wach, sie knipste die Nachttischlampe an, als ich mich im Schlafzimmer auszog.

Du solltest nicht so viel trinken, sagte sie ohne Vorwurf.

Ihr solltet euch in dem Haus hier endlich mal einig werden. Eben hat mir Claudia gesagt, ich solle in die Kneipe gehen, wenn sie übt. Aber falls es dich beruhigt, ich habe keinen Pfennig ausgegeben, Frank hat Arbeit gekriegt, er hat alle freigehalten. Ich sags immer, wer nicht arbeitet, der soll wenigstens gut trinken.

Fang nicht wieder an, dich selbst zu bedauern, dann gehts nämlich wirklich bergab mit dir. Du brauchst mir nichts zu erzählen, ich weiß wie es ist, sieben Monate ohne Arbeit, du hast es Claudia und mich jeden Tag spüren lassen.

Die sieben Monate waren die längste Zeit in meinem Leben, eine lange Zeit, und da gehen einem schon mal die Nerven durch, wenn man zusehen muß ...

Soll ich mal vorfühlen ... ich meine ...

Nein, Helen, ich will nicht, daß meine Frau mich managt, schon gar nicht von deinen SPD-Genossen ...

Die auch mal deine gewesen sind und immer noch sind, Lothar, mach dir nichts vor.

Gewesen. Mensch, Helen, die stinken doch schon vor Zufriedenheit, und dabei sind sie erst zehn Jahre an der Macht.

Und was willst du wählen? fragte sie ohne besonderes Interesse, vielleicht die Schwarzen ... oder vielleicht die Kommunisten?

Warum nicht ... warum eigentlich nicht, Helen. Öfter mal was Neues.

Du spinnst, erwiderte sie heftig.

Und so ein Kerl wie der Bäuerlein, der einen Bankrott macht, den er von Anfang an gewollt hat, der hat im Stadtrat gesessen, im Finanzausschuß. Helen, unsere, deine Partei war immer genial, wenn es darum ging, den Bock zum Gärtner zu machen.

Du siehst alles zu persönlich, sagte sie verärgert und drehte mir den Rücken zu.

Na und? Soll ich alles theoretisch sehen, meine sieben Monate nicht persönlich, sondern theoretisch. Bin ich mit meinen fünfundvierzig Jahren ohne Arbeit ein theoretisches oder ein persönliches Problem.

Aber Lothar, du kannst doch nicht ...

Was kann ich nicht, Helen, was kann ich nicht. Doch, ich kann, ich muß mich an der beschissenen Politik messen. Alles andere wäre Augenwäscherei.

Dann lagen wir nebeneinander und sprachen nicht mehr, dann schob Helen ihre Hand unter der Bettdecke in die meine und drückte sie, und ich erwiderte ihren Druck, und dann tasteten wir unsere Körper ab und es war wie immer.

Die Nordsiedlung wird abgerissen, das ist sicher, Lothar, und weißt du, wer seine Hand mit im Spiel hat. Nein, der Bäuerlein ist abgeschrieben, unser lieber Balke hängt mit drin, da kann er seine Lastwagen auslasten. Nicht verzagen, Balke fragen... übrigens, er war hier.

Wer, Balke? fragte ich und verstand nicht.

Balke. Er hat mir einen Job angeboten als Fahrer. Ich habe abgelehnt, ich hätte auch abgelehnt, wenn ich noch arbeitslos gewesen wäre. Vielleicht kommt er zu dir.

Ich kann nicht fahren, Lastwagen meine ich... wie geht es deinem Vater, Frank.

Gabi schirmt ihn ab, sogar mich will sie nicht mehr ins Zimmer lassen. Er wartet auf seinen Tod. Was soll er sonst tun. Lothar, es ist ein langsames Sterben, ich wußte gar nicht, daß Sterben so lang sein kann.

Auf der obersten Haustürstufe saß Gabi und lutschte Karamelbonbons. Frank folgte meinem Blick, er sagte so nebenbei: Sie ist eine richtige Straßensperre, sie wird immer breiter.

Dann gab er mir die Pistole.

Ich schlenderte zu meinem Haus zurück. Ich fühlte den Stahl in meiner Hosentasche, ich kam mir groß vor. Als ich an Bauschultes Haus vorbeiging, winkte mir Bauschulte zu, ich solle auf ihn warten. Unwillig blieb ich stehen, und er trat an seinen Gartenzaun und sagte ohne Umschweife: Lothar, gib mir die Pistole.

Pistole? fragte ich ihn. Von was redest du eigentlich.

Mir altem Fuchs kannst du doch nichts vormachen. Gib sie mir, Lothar, sonst passiert noch mal ein Unglück. Ich weiß wie so was geht, erst spielen damit und dann schießen.

Wie unter Zwang gab ich ihm die Pistole und fragte nicht, woher er wußte, daß ich sie in der Tasche trug.

Willst mit ins Gewächshaus kommen, fragte Bauschulte.

Nein, da darf ich nicht rauchen und es ist mir auch zu feucht. In deinen Glashäusern bekomme ich keine Luft... und übrigens, du kannst mich mal, Bauschulte.

Die alte Pfeifer lag im Fenster, als ich vor ihrem Haus die Straße überquerte, und ich hörte sie rufen: Der Balke ist da, da steht sein Wagen, er wartet auf Sie, Herr Steingruber.

Neugieriges Luder, dachte ich.

Balke trat aus dem Haus. Helen begleitete ihn zur Haustür. Als sie mich bemerkt hatte, kehrte sie wieder in den Flur zurück. Balke strahlte, Balke strahlte immer, auf seinen Lastwagen stand sein Werbespruch: Nicht verzagen, Balke fragen.

Ich hab einen Job für dich, rief er und haute mir auf die Schulter, jetzt scheint wieder die Sonne. Na, was ist, kannst sofort mitkommen, Steingruber.

Ich kann keine Lastwagen fahren, Balke, das weißt du doch.

Ach was, kommst in die Verteilung oder ins Materiallager oder kannst mit deinem eigenen Auto fahren, hätte da auch was parat . . .

Ich mag nicht, unterbrach ich ihn und ließ ihn einfach stehen. Ich hörte ihn noch hinter meinem Rücken sagen: Winseln wirst noch, Zement fressen wirst du noch. Denk an meine Worte. Rumlungern und dann noch wählerisch sein. Euch geht es immer noch zu gut.

Im Wohnzimmer fragte mich Helen: Ist dir kalt, Lothar, weil du beide Hände in den Hosentaschen hast.

Ich stand auf und ging. Im Flur begegnete mir Claudia.

Sie fragte: Suchst du was, Vater.

Warum soll ich was suchen, Claudia.

Weil du dauernd zur Decke guckst.

Ja, ich suche was, wenn du es genau wissen willst, ich suche nämlich die Zeit, die mir noch zum Leben bleibt.

Na, Vater, dann fröhliches Suchen, antwortete sie schnippisch, ich sah ihr an, daß sie sich am liebsten an die Stirn getippt hätte.

Im Keller, vor meiner Werkbank, setzte ich mich auf den wackligen Stuhl, den ich schon vor Wochen leimen wollte. Das also war mein Haus, das ich mit Opfern und heute kaum noch begreiflichem Verzicht gebaut hatte. Und jetzt? Nicht einmal ein Zimmer habe ich für mich allein, keinen Winkel im Haus, wo ich die Tür hinter mir zuziehen könnte, um allein zu sein. Nur Claudia hatte ihr eigenes Zimmer. Da wohne ich in einem Haus und habe kein Zimmer für mich. In meinem eigenen Haus. Warum sind wir beim Hausbau eigentlich nie auf den Gedanken gekommen, daß jeder von uns seine eigenen vier Wände haben müßte. Nur der Keller gehört mir allein, hier bin ich für mich, mit meiner Werkbank, mit meiner Schnitzbank und dem Werkzeugschrank, in dem so viele Dinge sind, die sich im Laufe von zehn Jahren anhäuften und von denen ich genau weiß, daß ich sie wohl nie brauchen werde. Wie muß reichen Menschen zumute sein, die nichts brauchen, weil sie alles haben.

Als ich mit Frank nach dem Tode meiner Mutter ihre Wohnung auflöste, hatten wir zwei Tage voll zu tun, um das alte Mobiliar abzutransportieren, Gerümpel, das meine Mutter auf dem Dachboden des kleinen Zechenhauses gehortet hatte, von leeren alten Dosen bis zu zerfressenen Fußmatten, von dreibeinigen Stühlen bis zu zersprungenen Nachttöpfen. Hatte sie sich daran erfreut, weil sie glaubte, auf dem Dachboden Besitz zu verwahren? Nicht einmal die Türken, die in dem Viertel wohnten und die meine Mutter haßte wie eine Geißel Gottes, wollten das Zeug haben, das Frank und ich ihnen anboten, um uns dadurch den Abtransport zu erleichtern.

Draußen blitzte es. Wenig später folgten die Blitze so schnell hintereinander, als würde ein Feuerwerk abgebrannt.

Noch blieb der Donner aus.

Morgen suche ich Personalbüros auf, ich werde mich nicht mehr auf dem Arbeitsamt abspeisen lassen. Ich werde denen sagen: Stellen Sie mich ein oder nicht. Ich bin zwar Maurer von Beruf, aber ich traue mir jede Arbeit zu. Ich werde auch Torten backen, wenn Sie es verlangen sollten.

Du wirst dich erkälten, hörte ich Helen hinter mir sagen. Ich rührte mich nicht auf meinem wackligen Stuhl, ich dachte nur: Mein Gott, wo kann ich mich bloß vor meiner eigenen Familie schützen, wo darf ich allein sein.

Du wirst schon wieder Arbeit finden, sagte sie, noch verhungern wir ja nicht, noch bin ich da. Wir haben keine Sorgen, Lothar, du erfindest nur welche. Komm doch rauf, sagte sie und berührte meine Schulter, wir spielen Canasta.

Ich schloß die Kellertür zum Garten von außen ab. Unser Nachbar trat aus den Sträuchern, die unsere Gärten trennten: Das Wetter wird sich austoben, morgen wird es gutes Wetter geben. Das Gewitter hat lange in der Luft gehangen.

Nun war auch der erste Donner zu hören. Weit weg.

Hoffentlich, antwortete ich meinem Nachbarn, den ich nicht besonders mochte und nicht wußte, warum ich ihn nicht mochte.

Ich hörte Claudia Klavier spielen, und Helen, die an der Terrassentür auf mich wartete, sagte: Sie hört gleich auf.

Ist ja gut, Helen. Mein Gott, nehmt doch nicht dauernd Rücksicht auf mich wie auf einen Kranken. Was sein muß, muß sein. Besser, als daß wir sie zum Klavier zwingen müßten.

Ich mischte die Karten und verteilte sie. Fünfzehn Karten für jeden.

Was hat Frank gesagt, fragte Helen.

Was schon, kannst dir doch vorstellen, er war natürlich selig, daß er wieder Arbeit hat.

Und was wollte Balke von dir, fragte sie.

Er hat mir auch einen Job angeboten, antwortete ich unwillig, denn ihre Fragen waren mir lästig.

Und du . . .

Ich habe abgelehnt. Ich habe ihn nicht einmal gefragt, was für ein Job das ist, den er mir anbieten wollte.

Gut. Du kriegst auch ohne Balke etwas. Ganz bestimmt.

Was soll das Gerede, Helen. Das sagen wir uns schon seit Monaten und machen uns was vor. Helen, ich bin fünfundvierzig, mich will keiner mehr haben, Männer in meinem Alter sind aufmüpfig, die lassen sich nicht mehr alles gefallen, die widersprechen. Weißt du, mir hat mal ein alter Handlanger gesagt, ist schon Jahre her: wenn man erst mal zwei Jahre arbeitslos ist, dann existiert man gar nicht mehr für seine Umwelt, dann wird man nur noch wahrgenommen, wie man einen streunenden Hund wahrnimmt. Der mußte es wissen, der war in den zwanziger Jahren fünf Jahre arbeitslos. Jetzt haben ihn schon die Würmer gefressen. Ein Lastwagen hat beim Rückwärtssetzen einen Betonmischer umgefahren und der hat ihn erschlagen. Hätte nicht zu sein brauchen, aber der Kerl hat sich geradezu zu Überstunden gedrängt, er konnte den Hals nicht voll kriegen. Die fünf Jahre ohne Arbeit haben ihm in den Knochen gesteckt, die konnte er nicht vergessen.

Während es draußen nur noch donnerte, hielt ich ein gutes Blatt in der Hand, drei Joker, ich werde drei Canasta auslegen, vielleicht sogar einen reinen.

Und dann hat er noch gesagt, ergänzte ich, man muß in den mageren Jahren für die fetten Jahre vorsorgen. Nicht umgekehrt. Nichts hat er gehabt. Er war noch nicht richtig unter der Erde, da hat seine Alte schon wieder geheiratet, den spindeldürren Polier, den wir damals hatten, der war so lang und dürr wie eine verwitterte Birke. Das wollte ich dir sagen, Helen, entschuldige, wenn ich dich mit meinen Geschichten langweile.

Du langweilst mich nicht, ich höre dir gerne zu, erzähle weiter, da läßt es sich gut spielen.

Morgen fahre ich in die Stadt, ich werde an alle Türen klopfen, ich werde mich anbiedern, ich werde nicht mehr auf die Vermittlung durch das Arbeitsamt warten.

Aber von meinem Vorhaben erzählte ich Helen nichts. Und ich legte tatsächlich drei Canasta aus.

Der heftige und stundenlang anhaltende Gewitterregen vom Vortag hatte die Baustelle in Morast verwandelt. Ich watete bis zu den Knöcheln im Schlamm und balancierte auf den ausgelegten Bohlen über das Baugelände.

Der Bauführer, den ich in einem schon bedachten Rohbau antraf, bedauerte: Ich kann dir nichts versprechen. Du weißt ja selber, wie die Zeiten sind. Und die Zeiten sind so ... wie lange bist du denn schon ohne.

Bald acht, sagte ich.

Ein Trauerspiel ist das, antwortete er, Leute wie dich läßt man rumlaufen wie herrenloses Vieh, dabei hocken hier so viele, die das Salz in der Suppe nicht verdienen dürften, so faul sind die. Und wenn sie mauern, Mensch, Knick haben die im Auge ... na, dann hast du noch fünf Monate, bis du Arbeitslosenhilfe kriegst, hast immerhin noch was vor dir.

Schwacher Trost. Wenn ich sie kriege, die Arbeitslosenhilfe. Meine Frau verdient. Beamtin. Aber man weiß ja nie, wie das mit Ermessensfragen bei Behörden ist.

Ein Trauerspiel ist das ... Beamtin? Mensch, hätte man werden müssen. Verdient sie gut? fragte er ohne Neugier.

Zweitausend netto, antwortete ich, und es war mir peinlich, Helens Gehalt zu nennen.

Wenn du da an einen Eifrigen gerätst, der den Staat retten will, dann gibt er dir vielleicht dreihundert im Monat, damit das Bild wenigstens einen Rahmen hat. Und du kannst nichts dagegen machen, denn auf Arbeitslosenhilfe gibt es keinen Rechtsanspruch. Aber das weißt du ja selber, was erzähle ich dir das.

Nach dreißig Jahren auf dem Bau ist man auf Gnade oder Ungnade der Behörde ausgeliefert, sagte ich bitter, und ich wunderte mich, daß ich solche Worte überhaupt dem Bauführer erzählte.

Das nennt man ... das ist der soziale Rechtsstaat, erwiderte er, Drückeberger werden belohnt, faule Stinker und solche, die die Arbeit fürchten wie die Pest.

Der Bauführer schien plötzlich an mir interessiert zu sein und musterte mich ungeniert von unten bis oben, von oben bis unten, als sehe er mich jetzt zum erstenmal. Er legte mir kumpelhaft die Hand auf die Schulter und erklärte mir: Diese Gesetze müßten alle abgeschafft werden, die dienen nur den Drückebergern und den Ausländern mit ihrem Stall voller Kinder, und wer was kann, der geht stempeln ... was glaubst du, wie gerne ich einige Leute hier feuern würde ... aber die Gesetze. Wie war der Name ... ach ja, Steingruber.

Wir stiegen die Leiter hinunter und traten ins Freie.

Ich habe mich hochgeschuftet, ohne Gesetze. Diese Sozialgesetze sind nur für Faulenzer und Stinker, wer was leistet, der braucht keine Gesetze, der braucht nur freie Luft und Ellenbogen und ein gutes Auge ... heutzutage kann ja nicht mal mehr einer ohne Wasserwaage arbeiten, die würden am liebsten einen Computer mauern lassen ... Zeiten sind das. Aber so sind eben die Zeiten.

Es hat also keinen Zweck, wenn ich noch einmal vorbeikomme, sagte ich entmutigt und hielt ihn am Ärmel fest.

Meinetwegen kannst jeden Tag kommen und nachfragen, hast doch den ganzen Tag Zeit ... aber momentan, wie gesagt ... wenn wir den Siedlungskomplex hier hochgezogen haben und bis dahin keine neuen Aufträge in die Tasche kriegen, dann müssen wir sogar Leute rausschmeißen. Ich sag dir nur, es war noch nie so beschissen ... sieben Monate, Mensch, da weißt du ja schon bald nicht mehr, wie du die Kelle halten mußt.

Ich hab noch nichts verlernt ... na, dann will ich es mal woanders versuchen.

Viel Glück, rief er mir nach.

Im Weggehen hörte ich ihn schreien: He! Du da drüben, kannst du dich nicht bewegen! Wenn du angewachsen bist, dann verkauf ich dich als Weihnachtsbaum, du Armleuchter ... los, lauf schon!

Auf der Straße vor meinem Wagen kratzte ich mir Schlamm und Lehm von meinen Stiefeln. Ich lehnte mich an mein Auto und sah mir die Baustelle genauer an. Es wäre mir früher nie eingefallen, mir eine Baustelle aufmerksam zu betrachten, was interessierte mich, was der Dachdecker machte, mich interessierte nur, ob die Lieferung Steine abgeladen worden war, der Kies, der Sand, der Zement. Vierfamilienhäuser wurden da hochgezogen, da liefen Maschinen, da wurde gemauert, verputzt, eingeschalt, betoniert und an drei Häusern waren schon Dachpfannen aufgelegt. Ich konnte mich nicht satt sehen an dieser Betriebsamkeit. Da wuchs etwas aus dem Boden, und ich sah mit wachsender Freude zu, wie sich sogar in wenigen Minuten das Bild veränderte. Da war Kraft zu spüren und Schweiß zu riechen. Der Geruch von frisch gelöschtem Kalk kitzelte meine Nase. Das war angenehm. Vor sieben Monaten noch habe ich alles mitwachsen lassen und wusch mir nach Feierabend die Hände und fluchte über den Dreck, den widerlichen Zement, der die Haut durchfraß und den Kalk, der die Haut ätzte. Ich lamentierte über meine aufgeplatzten Hände und freute mich auf meinen Garten, auf Claudias Klavierspiel und Helens Geschäftigkeit. Stundenlang konnte ich im Garten herumlaufen und mich an dem freuen, was ich mit meinen eigenen Händen gebaut und gepflanzt hatte: allein mit meinen Kollegen hatte ich alles gemauert, gezimmert, allein die Terrasse verlegt und den Zaun genagelt und die Obstbäume gepflanzt. Es gab im Haus und im Garten immer zu tun. Die Zeit reichte nicht aus, und ich geizte mit Schlaf, und ich lief meiner freien Zeit hinterher. Jetzt aber hat die Zeit mich eingeholt. Nachdem Haus und Garten fertig waren, lag ich manchmal im Liegestuhl und las ein Buch, das Helen mir mitgebracht hatte; auch heute besorgt mir Helen noch regelmäßig Bücher. Aber ich gehe jetzt jeden Tag mit Widerwillen nach Hause. Immer seltener rühre ich Bücher an und schimpfe leise auf Claudias Klavierspiel, und das Unkraut im Garten stört mich nicht mehr. Was mich früher erregte, läßt mich heute gleichgültig, was mich früher zornig machte, darüber lache ich nur noch. Und als mich Helen vor drei Wochen auf eine lecke Stelle in der Dachrinne aufmerksam machte, hat mich das nicht berührt; vom Küchenfenster aus sah ich zu, wie ein dünner Wasserstrahl durch die undichte Rinne an die Hauswand pißte und ich hatte mich nicht einmal über meine eigenen Worte gewundert, als ich Helen sagte: Wir müssen einen Klempner holen.

Seit wann brauchen wir denn einen Handwerker im Haus, fragte sie erstaunt. Du bist doch da.


Helen hatte mir den Wagen überlassen, aber ich sollte sie abends von der Bücherei abholen.

Von der Baustelle fuhr ich auf dem Ruhrschnellweg nach Bochum zu einer Tiefbaufirma. Ich hatte in einem Inserat gelesen, daß die Firma Arbeiter für Tiefbau und Stahlbeton suchte. Ich bin weder für Straßenbau noch für Stahlbeton ausgebildet, aber dreißig Jahre im Baugewerbe machen jeden zum Fachmann. Ich klopfe sogar Zimmerleuten noch was vor, wenn es verlangt werden sollte. Man lernt viel in den vielen Jahren, nur weil man anderen hilft oder einfach zuguckt wie andere das machen.

Der Chef ist vor ein paar Minuten weggefahren, nuschelte das Mädchen im Büro, während es ihre Fingernägel feilte.

Das muß ein Irrtum sein, jemand muß Sie falsch unterrichtet haben, ich weiß von nichts, sagte das Mädchen uninteressiert.

Aber ich habe es gestern selber in der Zeitung gelesen, versuchte ich zu erklären.

Da hätten Sie heute morgen um sechs kommen müssen. Um Viertel nach sechs waren die zehn offenen Stellen schon vergeben. Sie sah mich dabei nicht einmal an, feilte nur mit Hingabe ihre Fingernägel, und ich merkte ihr an, daß sie das wohl mehrmals am Tag aufsagen mußte.

Ich zögerte, ich stand vor ihrem Schreibtisch und sah auf sie hinunter, wie sie mit Hingabe ihre Fingernägel zu spitzen Ovalen feilte. Ihre Anwesenheit war im Grunde überflüssig, man hätte ebenso eine Kassette laufen lassen können, warum saß sie überhaupt hier. Ich verspürte Lust, ihr auf die Finger zu klopfen.

Noch was? fragte sie, unterbrach ihr Feilen und sah erstaunt zu mir hoch, als merkte sie meine Anwesenheit erst jetzt.

Ihr Gesicht war verändert, sie hatte ein ausdrucksvolles Kindergesicht, ihr Mund rundete sich zu einem Knopf. Sie legte die Nagelfeile neben einen Locher.

Sagen Sie mal, haben Sie eigentlich keine Angst, daß Sie auch einmal entlassen werden könnten, fragte ich und hatte Mühe beim Sprechen.

Nun waren auch ihre Augen braune Knöpfe. Sie stand auf und sah mir direkt in die Augen: Was geht Sie das eigentlich an. Gehen Sie, ich habe Sie nicht gerufen, ich habe keine Arbeit für Sie ... und wenn, dann würde ich sie meinem Bruder zuschanzen. Der kommt in vierzehn Tagen aus der Schule und hat noch keine Lehrstelle, was stehen Sie hier herum.

Ich habe mich geirrt, dachte ich, so dumm ist sie nun auch wieder nicht.

Ist ja schon gut, sagte ich begütigend und verließ das Büro, ich spürte fast schmerzhaft die Blicke der jungen Frau auf meinem Rükken.

Um sieben holte ich Helen von der Bücherei ab, die in einem alten Sandsteingebäude untergebracht war. Bis nach Hause sprachen wir kein Wort miteinander.

Claudia trug in der Küche das Essen auf, Erbsensuppe mit Speck und geräucherten Würstchen. Die Erbsensuppe hatte ich gestern schon vorbereitet. Claudia brauchte sie nur mit den Würstchen aufzuwärmen, mehr Arbeit hatte sie nicht gehabt.

Und dann kam doch diese immer wiederkehrende Frage: Na, wie wars ... hast du was erreicht.

Wie mich diese Frage verletzte. Nach sieben Monaten war sie zu einer Redensart geworden, da war kein Interesse mehr vorhanden, keine Anteilnahme, keine Sorge. Ich kam mir überflüssig vor. Ich war das Dienstmädchen in meinem eigenen Haus, ich war geduldet, es fehlte nur noch ein separater Eingang für mich und ein altes Bett unter der Firste.

Ich war auf einer Baustelle, nichts, ich war auch in Bochum, nichts, bin zu spät gekommen.

Ein verlorener Tag also, sagte Claudia teilnahmslos.

Kein Tag ist verloren, erwiderte Helen und las dabei in der Tageszeitung. Man wird immer reicher.

Du hast recht, Helen. Ich werde jeden Tag reicher, entweder an Erfahrung oder an Enttäuschung. Aber auf diesen Reichtum kann ich getrost verzichten.

Auch meine Erwiderung war nur eine Redensart, die wir uns auf dem Arbeitsamt untereinander zuriefen, wenn wir warten mußten, um von einem Beamten in ein Zimmer gebeten zu werden, dann machten wir uns gegenseitig etwas vor, dann waren wir Könige und Milliardäre, Filmstars und Entdecker, wir waren nur zum Spaß auf das Arbeitsamt gekommen, weil wir mit unserer Zeit nichts anzufangen wußten, wir waren Reiche, die nichts brauchten, weil sie alles hatten.

Laß dir doch helfen, Lothar, sagte Helen, las dabei aber immer noch in der Zeitung.

Helfen? Von wem. Von deiner Partei, bei der ich fünfundzwanzig Jahre Mitglied war und die mich rausgeschmissen hat, nur weil ich mit Kommunisten gegen die Fahrpreiserhöhung in unserer Stadt demonstriert habe, für etwas Vernünftiges demonstriert habe, weil ich mich mit anderen auf die Straßenbahngleise gesetzt habe, weil ich ...

Deshalb haben sie dich nicht rausgeworfen, sie haben dich gefeuert, weil du ... Helen legte die Zeitung weg.

Gefeuert, weil ich auf einer Veranstaltung öffentlich gesagt habe, die Kommunisten haben recht, und es ist nicht deshalb falsch, weil es von Kommunisten gesagt wird, dagegen habe ich mich zur Wehr gesetzt, denn es ist doch so, wenn in diesem Land Kommunisten sagen, zwei mal zwei ist vier, dann lassen unsere Parteien gleich neue Rechenbücher drucken.

Sei vernünftig, Lothar. Nenn mir bitte eine Partei, wo alles wie am Schnürchen läuft, unterbrach mich Helen ungehalten.

Vernünftig? Ich will kein Schnürchen, ich will Arbeit und nicht mit fünfundvierzig Jahren auf einem Schrotthaufen landen, wo mich jeder anpissen darf.

Noch bist du kein Schrott, warf Claudia ein.

Sehr witzig, entgegnete ich ihr.

Ich habe heute mit jemanden von der Stadt gesprochen. Du könntest im städtischen Fuhrpark unterkommen. Oder in der Stadtgärtnerei, du brauchst nur ja zu sagen...

Fuhrpark geht nicht, ich habe nur Führerschein Klasse drei, das weißt du, Helen...

Frank hat seinen Führerschein Klasse zwei auch erst vor drei Jahren gemacht, noch bist du nicht zu alt dafür, ein guter Fahrer wie du, für dich ist das doch ein Kinderspiel, und die paar Mark, die der kostet, die machen uns auch nicht ärmer.

Und weiter? fragte ich und sah sie gespannt an. Ich meine, Helen, wenn du mir über deine Freunde eine Arbeit verschaffst, dann wird sie doch einem anderen weggenommen, dem sie eigentlich zusteht ... oder irre ich mich da. Ich lasse mich gerne aufklären, oder meinst du das nicht so, wird für mich etwas zusätzlich geschaffen.

Mein Gott, wenn du so denkst, rief Helen.

Aber so denke ich nun mal.

Cosi fan tutte, hörte ich Claudia sagen.

Was ist das? fragte ich.

Das ist der Titel einer Oper von Mozart, Vater, auf deutsch heißt das: So machen es alle.

Das ist gut, rief ich, das muß ich mir merken. Klingt gut: Cosi fan tutte.

Lothar, sei vernünftig, so wie du denkst, denkt kein vernünftiger Mensch...

Leider, Helen, leider.

Wenn du so denkst, dann kannst du dich gleich darauf einstellen, daß du bis zu deinem Lebensende hier herumsitzen mußt und warten mußt, zumindest, bis du Rente kriegst.

So, ich sitze also rum! schrie ich plötzlich und sprang auf. Warum sitze ich hier eigentlich rum. Weil ich nämlich durch die Politik deiner Parteifreunde ganz gesetzlich durch die Vordertür auf die Straße geflogen bin, und jetzt soll ich durch deine Parteifreunde über den Dienstboteneingang wieder hineingeholt werden. Warum. Damit ich wieder Mitglied werde. Ich soll kommen, damit sie später sagen können: Seht mal, wir sind ja gar nicht so, wir nehmen jederzeit Einsichtige wieder in unsere Arme und drücken sie an unser Herz, wir...

Schrei nicht so, du bist hier nicht auf einer Baustelle, schrie Helen wie hysterisch.

Ich schreie so viel ich will in meinem Haus, damit du es nur weißt...

In unserem Haus, gab Helen ruhig zurück.

Das traf mich, weil Helen diese Wahrheit so ruhig aussprach. Entschuldige, sagte ich und verließ die Küche.

Im Flur hörte ich Claudia zu ihrer Mutter sagen: Das hättest du nicht sagen dürfen, Mama, du weißt doch, wie empfindlich Vater ist, wenn es um das Haus geht.

Um meine Empfindlichkeit kümmert sich keiner, auf mir wird herumgetrampelt ... du kannst das Geschirr spülen, ich habe noch zu arbeiten, sonst komme ich mit meinen Terminen in Verzug.

Im Keller mußte ich plötzlich vor mich hinlachen: Ich stellte mir vor, Gabi wäre von zwei Kugeln in ihr Hinterteil getroffen worden, sie würde es gar nicht merken, sie würde sich nur kratzen.


Mein Nachbar sagte durch die Sträucher: Jetzt haben Sie aber viel Zeit, Herr Steingruber ... und wie lange das schon geht.

Ich gab ihm keine Antwort, ich saß auf einem Gartenstuhl auf der Terrasse und las in einem Buch. Es war in diesen letzten Apriltagen schon angenehm warm.

Helen hatte mir aus der Bücherei den Wälzer von diesem Speer mitgebracht, sie meinte, es sei notwendig, daß ich das Buch einmal lese.

Alle möglichen Leute schreiben Bücher, die sie dann «Erinnerungen» nennen, Generäle, Minister, Wirtschaftler, Architekten, du meine Güte, was die alles sagen, Unwichtigkeiten aufbauschen, als hätten sie damit Weltgeschichte gemacht; aber keine dieser «Erinnerungen», die ich bislang gelesen habe, beschrieb, auf wessen Kosten sie Geschichte gemacht haben. Die Erinnerungen dieser Leute amüsieren mich manchmal, wie dumm muß man eigentlich sein, wie muß man Menschen verachten können, um solche Rechtfertigungen zu schreiben, oder wie eitel.

Warum schreiben wir Arbeiter nicht unsere Erinnerungen nieder, haben wir nichts zu sagen, haben wir nichts Großes getan, ist unser Alltag so belanglos und unwichtig, daß wir lieber schweigen. Fügen wir uns lieber in ein Schicksal, das andere für uns vorausplanen und in deren Erinnerungen wir nur als Fußnoten vorkommen. Ist unser Leben von Anfang an nur Unterwerfung?

Demut bringt keine Helden hervor.

Aber haben wir nicht auch die Welt verändert.

Wenn ich nun auch eines Tages meine Erinnerungen niederschriebe, was hätte ich zu sagen. Ich könnte nur von Niederlagen berichten, von Sehnsüchten und Träumen; ich habe keine großen Taten vollbracht, nichts erfunden und niemand in den Tod gehetzt. Ich habe keine Arbeiter auf die Straße geworfen, mein Leben war ein Pendeln von der Wohnung zu den Baustellen, von den Baustellen zur Wohnung. Ich war nie in Monte Carlo und nie auf einer Safari in Afrika, nur einmal sind wir für drei Wochen nach Mallorca geflogen, als Claudia zehn Jahre alt war. Sonst steckten wir das vom Munde abgesparte Geld in unser Haus. Bei meinen Kollegen war ich stets etwas Besonderes, nur weil meine Frau einen Beruf ausübt, der ihnen fremd war, weil sie mit Büchern nichts anzufangen wußten, sie wußten nicht, daß man mit und in Büchern leben kann, daß Bücher die Träume und Sehnsüchte hervorlocken, daß Bücher ein zweites Leben sein können.

Ich habe Häuser gebaut für Reiche und für weniger Reiche, für solche, die glauben, wenn sie ein Haus besitzen, wären sie schon unabhängig. Die Bauherren spendierten manchmal zwei Kästen Bier zum Richtfest und eine Flasche Schnaps. Ich habe Häuser gebaut für Beamte, Angestellte und Arbeiter, die verschüchtert auf die Baustellen kamen, um zu prüfen, wie weit ihre Unabhängigkeit gewachsen war. Manchmal tauchte einer auf, der etwas vom Bauen verstand und den Mörtel oder Beton auf die vorgeschriebene Mischung prüfte. Selten hat sich einer beim Polier beschwert, sie wollten keinen Ärger, sie wollten so schnell wie möglich ein fertiges Haus.

Mein Haus habe ich mit meinen eigenen Händen gebaut, mein Alltag war sommers wie winters, sonn- und werktags sechzehn Stunden Arbeit, jede Woche und jeden Monat, und das drei Jahre lang.

Wen interessierte das schon, würde ich davon in meinen Erinnerungen berichten. Ich war nie auf Hawaii, und meine Sehnsüchte fand ich in Fotobänden wieder, Bücher waren das einzige, das ich immer umsonst gehabt habe.

Ich habe wenig erreicht und bin nicht aufgestiegen. Aber immerhin habe ich ein Haus gebaut und einen Garten angelegt, die beide etwas wert sind.

Vielleicht sollten wir nach Amerika auswandern, dort ziehen jährlich Hunderttausende mit einem Haus auf Rädern durch den Kontinent, von einer Arbeitsstelle zur anderen. Steht in ihren Pässen unter Wohnsitz: Veränderlich oder vielleicht Nirgendwo? Ich weiß nicht, was das ist: Siegen.

Ich stehe am Ufer eines breiten Flusses und sehe hinüber zum anderen Ufer. Hinter Jasmin- und Hortensiensträuchern sehe ich das Leben, das ich mir erträume. Ich kann nicht hinüber, denn ich kann nicht schwimmen und ich kann nicht fliegen, die Demut hat mich müde gemacht.

Wir müßten eine Brücke schlagen. Wir. Die vom anderen Ufer haben kein Interesse daran, daß wir bei ihnen eindringen. Eine Brücke schlagen können nur wir, aber wir sitzen und warten.

Schweißgebadet erwache ich. Die Sonne zersticht mein Gesicht. Ich sehe alles doppelt. Mein Kopf ist schwer. Der Kamin meines Hauses wankt in den Farben eines Regenbogens.

Es ist nicht gut, in der Sonne einzuschlafen, hörte ich eine Stimme sagen.

Der dunkle Punkt auf der Rasenfläche war ein Mensch. Die Augen schmerzten mir noch, als ich mich aufrecht hinsetzte, ich schlug mir mit der flachen Hand vor die Stirn, bis der Nebel vor meinen Augen verschwand.

Ich stand auf und ging auf den dunklen Punkt zu.

Ich habe diesen Menschen nie gemocht. Als ich an ihm vorbei zurück ins Haus gehen wollte, sagte Balke: Du, Lothar, hier bin ich wieder. Ich habe einen Job für dich. Einen guten.

An der Haustür ist eine Klingel, die gilt auch für dich. Ich habe es nicht gerne, wenn Leute durch die Sträucher von der Straße in meinen Garten kommen. Hast du das kapiert, Balke.

Ich habe mindestens zwanzigmal geläutet. Aber weil du so schön geschlafen hast, konntest du die Glocke nicht hören, da habe ich mir gedacht, der liegt im Garten und schläft. Wo solltest du auch sonst sein, hast ja Zeit, bist dein eigener Herr auf eigener Scholle.

Balke, laß Dampf ab. Wenn ich nichts hören will, bin ich einfach nicht da. Verstanden, Balke ... was denn für Arbeit. Doch bestimmt keine saubere, wie ich dich kenne.

Aber Steingruber, wer wird denn gleich an so was denken, hör doch erst mal zu, bevor du mir was unterschieben willst.

Balke war wie immer nach der neuesten Mode gekleidet, immer um eine Farbe zu modern, immer war er einen Ton zu laut, eine Verbeugung zu höflich und immer um eine Mark zu spendabel zu seinen Leuten.

Und wie kommst du auf mich? fragte ich. Ich vermied es, ihm in die Augen zu sehen.

Komische Fragen stellst du. Wer ist im Marienkäferweg ohne Arbeit. Ich kenne außer dir keinen. Da habe ich mir gedacht ...

Gehst mal zum Steingruber ... und was ist das für eine Arbeit. Für wie lange, für wieviel, Balke, was ist das für eine Arbeit, warum tust dich denn plötzlich so schwer.

Siehst Lothar, das habe ich immer an dir geschätzt: Kurz, gleich auf den Kern kommen. Mit Leuten wie dir kann man Geschäfte machen.

Nun traute ich mich doch, ihn anzusehen. Lächelnd stand er vor mir, elegant, verbindlich, ein Ausbund an Freundlichkeit, sein Seidenhemd war schwarzgelb gemustert, gelbe Ringe griffen in schwarze Ringe über. Ich wußte, daß er sich als Mäzen für den Bundesligaclub unserer Stadt hervortat und sich zwischen langbeinigen Leichtathletinnen in Gönnerpose fotografieren ließ, wenn wir auch wußten, daß er weder vom Fußball noch von Leichtathletik etwas verstand. Als wir wieder einmal sein Bild in der Zeitung auf der Sportseite sahen, hatte Helen gesagt: Was regst du dich über Balke auf, seine Spenden darf er doch als Werbungskosten von der Steuer absetzen.

Als Balke vor drei Jahren auch noch Schützenkönig in unserem Stadtteil wurde, ließ er einige Tausender springen. Vor dem Schützenzelt wurden ein Ochse und einige Spanferkel am Spieß gebraten. Eine Zwanzigjährige kürte er zu seiner Schützenkönigin und Böswillige behaupteten, sie steige schon seit ihrem sechzehnten Lebensjahr mit Balke ins Bett.

Fragen stellst du, Steingruber, sei doch froh, daß ich wiedergekommen bin. Nicht verzagen, Balke fragen.

Also, Balke, wenn Steingruber, dann Herr Steingruber, oder einfach Lothar, damit wir uns von vornherein richtig verstehen. Ich mag deine Mätzchen nicht, wir kennen uns lange genug.

Lange schon, aber nicht gut genug, Steingruber. Das soll jetzt anders werden: Zwei Tage in der Woche hast du nur zu tun, für jeden kriegst du fünfzig Mark ...

Also hundert Mark die Woche, vierhundert im Monat ... und was muß ich tun für diese fürstliche Belohnung.

Du bist also einverstanden. Paß auf, du fährst jeden Mittwoch und jeden Donnerstag nach Köln. Die Adressen gebe ich dir jeweils am Abend vorher telefonisch durch, von dort holst du Pakete und kleine Kisten ab. Manchmal ist es nur eine, manchmal sind es mehrere, je nachdem. Die Pakete und Kisten bringst du nicht zu mir in meine Wohnung oder mein Büro, die läßt du hier in deiner Garage stehen, bis ich dir wieder telefonisch durchsage, wohin du sie zu bringen hast. Du fährst auch nicht mit einem meiner Lieferwagen, sondern mit deinem eigenen Auto, du kriegst dafür das übliche Kilometergeld, und sollten auf der Fahrt Reparaturen anfallen oder Pannen passieren, übernehme ich die Unkosten ...

Moment mal Balke, unterbrach ich ihn, das geht mir alles ein wenig zu schnell. Was transportiere ich eigentlich, das möchte ich schon wissen.

Damit das klar ist, Steingruber, fürs Fragen wirst du nicht bezahlt, und noch was: das ist für dich ein Nebenverdienst, du erscheinst nicht in meinen Lohnlisten. Du brauchst deinen Nebenverdienst dem Arbeitsamt auch nicht auf die Nase binden, sonst kürzen sie dir womöglich noch die Arbeitslosenunterstützung, ich kenn doch diese Banausen. Lothar, eine leichte Arbeit, ein wahres Vergnügen, wenn du so willst, Ausflug an den Rhein, wenn du so willst, nur die einen fahren zum Wochenende und du fährst in der Wochenmitte.

Ich hatte die ganze Zeit auf sein Hemd gestarrt, die gelben und schwarzen Ringe waren zum Fixierbild geworden.

Balke war der einzige, der mir nach sieben Monaten Arbeit anbot und ich war sogar froh darüber, auch wenn ich fühlte, daß sie stank. Aber bei Balke stank alles.

Vierhundert Mark im Monat zusätzlich lockten. Es lockte mich auch die Abwechslung, und es reizte mich, das Warten zu durchbrechen. Wer durstig ist, der trinkt und fragt nicht, ob es Wasser oder Wein ist. Ich wollte schon ja sagen, denn diesen Nebenverdienst abzuschlagen wäre töricht gewesen, und doch zauderte ich, denn Balke genoß keinen guten Ruf, er besaß sogar den schlechtesten überhaupt. Jahrelang habe ich das selbst miterlebt, nur im Notfall beauftragten die Bauunternehmer das Fuhrunternehmen Balke, denn er erhöhte nach einer Lieferung nicht selten die vorher abgesprochenen Preise oder das von ihm gelieferte Material entsprach nicht den geforderten Qualitätsansprüchen. Proteste beantwortete er mit der Aufforderung, einen Prozeß gegen ihn zu führen, aber niemand hatte je gewagt, sich mit ihm vor Gericht auseinanderzusetzen, alle scheuten sie Aufwand und Kosten, und selbst irgendwann hatten sie mit Balke ein krummes Ding gedreht. Balke allein war in der Lage, über Nacht das Unmögliche auf die Baustellen zu schaffen. Wenn Poliere und Bauführer sich die Haare rauften, weil die Fertigungsfristen drängten, da erschien Balke und rief ihnen zu: Aber Kinder, nicht verzagen, Balke fragen. Dieses lächelnde Gesicht war mir zuwider, ich ballte unmerklich die Faust, und da betrat Helen die Terrasse.

Ich sagte zu Balke: Was stehst du noch rum. Bis Mittwoch.

Na, wer sagts denn, ich wußte doch, Steingruber, daß du Verstand im Hirn hast. Ich ruf dich Dienstag abend oder Mittwoch früh an, und paß dann auf, ich möchte nicht alles zweimal erklären.

Balke ging, er hatte Helen zwar bemerkt, sie aber nicht gegrüßt und so getan, als wäre sie überhaupt nicht anwesend. Er ging den Weg, den er gekommen war: durch die Sträucher, die meinen Hintergarten zur Straße abschirmen.

Was wollte denn der schon wieder, fragte Helen.

Er hat Arbeit für mich. Zwei Tage in der Woche.

Und du hast angenommen? Gestern hast du ...

Gestern war gestern, erwiderte ich.

Ich spürte ihr Mißtrauen, denn sie mochte Balke noch weniger als ich, sie haßte ihn.

Und was ist das für eine Arbeit? fragte sie lauernd.

Ich soll zwei Fuhren machen in der Woche, mittwochs und donnerstags. Du mußt dann an den beiden Tagen mit der Straßenbahn fahren, ich brauche das Auto für die beiden Fuhren.

Ich lehnte mich an einen Pfosten der Pergola, das Holz roch noch stark nach Karbolineum, mit dem ich es vor Wochen getränkt hatte.

Eine schöne Arbeit ist das aber, Lothar, spottete Helen, und ihr Spott traf mich. Aber bitte, wenn du nichts dabei findest, wenn du es normal findest, daß ein Fuhrunternehmer keinen Wagen frei hat für diese Fuhren, daß er einen Privatwagen mietet ... ist Claudia nicht da?

Ist mit Freunden ins Kino. Wenn es später wird, wird sie nach Hause gebracht.

Du hättest nächste Woche in der Stadtgärtnerei anfangen können, ich hatte alles geregelt. Schade, sagte Helen, und ihre Enttäuschung war nicht zu überhören.

Ja, schade, sagte ich. Ich hätte ihr mehr darauf antworten müssen, aber ich wollte nicht wieder einen neuen Streit heraufbeschwören. Mir war das Gemauschel ihrer Genossen zuwider, dieses Bäumchen-wechsel-dich-Spiel, und mir wäre auch nie in den Sinn gekommen, in einer Gärtnerei zu arbeiten. Ich bin Maurer, was habe ich mit Pflanzen und Setzlingen zu tun. In der Gärtnerei wäre ich doch nur wieder Genossen begegnet, die diese Arbeit wiederum Genossen verdankten. Aus Dankbarkeit wurden sie dann Parteimitglied.

Wenn man sich das einmal durch den Kopf gehen ließ, dann sind die Arbeiter und Angestellten in so einer Verwaltung nichts weiter als Mitglieder einer Dankbarkeitspartei. Aber einer solchen wollte ich nicht angehören.

Beim Essen war die Stimmung gedrückt, ich suchte vergebens nach einem Gesprächsthema, bis mir einfiel, daß Claudia vor Tagen von ihrer Abiturfeier gesprochen hatte, zu der auch die Lehrer und Eltern eingeladen werden.

Ich fragte Helen: Gehst du hin?

Wir gehen hin, antwortete sie entschieden. Ich kann doch nicht allein hingehen, das kannst du mir nicht antun und Claudia erst recht nicht.

Was muß ich anziehen? Wie geht es denn da überhaupt zu, ich war noch nie auf so einem Fest.

Deinen besten Anzug natürlich, was denn sonst. Und rasiere dich bitte gründlich. Den ersten Tanz mußt du mit Claudia tanzen, das ist so Brauch.

Ich werde mich an den Brauch halten, keine Angst Helen, ich werde mich daran halten.


Die alte Pfeifer, die uns gegenüber in einem Haus wohnt, das schon in den dreißiger Jahren gebaut wurde – damals als zweites Haus an einem Feldweg mit dreitausend Quadratmeter Garten – und deren vier Kinder auswärts verheiratet sind und sich herzlich wenig um sie kümmern, zumindest haben wir in den letzten Jahren nie eines ihrer Kinder sie besuchen sehen, die alte Pfeifer, die das große Haus mit seinen acht Zimmern ganz allein bewohnt, liegt den ganzen Tag im Fenster und beobachtet, was sich in unserer Straße tut. Sie kennt alle Menschen. Wer nicht weiß, daß sie vierundachtzig Jahre alt ist, schätzt sie höchstens auf fünfundsechzig, so jung sieht sie aus, allerdings nur dann, wenn sie ihre Zahnprothesen trägt – und das tut sie selten.

Vor zwanzig Jahren starb ihr Mann. Herzversagen hat der Arzt auf den Totenschein geschrieben; aber in unserer Siedlung hält sich hartnäckig das Gerücht, sie habe ihn langsam vergiftet. Ihr Mann hinterließ ihr ein schuldenfreies Haus, eine gute Pension und Lebensversicherung dazu und auf einem Bankkonto einen Betrag, über den die wildesten Gerüchte umliefen. Als ihr Mann starb, er war Prokurist in einer Stahlbaufirma, glaubte jeder, sie werde nun das Leben einer lustigen Witwe führen, auf Reisen gehen und ihr Geld ausgeben, denn ihr ständig sauer dreinblickender Mann nörgelte von morgens bis abends an allen und jedem herum. Er war sozusagen der geborene Nörgler.

Doch die Pfeifer, kaum Witwe, igelte sich in ihrem Haus ein. Seit zwanzig Jahren meidet sie die Straße und betritt nur noch ihren Vorgarten oder den weitläufigeren Hintergarten, wo sie nicht gesehen werden kann. Sie meidet das Tageslicht.

Die ersten Jahre nach dem Tod ihres Mannes ging sie noch selber einkaufen, in den letzten Jahren übernahm das Claudia, zweimal in der Woche putzt eine Jugoslawin das Haus und einmal im Monat die vielen Fenster. Milch, Brot, Käse und Eier läßt sie sich vom fahrenden Händler liefern, der Händler bringt ihr die Sachen an die Haustür oder zum Küchenfenster. Die Bestellung ruft sie ihm vom Fenster zu.

Sie liegt stundenlang im Fenster und läßt sich von Nachbarn und Passanten grüßen, die Kinder verspotten sie als Hexe. Seit drei Jahren mähe ich ihr den Rasen und führe im Haus die notwendigsten Reparaturen aus. Als Bezahlung überläßt sie uns die Obstbäume, aber das Obst wurde uns zuviel, ich konnte sie dann endlich dazu überreden, daß die nächsten Nachbarn ebenfalls Obst pflücken dürfen, damit es nicht verdirbt, denn die Alte braucht für sich selbst kaum noch etwas.

Vielleicht vererbt sie uns einmal das Haus, hatte Claudia scherzhaft gesagt, weil wir für sie doch jahrelang umsonst gearbeitet haben, aber auf ihren Tod warteten vier Kinder und zwölf Enkelkinder. Ich habe die Pfeifer nie nach ihren verwandtschaftlichen und finanziellen Verhältnissen gefragt, manchmal erzählte sie unaufgefordert von ihren Kindern und Enkelkindern, ich konnte mir dann ein Bild zusammensetzen, merkte sie jedoch, daß man gezielt fragte, verstummte sie sofort oder ließ einen stehen. Helen, die die Pfeifer nie leiden konnte, sagte einmal, als sie wieder auf sie wütend war: Die Alte hat das ewige Leben, die läßt der Geiz nicht sterben. Und du schneidest ihren Rasen für das bißchen Obst, das uns keiner abkaufen will. Ein schlechtes Geschäft. Und die Alte sitzt in ihrem Haus wie eine Made im Speck. Eine Schande ist das.

Als ich am Sonntag mittag vom Frühschoppen nach Hause kam, winkte mich die Pfeifer in den Vorgarten vor das Küchenfenster. Wenn sie keine Prothese trägt, erschrecke ich immer wieder vor ihrem zahnlosen Mund.

Ist was nicht in Ordnung, Frau Pfeifer, fragte ich.

Sie beugte sich weit aus dem Küchenfenster und fragte:

Stirbt er bald? Ich weiß, er stirbt bald.

Wer, Frau Pfeifer, wer?

Wer? Na, der Eberhard.

Sie grinste mich an und ihre Lippen verschwanden in einer Höhlung, aus der Geifer sabberte.

Ich habe ihn schon ein paar Wochen nicht mehr gesehen, antwortete ich und war auf sie wütend, denn die Alte sagte es hämisch.

Aber Frank hat mir gesagt, es geht zu Ende.

Ich werde ihn überleben, das Eberhardchen ... im Keller ist Wasser. Können Sie mal gucken, wo das Wasser herkommt. Vielleicht ist ein Rohr undicht. Ach ja, ich müßte überall neue Rohre haben, aber was das kostet ... und dann der Dreck, die Handwerker putzen sich nie die Schuhe ab.

Ich hatte keine Lust, ich war vom Frühschoppen leicht besäuselt und wollte mich nach dem Mittagessen hinlegen, und ich wollte auch nicht zu spät zum Mittagessen kommen.

Nichts für ungut, Frau Pfeifer, ich habe heute keine Zeit mehr, wir müssen nach dem Essen weg, ich werde morgen nachsehen, wenn ich im großen Garten den Rasen schneide.

Als ich weggehen, sie wieder allein lassen wollte, fragte sie geradeheraus: Und was wollte Balke?

Dieser Hexe entging nichts, wie eine Spinne sitzt sie im Netz und ihr entgeht nichts, was in der Siedlung vorgeht, ihre Augen sind noch gut, auf einen Kilometer kann sie noch eine Maus laufen sehen und die Zeitung liest sie ohne Brille.

Wir wollten einmal die Pfeifer dazu überreden, daß sie sich einen Fernsehapparat kauft, als wir hierher zogen und hatten sie deshalb in unser Haus eingeladen. Helen meinte, das sei man den Nachbarn schuldig, damit das Nebeneinander erträglicher wird. Nach einer Stunde allerdings stand die Alte auf und ging ohne ein Wort. Seitdem hat sie unser Haus nie mehr betreten.

Dem Balke sollten Sie aus dem Weg gehen, sein Vater war ein Säufer und ein Hurenbock, ich habe ihn gekannt, ich habe ihn sehr gut gekannt. Seien Sie mißtrauisch, der trägt zweifarbige Schuhe ... kein ehrlicher Mensch trägt zweifarbige Schuhe. Glauben Sie einer alten Frau, dem Balke kann man nicht mal eine faule Kartoffel anvertrauen, die verkauft er dann gleich als Melone oder als Kürbis.

Sie schloß das Fenster und ließ mich stehen.

Was wollte denn die Pfeifer, fragte Helen aufgebracht, als ich in die

Küche trat. Wird höchste Zeit, daß du auch mal von ihr Stundenlohn verlangst, die Jugoslawin muß sie ja schließlich auch bezahlen, die macht es auch nicht umsonst.

Sie hat Wasser im Keller, versuchte ich zu beschwichtigen, schließlich ...

Schließlich kann sie sich auch einen Klempner kommen lassen. Was will sie denn mit ihrem Geld. Mit in den Himmel nehmen? Die kommt sowieso in die Hölle, dann verbrennt das Geld sowieso.

Ich nahm den geöffneten Brief vom Küchentisch, den Claudia für uns hingelegt hatte.

Er kam von der Musikhochschule Köln. Claudia habe sich am kommenden Mittwoch zum Vorspielen vorzustellen.

Dann kann sie gleich mit mir fahren, ich muß Mittwoch sowieso für Balke nach Köln.

Helen schmeckte am Anstelltisch den Salat ab, von dem sie und Claudia sich ausschließlich ernähren könnten, und von Joghurt, auch der kleinste Streifen Fett wird vom Fleisch abgeschnitten.

Du hast mir noch nicht erzählt, was du für Balke machst. Ist das vielleicht ein Geheimnis?

Ein bißchen geheimnisvoll ist es schon, aber vielleicht will er nur die Steuer bescheißen, sagte ich, vielleicht fahre ich Fuhren, die nicht durch die Bücher laufen dürfen.

Das würde zu Balke passen ... na, dir soll es gleich sein.

Was hast du dagegen, Helen, Steuer bescheißen ist doch heutzutage schon zum Volkssport geworden ... wie Tennis.

Das trifft sich gut, daß du Claudia mitnehmen kannst, ihr sitzt jetzt schon der Mittwoch im Magen ... das arme Kind, was diese unsinnigen Prüfungen sollen.

Es gibt Schlimmeres als Prüfungen, erwiderte ich.

Schon, aber nicht für ein achtzehnjähriges Mädchen, das weißt du doch auch, du warst ja auch mal achtzehn, patzte mich Helen an.

Zu dem gemischten Salat gab es gegrillte, marinierte Schnitzel. Es schmeckte. Helen konnte gut kochen, wenn sie sich Zeit nahm, und in letzter Zeit nahm sie sich immer weniger Zeit.

Schlimmeres schon, nahm sie das Gespräch beim Essen wieder auf, aber nicht für ein Mädchen, das am Anfang steht ... schmeckt es? Sie sah mich herausfordernd an.

Du hättest Köchin werden sollen, Helen, gegessen wird immer. Und du Wirt, erwiderte sie lachend, gesoffen wird immer ... mein Gott, Lothar, dich möchte ich mal hinterm und nicht vor dem Tresen sehen, du wärst wahrscheinlich selber dein bester Gast. Stimmts?

Sie war ausgelassen, sie war heiter. Wenn sie übermütig ist, dann ist sie immer noch die junge Helen, wie ich sie kennengelernt habe.

Ich sah sie plötzlich als junges Mädchen von achtzehn Jahren vor mir, als ich die Buchhandlung betrat, in der sie arbeitete. Ich fragte nach einem Handbuch für Statik, weil ich zu der Zeit noch ernsthaft vorhatte, die Ingenieurschule zu besuchen, um mehr zu werden als nur ausgelernter Maurer.

So fing es an. Und so kam ich zum Lesen. Weil ich nicht jeden Tag in die Buchhandlung gehen konnte, um mir ein Fachbuch zu kaufen, nahm ich billige Taschenbücher mit und ließ mich dabei von Helen ausführlich beraten.

Ich kenne Ihren geistigen Horizont nicht, hatte sie anzüglich gesagt, mir ein Buch in die Hand gedrückt und mich zur Kasse gebeten: zwei Mark achtzig.

Erst bin ich ihretwegen in die Buchhandlung gegangen, dann hat es mir Spaß gemacht, nach der Arbeit im Bett zu lesen. Durch das Lesen fand ich immer einen Grund, Helen zu sehen.

Eines Tages habe ich in der Nische eines gegenüberliegenden Geschäftshauses nach Ladenschluß auf sie gewartet, ich fuhr sie mit meinem klapprigen VW nach Hause. Vor der Wohnung ihrer Eltern hat sie gesagt: Du bist ein unausstehlicher Mensch.

Sie umarmte und küßte mich und stürzte durch die Haustür. Sie hatte dabei den rechten Schuh verloren, ich lachte laut durch das Wagenfenster, sie hob den Schuh auf und warf ihn an meinen Wagen. Das war alles. Nun brauchte ich keinen vorgeschobenen Grund mehr, um sie in der Buchhandlung aufzusuchen, aber Bücher kaufte ich mir trotzdem weiter.

Es wurde nichts aus meinem Ingenieur, ich brachte es nicht einmal zum Polier, manchmal wurde ich Kolonnenführer auf einer Baustelle, manchmal Vorarbeiter. Manchmal war selten genug, das war alles. Jetzt bin ich arbeitslos und versuche mich gegen die Zeit zu stemmen. Und das ist anstrengend.

Ich möchte träumen, versinken und schlafen, ich möchte mir im Schlaf meine Träume zurechtlegen können. Ich möchte nicht denken, was war, nur denken, was sein wird. Ich möchte ein Tier sein, das nur in der Gegenwart lebt und keine Vergangenheit hat und keine Zukunft. Ein Tier lebt im Augenblick, ich möchte, daß der Himmel sich über mir wölbt und die Sterne ausschüttet in meinen

Garten, die ich dann auflesen werde, um die Außenfront meines Hauses zu verzieren ...

Claudia stürzte mit verweinten Augen in die Küche und ließ sich auf einen Stuhl niederfallen, als wäre sie total erschöpft. Susi ist durchgefallen. Claudia weinte.

Susi, rief Helen erschrocken.

Ja, Susi, klagte Claudia.

Ich mußte mir erklären lassen, daß Susi in Musik die Beste war und es ihretwegen auch einmal einen Skandal in der Schule gegeben hat. Ihr war angelastet worden, sie nehme Rauschgift und verführe auch Mitschülerinnen dazu. Aber es blieb beim Verdacht, ihr konnte nie etwas bewiesen werden, und weil sie eine gute Schülerin war und ihr Vater ein einflußreicher Stadtverordneter, wurde dann alles wieder heruntergespielt.

Sie ist im Spiel besser als ich und theoretisch auch, erklärte uns Claudia. Wenn sie schon durchfällt, was soll dann erst mit mir werden, ich bin viel schlechter als sie, sie spielt alles vom Blatt.

Claudia zerbröselte ein Stück Brot und ließ die Krumen achtlos auf den Fußboden fallen. Helen sah es, aber sie sagte nichts dazu, sonst wurde sie wild, wenn jemand mit Brot spielte.

Die Verzweiflung verhärtete Claudias Gesicht, es erinnerte mich an Helens Mutter, die ein männliches Gesicht hat.

Das Gesicht von Helens Mutter war wie ein warziger Würfel.

Die Küchenuhr, die so leise bis ans Ende unserer Tage gehen sollte, tickte laut und entnervend.

Claudia, das darf es nicht geben. Du mußt nur fest dran glauben, daß du die Prüfung schaffen wirst, und du wirst es schaffen. Ich glaube daran, und ich weiß, daß du es schaffen wirst.

Mama, sagte Claudia weinerlich, wenn ich durchfalle, was mache ich dann? Verkäuferin im Supermarkt?

Aber Claudia, rief Helen und rang die Hände, die Arbeit von zwölf Jahren darf doch nicht umsonst gewesen sein, du wirst bestehen, das ist für mich so sicher wie das Amen in der Kirche. Glaube versetzt Berge.

Ich dachte, du bist aus der Kirche ausgetreten, warf ich ein, aber diesen Einwurf bereute ich sofort.

Dein Vater fährt am Mittwoch nach Köln ...

Ich nehme dich am Mittwoch mit, sagte ich und legte meine Hand auf Claudias Hand, ich werde dich auf der Fahrt nach Köln moralisch aufrüsten. Wir werden auch gemeinsam zurückfahren. So oder so.

44

Was heißt das: So oder so, brauste Helen auf.

Helen, kannst du was ändern, wenn sie durchfällt. Nichts kannst du ändern. Ein Mensch ist ein Mensch.

Helen sah mich irritiert an, dann arbeitete sie aufgeregt an der Spüle. Ich konnte es ihr nachfühlen. Das Wort durchfallen war in unserem Haus zum erstenmal ausgesprochen worden. Denn Claudia war immer eine gute und auch eine fleißige Schülerin gewesen, und auch ich hatte nie ans Durchfallen gedacht. Warum auch, Claudia tat immer mehr, als sie hätte durch die Schule machen müssen ... ja, sie war fleißig und gescheit, sie hatte sehr schnell begriffen, daß sie nicht für die Schule und nicht für die Lehrer lernte, sondern für sich selber.

Ich streichelte meiner Tochter über das Haar: Wenn deine Freundin durchfällt, heißt das noch lange nicht, daß du durchfällst, vielleicht hat sie einen schlechten Tag gehabt.

Das ist es ja eben, Vater, nur weil man einen schlechten Tag erwischt, ist für alle Zeiten alles versaut.

Claudia lief aus der Küche, ich hörte sie im Flur weinen.

Helen und ich sahen uns erschreckt an. Ich zuckte mit den Schultern, was sollte ich sagen, es war doch alles gesagt.

Und doch sagte ich noch: Wir müssen mit der Möglichkeit rechnen, Helen, machen wir uns nichts vor, auch die erwischt es, die ernsthaft an sich arbeiten ... vielleicht könnte Claudia in der Stadtbücherei anfangen, Bibliothekarin ist doch ein ehrenwerter Beruf.

Hör auf, Lothar, bitte hör auf ... mein Gott, wo leben wir denn, daß junge Leute ihren Beruf nicht mehr frei wählen können. Helen weinte leise vor sich hin.

Konnten wir frei wählen, Helen, wir haben uns doch das genommen, was uns angeboten worden ist. Schlimm ist heutzutage nicht, daß wir nicht frei wählen können, schlimm ist, daß uns auch nichts angeboten wird.

Lothar, haben wir etwas falsch gemacht, fragte Helen und trocknete verstohlen ihre Tränen mit einem Geschirrtuch.

Wir haben getan, was wir konnten, auf alles andere haben wir keinen Einfluß mehr. Und jetzt nimm es nicht so tragisch, Helen, wir machen uns sonst kaputt.

Ich küßte Helen auf die Stirn und ging durch die Sträucher in den Vorgarten auf die Straße. Die Pfeifer lag schon wieder im Fenster. Sie lachte mich mit ihrem zahnlosen Mund an. Meine Güte, wann schläft bloß diese Frau.

Ich ging zu Frank. Unterwegs begegnete mir Bauschulte, der seinen

Hund spazieren führte. Ich streichelte den gutmutigen Labrador und sagte: Ich gehe zu Frank, zu Hause ist dicke Luft.

Schaff dir ein Treibhaus an, antwortete er verschmitzt, dein Garten ist doch groß genug, dann hast du Ruhe. In Treibhäuser kommen Frauen nicht, da dürfen sie nicht putzen. Er lief weiter und ließ den Hund von der Leine.

Gabi öffnete die Haustür: Frank ist nicht da. Aber du kannst trotzdem reinkommen.

Ich will nicht zu Frank, ich will Eberhard besuchen, erklärte ich ihr.

Ich folgte Gabi in das Zimmer nach oben, das einmal als Kinderzimmer gedacht war und in dem nun Franks Vater schon seit drei Jahren lag und auf seinen Tod wartete.

Ich blieb an der Schwelle stehen und sah zu, wie Gabi ihrem Schwiegervater Tropfen verabreichte und ihm dabei die eingefallenen Wangen tätschelte und dicht vor seinem Gesicht sagte: So Eberhardchen, schön schlucken ... das hilft. Und jetzt noch fünf Tropfen aus dem anderen Fläschchen.

Sie zählte laut, als sie die Tropfen auf ein Stück Zucker fallen ließ, das sie dem Alten mit einem Löffel in den Mund schob, wobei sie seinen Kopf mit der linken Hand etwas anhob. Zärtlicher konnte wohl ein Mensch mit einem Menschen nicht umgehen, dachte ich.

Eberhard schluckte und keuchte dann laut und pfeifend auf, Gabi ließ seinen Kopf vorsichtig in die Kissen zurückgleiten und Eberhard lag nun reglos da. Dann drehte er seinen Kopf und sah mich an der Tür stehen.

Komm, Lothar, Eberhardchen muß jetzt schlafen, sagte Gabi und zupfte mich am Ärmel.

Der alte Mann wies mit seiner vertrockneten und beinahe durchsichtigen Hand auf einen Stuhl neben seinem Bett: Setz dich zu mir, Lothar, schön, daß du mich mal wieder besuchst. Es geht mir besser, das Wetter läßt mir Luft.

Nicht doch, Eberhardchen, du mußt jetzt schlafen, du mußt jetzt ganz brav sein. Gabi deckte ihn bis zu den Schultern mit zwei dicken Wolldecken zu.

Ich werde schon merken, wenn ich einschlafe, sagte der Alte.

Gabi ging achselzuckend aus dem Zimmer und sah mich vorwurfsvoll an, ich setzte mich auf den Stuhl neben Eberhards Bett.

Ich hatte den Alten ein paar Wochen nicht gesehen, vielleicht sechs Wochen, vielleicht mehr, ich war betroffen, als ich seinen Kopf in den weißen Kissen liegen sah. Zwei Augen sahen aus dem knochigen und vertrockneten Gesicht hervor, Augen wie zwei Scheinwerfer. War das noch ein Mensch? Mir war, als liege vor mir etwas Wächsernes.

Du darfst nicht erschrecken, Lothar, ich weiß, wie ich aussehe, auch wenn mir die Gabi keinen Spiegel mehr gibt. Jaja, Lothar, der Tod hat nie Verspätung, manchmal kommt er etwas zu früh, aber bei mir hat er sich verspätet. Heutzutage kannst dich nicht mal mehr auf den Tod verlassen. Zeiten sind das.

Ich wollte ihm antworten, aber ich fand keine Worte, wollte ihm scherzend antworten, aber ich fand jeden Scherz gemein, angesichts dessen, was hier vor mir lag. Was mich am meisten aus der Fassung brachte, war nicht dieser Totenschädel, sondern wie gelassen dieser alte Mann auf seinen Tod wartete, ohne Angst, ohne Ungeduld. Dabei war Eberhard erst fünfundsechzig Jahre alt.

Der Sommer will nicht kommen, sagte ich endlich.

Zu kühl ist es. Aber ein gutes Wachswetter, die Bauern werden sich freuen ... ich merk das an der Amsel draußen auf dem Dach gegenüber. Die fängt morgens eine Stunde später zu schmettern an. Ich bin meistens schon wach, wenn sie zu singen anfängt. Früher hat mich die Amsel geweckt, sie sitzt immer auf der Fernsehantenne.

Dieses Jahr ist alles später dran, sagte ich.

Damals, siebenundvierzig, als ich mit meinem Bruder Frühkartoffeln geklaut habe auf den Feldern und als die Feldwachen hinter uns her waren, da habe ich manchmal gedacht ...

Ich stand auf und ging nach unten ins Wohnzimmer, denn diese Geschichte des Alten kannte ich schon auswendig.

Ich setzte mich zu Gabi auf die Couch, die einen Pullover strickte, ich fragte sie nicht, für wen der Pullover war, für Frank oder für sie selber. Sie lutschte Karamelbonbons.

Meinst nicht auch, daß der Schwiegervater ein bißchen besser aussieht, fragte mich Gabi, ohne ihr Stricken zu unterbrechen. Ist er eingeschlafen?

Er hat wieder von seinen alten Zeiten angefangen, antwortete ich, wie sie die Kartoffeln geklaut haben nach dem Krieg, und wie er eine halbe Ladung Schrot in den Hintern gekriegt hat von den Feldwachen, und wie er dann trotzdem am andern Tag die Kartoffeln gegen ein halbes Schwein eingetauscht hat. Es tut mir leid, Gabi, daß ich nicht mehr zuhören kann, aber wenn man das hundertmal gehört hat, kann man nicht mehr zuhören.

Was soll er denn sonst reden, der Schwiegervater, antwortete sie, und sie strickte so flink, daß man glauben mußte, sie stricke nicht mit zwei, sondern mit zwanzig Nadeln.

Hast recht, Gabi, was soll er sonst reden.

Eberhardchen hat doch sein ganzes Leben nur fürs Fressen gearbeitet, zu mehr hat es doch nie gereicht.

Traurig, erwiderte ich, daß man sein ganzes Leben nur fürs Fressen arbeiten muß.

Sie ließ das Strickzeug in ihren breiten Schoß fallen und fragte: Tust du was anderes, Lothar? Sicher, du hast dir ein schönes Haus gebaut und deine Claudia wird einmal eine Künstlerin, aber sonst hast du doch auch nur fürs Fressen gearbeitet.

Vielleicht hast du recht, antwortete ich.

Ich weiß nicht, wann der Frank kommt, er sagt mir ja nie etwas. Aber ich hab mit dem Eberhardchen genug zu tun, ich werde Eberhardchen schon wieder hochpäppeln, gegen so ein bißchen Staublunge, da hilft nur Gänsefett, aber das ist jetzt auch teuer geworden.

Wiedersehen, Gabi. Ich stand vor ihr.

Soll ich dem Frank was ausrichten? Ich weiß nicht, wann er nach Hause kommt, er sagt mir ja nichts, er geht, wann er will, und kommt nach Hause, wann er will ... aber Gott sei Dank, er hat jetzt eine Arbeit, Arbeit macht Männer verträglich.

Mein Gott, die Frau war sogar schön, sie sah mit ihrem Jungmädchenlächeln zu mir auf und sagte: Früher hat man Dachsfett verwendet. Aber wo kriegt man heutzutage noch Dachsfett her. Die rotten ja alle Tiere aus.

Was ist das nur für eine Frau, die einen schon toten alten Mann pflegt und auch noch überzeugt ist, ihn mit Gänsefett oder sogar Dachsfett von der Schwelle zurückzuholen, über die er jeden Tag hinübergehen kann.

Zu Hause setzte ich mich vor den Fernseher, ich mußte dieses knochige Wachsgesicht vergessen.

Helen saß neben mir und füllte Kladden für ihre Bücherei aus, meistens verzieht sie sich in die Küche oder aber ins Schlafzimmer, wenn ich das Fernsehgerät einschalte und sie noch arbeiten will oder muß.

Auf einmal sagte sie: Du kannst mir sagen was du willst, der Frank betrügt die Gabi.

Woher willst du denn das wissen, entrüstete ich mich.

Eine Frau, die so aussieht, die betrügt man einfach. Als sie das sagte, sah sie nicht einmal von ihren Kladden auf.

Woher willst du denn das wissen, Helen. Also, auf Gedanken kommst du manchmal.

Gedanken? Lothar, das spürt man doch als Frau.

Soso, als Frau, antwortete ich spöttisch.

Sie überhörte es: Weißt du, Lothar, ich könnte es dem Frank nicht einmal verübeln ...

Als Frau natürlich, unterbrach ich sie, nicht ohne Schärfe. Helen legte den Kuli weg, zündete sich eine Zigarette an und blies stoßweise den Rauch aus und nebelte uns beide ein.

Sie atmete schwer, als sie mich fragte: Sag mal, Lothar, könntest du mich betrügen?

Ich war auf diese Frage nicht gefaßt, ich sah auf den Bildschirm und versuchte, einen Sinn in dem Film zu finden.

Ach, weißt du Helen, wenn ich gewollt hätte, was hätte es genützt: früher hatte ich vor lauter Arbeit keine Zeit und jetzt bin ich über das Alter raus, wo man fremden Röcken nachläuft.

Mir kommen gleich die Tränen. Ein Mann ist nie über das Alter raus, und du schon lange nicht, wenn ich dich so erlebe, wie du mich nimmst ...

Helen, was soll der Quatsch, rief ich ärgerlich, ich komme von Eberhard, und ich sage dir nur, wenn ich mal so liegen muß, dann hol den großen Schraubenschlüssel aus dem Keller. Aber so dahinsiechen, das darfst du mir nicht antun ... es gibt Leute, die sind einfach kaputt, und für kaputt gibt es kein anderes Wort ... und dann kommst du und faselst, daß kein Mann über das Alter hinaus ist ...

Was regst du dich denn so auf. In letzter Zeit machst du aus jeder Fliege einen Elefanten.

Ich verließ das Haus und fuhr mit dem Fahrrad in die Kneipe. Frank saß allein an einem Tisch und rauchte genüßlich eine dicke Zigarre. Ich setzte mich zu ihm.

Ich komme von Gabi. Sie weiß nicht, wo du bist.

Muß sie das wissen? Lothar, ich habe einfach Angst nach Hause zu gehen. Wenn mein Alter stirbt, was wird dann mit Gabi. Hast du dir das schon mal überlegt ... komm, ich geb einen aus.

Ich bin dran, Frank, ich habe jetzt einen Zweitagejob.

Von Balke? fragte er.

War es falsch, daß ich ihn angenommen habe, Frank?

Lothar, sei kein Frosch, in unserer Lage kann man es sich nicht leisten zu fragen, ob etwas stinkt oder riecht. Und Balkes Geld stinkt auch nicht mehr als das der anderen. Hauptsache, du hast was in der Hosentasche ... Zeiten sind das. Die Frau pflegt den Vater ins Grab und ich trau mich nicht nach Hause, weil ich fürchte, er könnte tot sein, wenn ich nach Hause komme.

Frank, du hast wieder Arbeit, es geht wieder bergauf.

Bergauf, fuhr er mich an. Ich will dir mal etwas erzählen, Lothar, damit du weißt, wie der Berg aussieht, wo es hinaufgeht. Am Samstag habe ich abgelehnt Stückgut zu fahren, da hat mein Boß gesagt: Ich zwinge niemanden. Aber keiner kann mich daran hindern, daß für dich am Ersten der Letzte ist. So weit sind wir gekommen, die wirklichen Könige sind heute die Unternehmer, und wenn es nur ein kleiner Krauter ist wie meiner, mit zwanzig Lieferwagen. Ich bin Samstag gefahren. Was blieb mir sonst übrig, ich wollte nicht mehr sitzen und warten ... du kennst das ja, und weil ich es auch kenne, bin ich gefahren.

Da stand Claudia in der Tür, sie trug eine amerikanische Uniformbluse mit drei Winkeln auf dem Ärmel, und sie sah sich suchend um. Die Männer am Tresen starrten ihr nach.

Sie setzte sich zu uns und bestellte ein Bier.

Was willst du, fragte ich unfreundlich, ich liebte es nicht, meine Tochter in der Kneipe zu sehen.

Ich habe es zu Hause nicht mehr ausgehalten. Ich bin zu Fuß gekommen, Vater, Mutter dreht durch.

Die laut einsetzende Musik aus der Box machte eine Unterhaltung unmöglich. Ein junger Mann forderte Claudia zum Tanz auf, sie lehnte freundlich ab.

Wir blieben drei Stunden.

Als ich mit Claudia aufbrach, rief uns Frank nach: Die Könige sind nicht mehr die Könige.

Was hat Frank gemeint, fragte Claudia, die sich auf den Gepäckträger meines Fahrrades gesetzt hatte.

Du hast es doch gehört, rief ich gegen den Wind: Die Könige sind nicht mehr die Könige.


Die Abiturientinnen waren ausnahmslos in weißen, altmodisch geschnittenen Baumwollkleidern zur Abschlußfeier gekommen. Am Busenausschnitt und an den Trägern trugen die Mädchen Orchideen, einige trugen Blumen im Haar.

Helen hatte ihr ziegelrotes Kleid an, das schon zwei Jahre ungetragen im Schrank hing, ich meinen dunkelblauen Einreiher mit Nadelstreifen, ein hellblaues Hemd und eine breite, rotgeblümte Krawatte. Ich fühlte mich wie in ein Korsett eingezwängt und bewegte mich, als hätte ich einen Besenstiel verschluckt. Nach dem Eröffnungswalzer mit Claudia schlenderte ich allein durch den Trubel, die meisten festlich gekleideten Besucher dieser Feier kannte ich nicht einmal vom Sehen, denn ich war die ganzen Jahre über nie zu Elternsprechtagen gegangen; warum auch, Claudia war eine gute Schülerin und wenn doch ein Besuch in der Schule notwendig wurde, erledigte das Helen. Eine Bibliothekarin war für Studienräte ein besserer Gesprächspartner als ein Maurer mit aufgeplatzten Händen.

Ein langer Blonder, im lindgrünen Anzug mit resedagrüner Fliege, tanzte unentwegt mit Claudia, die sich selbstvergessen in seinen Armen wiegte, sie streifte mich einmal beim Tanz, ohne mich wahrzunehmen. Ich kannte den jungen Mann. Aber ich wußte nicht, wo ich ihn hintun sollte. Mir gefiel sein Gesicht nicht.

Wie guckst du denn? fragte Helen, die plötzlich neben mir stand, aufgeregt und erhitzt. Sie machte mich mit einem älteren Ehepaar bekannt, von dem ich nur behielt, daß es in der Innenstadt ein Schuhgeschäft betrieb, und als sie weitergingen, wies Helen auf Claudia und sagte stolz: Ein schönes Paar. Findest du nicht auch, daß die beiden gut aussehen.

Wer ist denn dieser lange Lulatsch, fragte ich.

Ruppert, er war doch schon einige Male bei uns. Dort drüben stehen seine Eltern, der Mann im weißen Smoking, die haben an der Hohensyburg einen Traumbungalow. Ich war mal zum Kaffee eingeladen. Ein Märchen von einem Haus. Der Mann ist Direktor in einer Maschinenfabrik in Hagen ... komm, ich stell dich vor.

Lieber nicht, sagte ich und hielt sie zurück, mir ist jetzt nicht danach.

Was hatte ich denn erwartet. Maurer würde ich hier wohl vergeblich suchen, wahrscheinlich auch keinen Stückgutfahrer wie Frank, der Kisten und Kartons die Treppen hochschleppt.

Was hast du denn? Komm, zieh kein Gesicht. Ich will mich freuen und wir haben auch einen Grund dazu. Wir haben es geschafft, Lothar, die Mühe ist nicht umsonst gewesen.

Helen, ich freu mich ja auch, aber ich kann doch schließlich fragen, wer der junge Mann ist, du kennst die Leute ja besser als ich ... mich wundert nur, daß ich diesen Ruppert nie bei uns zu Hause gesehen habe.

Helen hielt mich am Arm fest und sah selbstvergessen auf das tanzende Paar.

Warum du ihn nie gesehen hast? Du bist ja auch nie zu Hause gewesen, antwortete Helen nach einer Weile, wie kannst du dann Claudias Freunde kennen, du warst doch immer mit deinen Baustellen verheiratet.

Wie sie das sagte. Als hätte ich meine Arbeit nur als Hobby betrieben, wäre aus reinem Vergnügen bei Kälte und Hitze auf Gerüsten gestanden.

Nach dem Tanz zog Claudia Ruppert hinter sich her und direkt auf uns zu. Vater, das ist Ruppert ... Herr Schwinghammer, sagte sie außer Atem.

Sehr erfreut, Herr Steingruber, sagte der junge Mann und gab mir die Hand. Er drückte sie fest, seine Stimme klang sympathisch. Bevor ich etwas erwidern konnte, setzte die Musik erneut ein und Claudia zog Ruppert an die Theke. Ich beobachtete, wie Ruppert bestellte und beide ein Glas Sekt tranken. Ruppert legte seinen Arm um ihre Schultern.

Man soll Feste ausnützen, Lothar, soll ich dich mit Rupperts Eltern bekannt machen? Vielleicht kann der Mann was für dich tun.

Ich bin Maurer, Helen, du vergißt das immer.

Ach was. In einer Maschinenfabrik werden auch Maurer gebraucht, erwiderte sie ungeduldig.

Ein weiter Weg nach Hagen, antwortete ich.

Zu deinen Baustellen bist du nicht selten den doppelten Weg gefahren ... ich komme gleich wieder, ich begrüße nur mal die Frau da drüben ... bleib hier, ich komm gleich wieder.

Helen ging auf eine rundliche Frau zu und gab ihr die Hand und redete dann mit den dabeistehenden Schwinghammers. Helen war anzusehen, daß sie es genoß, mit all diesen Leuten hier zu sprechen, sie zu begrüßen.

Da wurde mir auf einmal klar, daß ich mich nie um Helens Bekanntschaft gekümmert hatte. Waren Besucher im Haus, nahm ich sie einfach nicht zur Kenntnis. Mir genügte es, wenn Helen zu Hause war. Ich war immer stolz auf sie, daß sie es von einer kleinen Buchhändlerin zur Bibliothekarin gebracht hatte, sie hatte dafür gearbeitet, jede freie Stunde für die Ausbildung gebüffelt. Helens Besucher redeten fast immer über Bücher und Autoren und Verwaltungskram, über Stellenbesetzungen, Beförderungen und Kulturereignisse in unserer Stadt. Ich fühlte mich dann ausgeschlossen, weil ich fürchtete, etwas Unpassendes zu sagen. Ich hätte niemals gewagt, von meinem Beruf zu sprechen. Und wen hätte es schon interessiert: Auf dem Gerüst bei fünfunddreißig Grad im Schatten oder bei naßkaltem Wind.

Ich suchte die Toilette auf und verlief mich in einen schmalen Gang, der den Saal vom Hof trennte, und als ich glaubte, die Toilette gefunden zu haben, fand ich nur eine Treppe, die in einen Keller führte. Als ich wieder umkehren wollte, hörte ich jemanden weinen.

Ist da jemand? fragte ich ins Halbdunkel.

Das Weinen verstummte. Meine Augen gewöhnten sich an das fahle Licht, und ich sah eine junge Frau auf den Stufen mit dem Rücken zu mir sitzen.

Ich stieg die paar Stufen hinunter und fragte: Fehlt Ihnen etwas? Kann ich Ihnen helfen ... Liebeskummer?

Durchgefallen, antwortete sie.

Es war Susi.

Es gibt Schlimmeres. Sie haben doch das Abitur in der Tasche. Und das ist doch auch etwas ... kommen Sie mit in den Saal.

Wissen Sie, sagte Susi unterwegs, ich wollte nie Musik studieren, ich will Kindergärtnerin werden, aber wenn ich zu Hause davon erzähle, dann gehen meine Eltern an die Decke. Jetzt bin ich bei der Aufnahmeprüfung durchgefallen, und sie tun nun so, als hätte ich sie beleidigt oder ihnen die Ehre genommen.

Im Saal drehten sich die Paare.

Claudia und Helen waren nicht zu sehen. Jemand, den ich nicht kannte, winkte mir, aber ich achtete nicht darauf. Ich blieb noch ein paar Sekunden an der Tür stehen und ging dann ins Freie. Es war wärmer geworden, eine sternklare Nacht.

Müde und ziellos schlenderte ich über den Parkplatz, der nicht asphaltiert war. In einigen Autos saßen Pärchen, die sich küßten. Ich stand plötzlich vor meinem Wagen und erschrak. Ruppert und Claudia saßen eng umschlungen auf dem Hintersitz. Soll ich umkehren, dachte ich. Nichts sehen, nichts gesehen haben.

Ich öffnete die Wagentür und sagte ruhig in das Innere: Würden Sie bitte aussteigen, Herr Schwinghammer, ich brauche meinen Wagen ...

Sie lösten sich überstürzt voneinander. Wortlos stiegen sie aus, Schwinghammer stammelte, aber ich winkte energisch ab, und als ich im Wagen am Steuer saß, sah ich beide durch die Schwingtür in den Saal verschwinden.

Lange war ich unfähig, mich zu bewegen, ich saß nur da, verkrampfte meine Hände um das Lenkrad und starrte durch die Frontscheibe. Ich war nicht betrunken, ich war nur enttäuscht, leer. Dann fuhr ich ab.

In der Bornstraße sah ich im Licht einer Telefonzelle drei Frauen stehen. Ich stoppte, rollte das Fenster herunter und fragte die, die zuerst an meinen Wagen trat: Wieviel?

Im Auto fünfzig, antwortete sie.

Steig ein, sagte ich und öffnete die rechte Tür.

Beim Wegfahren sah ich im Rückspiegel, wie eine der Frauen meine Autonummer notierte.

Hat die Angst, daß ich dich umbringe? Weil sie meine Nummer aufgeschrieben hat, fragte ich besorgt.

Sicher ist sicher. Ich wäre nicht die erste. Mach dir keine Sorgen, wenn ich zurück bin, zerreißt sie den Zettel.

Sie war höchstens siebzehn.

Wo fahren wir hin, fragte ich, nach Norden?

Ach so, rief sie, und ihr Erstaunen war nicht gespielt, du bist ein Neuer ... zum erstenmal was ... na, daß mir heute abend noch so ein Geschenk gemacht wird. Endlich mal was, das Spaß macht ... nicht nach Norden, da treiben sich zu viele Bullen rum. Fahr nach Osten, Richtung Unna, dir sag ich schon, wo es lang geht, ich habe meine Plätze, ich kenne da alle Schneisenpuffs.

Während der Fahrt und noch in der Innenstadt zog das Mädchen schon sein Höschen aus.


In Köln an der Musikhochschule setzte ich Claudia ab und verabredete mich mit ihr für nachmittags auf dem Platz vor dem Römisch-Germanischen Museum.

Ich fuhr zu der Adresse im Stadtteil Lindenthal, die Balke mir gegeben hatte, und der Mann, der mir die drei kleinen und stabilen Holzkisten aus einer Garage in den Kofferraum lud, war ein Ausländer. Seine Aussprache verriet es.

Es war ein Sechsfamilienhaus, gediegene Bauweise, von allen Balkonen leuchteten Geranien und alle gleichfarbig hellrot.

Vor dem Nebenhaus wusch ein älterer Mann seinen Wagen am Gehsteig, er beobachtete uns nicht. Als ich den Kofferraum abschloß, fragte ich den Ausländer: Muß ich etwas unterschreiben, Lieferschein oder etwas Ähnliches?

Der aber winkte nur ab und verschwand in der Garage, aus der er die drei Kisten herausgetragen hatte, und zog das Schwingtor hinter sich zu.

Ein paar Straßen weiter hielt ich auf einem Parkstreifen und öffnete den Kofferraum und hob eine der Kisten hoch; sie war ungewöhnlich schwer.

Um alle drei Kisten waren kreuzweise vier flache Stahlbänder geschlagen und vernietet.

Die Abfertigung hatte keine zehn Minuten gedauert, so blieb mir viel Zeit bis zur Verabredung mit Claudia. Ich fand eine Parklücke an der Rheinuferstraße und ich setzte mich an der Promenade auf eine Bank und sah auf die vorbeifahrenden Schiffe.

Es war wieder ein warmer Tag geworden.

Rheinschiffer möchte ich sein, mit so einem Kahn um die Erde schippern. Ich war bedrückt. Wegen Claudias Prüfung, aber auch wegen der drei Kisten in meinem Wagen, die so ungewöhnlich schwer und stabil verpackt waren. Was war wohl drin?

Kein Mensch kann stundenlang auf einer Bank sitzen und Schiffen nachstarren, der belebteste Fluß wird mit der Zeit langweilig. Um drei Uhr lief ich zum Römisch-Germanischen Museum. Der Platz neben dem Kölner Dom glich einem Jahrmarkt. Ich ließ mich von der Menge treiben und fühlte mich wohl in dem Gedränge.

Claudia und ich hatten keinen bestimmten Punkt auf dem Platz festgelegt, wie sollte ich Claudia in diesem Gewimmel finden, ich hatte den Eindruck, alle Menschen dieser Stadt hätten sich auf diesem Platz versammelt.

In einer Gruppe junger Leute ließ ich mich zu einer Treppe drängen, die zur Tiefgarage unter dem Domplatz führte. Dort stand Claudia auf einem Podest und spielte auf einer großen Mundharmonika. Neben ihr lag ein Pappkarton mit der Aufschrift: Abiturientin ohne Studienplatz bittet um eine Gabe. Claudia spielte einen der neuesten Schlager.

Claudia war ihre Niederlage nicht anzumerken.

Ich stand wie angeschmiedet.

Ich dachte immer nur: Das kann doch nicht wahr sein, das darf nicht wahr sein. Alles war vergebens, die Träume waren zerronnen, hier auf diesem Platz wurden sie mit Füßen getreten und oben auf dem Podest steht meine Tochter, nicht wie eine, die besiegt worden war, nein, wie eine Siegerin.

Claudia hatte mich bemerkt. Sie nahm die linke Hand von der Mundharmonika und winkte mich zu sich heran. Ich drängte mich durch die Leute, rücksichtslos, als müßte ich Claudia vor etwas ten.

Als sie mit ihrem Schlager zu Ende war, klopfte sie die Mundharmonika am rechten Oberschenkel aus, sie hob ihren Karton auf und zog mich fort, ohne denen noch eine Antwort zu geben, die sie baten, doch noch ein Stück zu spielen und die sie lobten, weil sie so gut gespielt hatte.

Komm, Vater, für heute ist es genug.

Ich führte sie zum Parkplatz hinunter zum Rhein, Claudia hatte ihren Karton unter den Arm geklemmt, ich legte meinen Arm um ihre Schulter und beide sahen wir auf den Fluß, auf dem ein Ausflugsdampfer fuhr und von dem buntgekleidete Menschen winkten.

Sie haben mir den Rat gegeben, noch ein Jahr intensiv Privatunterricht zu nehmen oder mich an einem Konservatorium zu bewerben.

Claudia war nicht bedrückt oder gar verzweifelt, sie war gefaßt, ruhig, ich hatte sogar den Eindruck, ihr sei die Ablehnung willkommen.

Im Wagen zählte sie ihr Geld: dreiundachtzig Mark und ein paar Zerquetschte. Mein erstes selbstverdientes Geld, Vater, sagte sie nicht ohne Stolz.

Ein guter Stundenlohn, erwiderte ich.

Nein, sie war nicht niedergeschlagen und nicht verzweifelt, sie war ruhig und gelassen.

Ich bewunderte meine Tochter.

Und jetzt? fragte ich, als ich den Wagen startete.

Jetzt fahren wir nach Hause. Mein Gott, die arme Mama ... und was hast du gemacht, Vater?

Ich habe drei Kisten im Kofferraum, sagte ich, verriet ihr aber nicht, daß mich diese Ladung beunruhigte.

Auf der Autobahn von Köln nach Dortmund sangen wir zur Musik aus dem Radio, wir hätten beide niedergeschlagen sein müssen, aber wir waren fröhlich und ausgelassen, so als würden wir einen Erfolg feiern.

Unsere Straße war zu einer Baustelle geworden, gut zweihundert Meter war der Bürgersteig abgesperrt und ein Teil der Straße schon aufgerissen. Der Riß, den eine durch die nahe Zeche ausgelöste Bodensenkung verursacht hatte, war schon seit langem eine Gefahr für Fußgänger und Autofahrer. Ich lief jeden Tag um unser Haus, um nachzusehen, ob sich schon Risse im Mauerwerk oder Verputz zeigten.

Meine Garageneinfahrt war noch nicht aufgerissen worden, doch ein Bauarbeiter, der mit seinen Kollegen im Bauwagen saß und sich schon für den Feierabend umgezogen hatte, winkte mir zu und trat an meinen Wagen, als er mich an der Einfahrt aussteigen sah: Sie müssen Ihren Wagen morgen früh gleich raussetzen, um sieben, da reißen wir die Einfahrt auf. Keine Aufregung, abends legen wir Bohlen über den Graben, dann können Sie den Wagen über Nacht wieder in Ihre Garage fahren.

Von welcher Firma seid ihr denn? fragte ich.

Hochtief, antwortete er über die Schulter hinweg und ging zum Bauwagen zurück. Ich sah noch, wie der Bauarbeiter im Wagen Bierflaschen öffnete und eine an den Mund führte.

Helen war noch nicht zu Hause.

Das Telefon läutete. Balke. Er sagte: Bring die drei Kisten morgen nach Unna, bevor du wieder nach Köln fährst.

Er gab mir die Adresse durch, ich notierte sie mit.

Steingruber, hör mal, morgen in Köln fährst du woanders hin, und als ich mir auch noch die neue Adresse in Köln notiert hatte, kam Helen aufgeregt zur Haustür herein.

Aufgeregt, stotternd fragte sie: Wie ist es gelaufen! Ich habe es nicht mehr ausgehalten in der Bücherei. Wie ist es gelaufen! Nun erzählt schon ... Mein Gott, bin ich aufgeregt ... wo ist eigentlich Claudia. Ich wies zur Küche.

Claudia saß in der Küche auf der Eckbank und spielte leise auf ihrer Mundharmonika. Sie sah ihre Mutter nicht einmal an, als Helen sich mit beiden Armen auf den Küchentisch stützte und Claudia herausfordernd ansah.

Wie war dein Anschlag, Claudia, liefs gut, warst du aufgeregt ...? Dann drehte sie sich um und sah mich an, fragend, zornig.

Was ist denn mit euch los ... Erzählt doch endlich wie es war, ihr könnt mich doch nicht so lange auf die Folter spannen.

Claudia nahm die Mundharmonika von den Lippen und sagte ruhig: Ich bin durchgefallen. Wie Susi.

Dann führte sie die Mundharmonika wieder an den Mund, aber spielte nicht weiter, sie saß nur da und sah zur Küchenuhr, die mit ihrem lauten Tick-Tack die Stille zerbrach.

Helen hielt sich an der Tischplatte fest, dann fiel sie fast auf einen Küchenstuhl. Ich stand in der Tür und zuckte mit den Schultern, als sie mich angstvoll ansah.

Mutter, die Sache ist gelaufen. Begreif doch, durchgefallen: Klappe zu, Affe tot, Zirkus pleite.

Ich trat in den Vorgarten hinaus und von dort auf die Straße, um mir die Baustelle anzusehen. Der Bauwagen war verlassen und verschlossen. Ich setzte mich auf eine kleine Straßenwalze und spielte an den Hebeln herum.

Die Pfeifer sah aus dem Fenster.

Was jetzt. Sollte sie ein Allerweltsfach studieren. Das Abitur konnte doch nicht das Ende sein, es war doch erst der Anfang. Was jetzt.

Frank hielt seinen Wagen neben mir an, er fragte durch das heruntergekurbelte Fenster: Was sitzt denn hier rum. Spielst Wachmann für die Hochtief? Und dein Stundenlohn? Hast Krach in der Bude? Oder was ist los mit dir.

Claudia ist durchgefallen, antwortete ich ihm.

Das gibt es nicht, Lothar, sag das noch einmal, damit ich es glauben kann ... Zeiten sind das ... Zeiten ... ich glaube, mit meinem Vater geht es jetzt bergab. Heute nacht hat mich die Gabi geweckt, sie schläft seit Tagen bei Vater im Zimmer auf der alten Couch ... wenn es nur bald zu Ende wäre, wenn es nur bald ein Ende hätte.

Helen saß in der Küche auf einem Stuhl, die Hände flach auf dem Tisch und die Finger gespreizt, als prüfte sie ihre Nägel auf ihre Sauberkeit. Aus Claudias Zimmer hörten wir die Mundharmonika klagen. Ich setzte mich Helen gegenüber und legte meine Hände auf die ihren.

Helen weinte ohne Tränen.

Ja, das wars, sagte ich. Mehr fiel mir nicht ein.

Alles umsonst, Lothar, sagte sie und schluckte heftig. Jeden Tag geübt, die Freizeit geopfert. Alles umsonst.

Am liebsten hätte ich sie in die Arme genommen und ihr Haar gestreichelt, aber ich blieb unbeweglich sitzen und hörte auf das Mundharmonikaspiel. Ja, es klang wie ein Klagen, und da wurde mir auf einmal bewußt, daß weder Claudia noch Helen an dem Morgen nach der Abiturfeier gefragt hatten, wo ich in der Nacht abgeblieben war.

Es gab keine Fragen und keine Vorwürfe, weder stumme noch laute, es gab keine lauernden Blicke, keine versteckten Fragen.

Dieses junge Luder hatte mich unterwegs schon so wild gemacht, daß das übrige im Auto auf einem Feldweg, den sie mir wies, nur noch Sekunden dauerte. An der Telefonzelle hatte ich sie wieder abgesetzt. Kein Wort hatten wir auf der Rückfahrt miteinander gesprochen, nur als sie ausstieg, sagte sie und lachte: Für die fünf Sekunden hätten wir nicht so weit zu fahren brauchen. Wenn du wieder mal Druck hast, du weißt, wo ich stehe ... dann bis zum nächsten Mal. Tschüß.

Das war alles.

Auch ich hatte nicht mehr gefragt, wie Helen und Claudia in dieser Nacht nach Hause gekommen waren. Ob sie jemand mitgenommen hat oder ob sie ein Taxi gerufen haben.

Vielleicht sollte sie was anderes studieren, sagte ich endlich zu Helen. Es gibt doch genug Möglichkeiten ...

Als ob man alles über Nacht abstreifen könnte. Lothar, du schmierst dir doch auch keinen Senf auf den Quarkkuchen.

Nein, nicht, aber ich kann auf Quarkkuchen verzichten und wenn es sein muß, auch auf Senf, aber ich muß nehmen, was mir angeboten wird. Helen, kann ich meinen Neigungen nachgehen, kannst du es? Sollen für Studenten andere Würste gemacht und sie anders gebraten werden ...

Lothar, du gehst immer nur vom Praktischen aus, vom Geld, vom Verdienst.

Na und? Schließlich muß der Mensch ja was zum Fressen haben. Das ist Nummer eins, dafür braucht man Geld, und für die Hypothek auch. Alles andere ist nichts weiter, als sich was in die Tasche lügen ... Helen, es tut mir weh, glaub mir, aber ich muß es einfach sagen, nämlich, du mußt dich jetzt damit abfinden, daß du ab heute zwei Arbeitslose im Haus hast. Ja, Helen, du hast damals den richtigen Riecher gehabt, als du Beamtin geworden bist ...

Ich geh zu Claudia rauf, sagte Helen entschlossen und stand auf, blieb aber am Tisch stehen.

Das würde ich nicht tun, ich würde sie allein lassen, gerade jetzt. Wenn sie reden will, dann wird sie herunterkommen und sich zu uns setzen ... Vielleicht kann sie Straßenmusikant werden, versuchte ich zu scherzen.

Straßenmusikant! rief Helen entsetzt aus.

Warum nicht, der Beruf stirbt langsam aus. Übrigens, ein ehrenwerter Beruf.

Diesen Mann hatte ich irgendwo schon einmal gesehen.

Aber wo. Bei welcher Gelegenheit. Er war dick, sein Bauch hing über den Gürtel und er sprach mit einer ungewöhnlich hohen Stimme, als ich vor seinem Bungalow ausstieg.

Als ich den Kofferraum geöffnet hatte, deutete er auf die drei Kisten und sagte: Tragen Sie das Zeug in meine Garage.

Die Garage lag neben seinem gesichtslosen Bungalow.

Ich stapelte die Kisten neben zwei Damenfahrrädern, und als ich wieder ins Freie auf den Hof trat, sah ich den Dicken nicht mehr. Ich ging zur Haustür, um ihn noch einmal herauszuklingeln. Aber dann ließ ich es doch, schließlich mußte er mir keinen Lieferschein unterschreiben, so wie ich keinen unterschreiben mußte.

Auf einem Messingschild neben der Haustür las ich: Obermann. Während der Rückfahrt von Unna grübelte ich, wo ich ihn schon einmal gesehen hatte, ich war mir ganz sicher. Aber es fiel mir nicht ein.

Claudia wartete vor dem Haus, sie saß auf den Stufen und sah den Straßenbauarbeitern zu. Sie trug ein Jeans-Kostüm, das an den Ärmeln und am Reißverschluß der Hose mit bunten Blümchen bestickt war. In einer Umhängetasche trug sie ihre Mundharmonika. Ich blieb an der Garageneinfahrt stehen und sah dem Straßenarbeiter zu, der mit einer Motorsäge einen etwa zehn Zentimeter tiefen Schnitt in den Asphalt sägte. Er stellte sich dabei so ungeschickt an, daß ich es nicht länger mit ansehen konnte. Ich ging zu ihm hin und nahm ihm die Motorsäge aus der Hand und führte ihm vor, wie man fachgerecht eine Straße aufsägt ... Er war Türke, er grinste mich an und nickte mir anerkennend zu.

Der Vorarbeiter hatte es bemerkt: Das machst du aber gut, rief er, solche Leute wie dich könnte ich brauchen. Was bist du denn von Beruf.

Maurer, antwortete ich und reichte dem Türken die Straßensäge zurück. Er bemühte sich, es mir gleichzutun.

Der Vorarbeiter lief hinter mir her und hielt mich am Arm fest, bevor ich ins Auto stieg, in dem Claudia schon wartete und mir ungeduldig winkte, daß ich endlich abfahre.

Wenn ich was zu sagen hätte, ich würde dich sofort einstellen, sagte der Vorarbeiter wichtigtuerisch.

Du hast aber nichts zu sagen, antwortete ich und löste seine Hand von meinem Ärmel.

Die Pfeifer sah aus dem Fenster. Die Pfeifer nickte mir freundlich zu.

Unterwegs erzählte mir Claudia, daß sie beim Frühstück mit ihrer Mutter kein Wort gewechselt hat, es sei eine Stimmung gewesen, als sei jemand gestorben.

Dann schwiegen wir, bis wir in Köln einfuhren.

Ich setzte sie am Rheinufer, in der Nähe des Hauptbahnhofes ab, denn mitnehmen wollte ich sie nicht zu der von Balke angegebenen Adresse, das hätte nur zu Fragen geführt, die ich nicht beantworten konnte und auch nicht wollte.

Es wiederholte sich alles, wie es schon am Vortage abgelaufen war. Ein junger Mann legte mir wieder drei kleine Kisten in den Kofferraum, ebenso schwer und mit Stahlbändern verpackt. Das Einladen spielte sich wieder auf offener Straße ab und wieder lag das Haus im Stadtteil Lindenthal, nicht weit von der gestrigen Adresse.

Als ich den Kofferraum zuschlug und mich dem jungen Mann zuwandte und ihn fragte, ob ich etwas zu unterschreiben hätte, da sagte er nur: Dampf ab. Glotz nicht so.

Ich stellte den Wagen in der Nähe des Gürzenich im Parkverbot ab und setzte mich dann später auf die Terrasse am Café Reichardt unter einen Sonnenschirm und bestellte mir ein Kännchen Kaffee.

Da ging Obermann vorbei in Richtung Hohe Straße.

Und plötzlich wußte ich auch, wo ich diesen dicken Mann schon einmal gesehen hatte. Als Schützenkönig, voriges Jahr in einem Dorf, das heute in die Stadt Unna eingemeindet ist. Mit Helen war ich zufällig in den Schützenumzug geraten. Ich konnte meinen Wagen nicht mehr zurücksetzen, weil sich hinter mir schon die Autos stauten und vor mir hatte die Polizei die Straße abgeriegelt, bis der Schützenzug mit den Festbesuchern vorbeigezogen war. Mitten im Zug, in einer Kutsche, die von vier blumengeschmückten Pferden gezogen wurde, thronte dieser Obermann als Schützenkönig und neben ihm eine gewichtige Frau als seine Königin. Ich erinnerte mich jetzt genau, weil Helen und ich uns über diesen eitlen, gespreizten Um- und Aufzug lustig gemacht und ihn bewitzelt hatten. Wir hatten Tränen gelacht über die ernsthaft und bedeutungsvoll marschierenden Männer, die ihre Bäuche vor sich herschoben unter grünen, ordensgeschmückten Uniformen. Einige hatten Mühe, Gleichschritt zu halten, einer im Zug pißte plötzlich beim Marschieren, wobei er Mühe hatte, seinem Vordermann nicht die Hosen vollzupinkeln.

Und dort lief jetzt dieser Obermann, dem ich vor einigen Stunden noch in Unna gegenüber gestanden war. Warum erinnerte ich mich jetzt so genau an sein Gesicht.

Ich legte das Geld, das ich für den Kaffee schuldig war, auf den Tisch und lief Obermann hinterher, aber am Eingang zur Hohen Straße war er schon im Gewühl verschwunden.

Warum erinnerte ich mich jetzt so genau an diesen Obermann, in den letzten Jahren hatte ich viele Schützenkönige gesehen und sie gleich wieder vergessen.

An der Treppe vor dem Dom wartete ich auf Claudia. Wenige Minuten später kam sie mit zwei anderen Mädchen in meine Richtung. Als sie mich bemerkte, verabschiedete sie sich von den beiden.

Als wir auf dem Heimweg bei Remscheid in einen Stau gerieten, fragte sie: Was transportierst du eigentlich, Vater.

Kisten. Nur Kisten.

Und was ist in den Kisten, fragte sie wieder.

Das interessiert mich nicht und deshalb sollte es dir auch gleichgültig sein.

Ich habe in zwei Tagen hundert Mark verdient, sagte Claudia.

Guter Stundenlohn, gab ich aufgeräumt zurück.

Über den Graben zu meiner Garageneinfahrt waren Bohlen gelegt, ich fuhr ungehindert in die Garage.

Vor der Haustür wartete Helen, und immer wenn Helen vor der Haustür wartete, bedeutete das nichts Gutes.

Ich wollte dich doch von der Bücherei abholen, aber du bist ja schon da, rief ich ihr zu und wartete gespannt, was sie antworten würde.

Eberhard ist gestorben. Gabi hat mich in der Bücherei angerufen, deshalb bin ich hier ... du sollst gleich hinkommen.

Die Pfeifer lag im Fenster und winkte mir heftig zu, ich konnte unmöglich so tun, als hätte ich sie nicht bemerkt. Ich ging in ihren Vorgarten und trat unter das Küchenfenster. Die Alte trug heute ihre Zahnprothesen, das machte sie jünger, sie war festlich gekleidet und sie lachte ausgelassen und blechern zugleich: Nun ist er also doch tot. Gott sei seiner Seele gnädig. Er ist also doch vor mir gestorben, der Eberhard.

Es ist trotzdem plötzlich gekommen, sagte ich.

Wenn er kommt, kommt er immer plötzlich, auch wenn man drei Jahre darauf warten muß. Jetzt kann er nicht mehr saufen, alte Hexe hat er einmal zu mir gesagt und den Kindern hat er beigebracht, daß sie mir alte Hexe hinterherrufen. Nun gehen Sie schon, Herr Steingruber, sonst wird er zugenagelt, der Eberhard.

Die Haustür stand weit offen.

Gabi saß auf einem Stuhl in der Küche und sah mich mit ausdruckslosen Augen an. Ich setzte mich neben sie. Sie sagte sanft: Jetzt hat er Ruhe, das Eberhardchen. Frank wird gleich da sein ... Frank kann mir keine Schuld geben, ich habe für Eberhardchen getan was ich konnte. Aber gegen den Tod kann man nichts machen. Vielleicht hätte ich ihn mit Dachsfett über die Runden gebracht.

Wo ist er, der Eberhard, fragte ich.

Oben liegt er, in seinem Zimmer. Gleich kommen die Leute vom Beerdigungsinstitut, die haben auch den Arzt verständigt, so ein Tod bringt immer viele Leute auf die Beine, die dann sagen müssen, daß der Tote auch wirklich tot ist.

Ich saß neben Gabi. Wir warteten stumm, bis Frank nach Hause kam. Als er in die Küche trat, war das erste, was er sagte: Laßt ihn zunageln. Ich will ihn nicht mehr sehen.

Zu Beginn seiner Bettlägerigkeit erzählte mir Eberhard einmal, daß er nach Mallorca fliegen werde, um dort drei Monate zu überwintern, wenn es seinen Lungen wieder besser geht, er wolle sich jeden Tag an den Strand legen und die vielen Tonnen Steinstaub, die er in den vier Jahrzehnten unter Tage eingeatmet hat, langsam und mit Genuß von ganz unten her aus seiner Brust heraushusten und in das Meer spucken.

Wenn Eberhard einmal von etwas anderem als nur von seinen Tauben sprach, die er verkaufen mußte, als er zu Frank nach dem Tod seiner Frau gezogen war, weil es in unserer Siedlung verboten war, Tauben zu halten und zu züchten, dann redete er nur von Mallorca. Er erzählte auch von seiner Arbeit unter Tage, die sich in seiner Erinnerung von einer verfluchten zu einer geliebten gewandelt hat.

Sonst sprach er nur von Mallorca.

Die spanische Insel blieb sein Traum; so wie andere vom Reichtum träumen, vom Lottogewinn, von schnellen Autos und geilen Mädchen, so träumte er, den häßlichen Winter hier einmal auf Mallorca zu überleben, um seine Lungen wieder gesund zu kurieren.

Und weil Helen, Claudia und ich einmal auf Mallorca drei Wochen Urlaub gemacht haben, mußte ich ihm immer wieder von der Insel erzählen, wenn ich an seinem Bett saß.

Ich schilderte ihm Mallorca als verwunschenes Schloß und verschwieg ihm den Rummel, den Lärm und die mit Beton zugemauerten Strände.

Ich war noch nie auf Island gewesen, habe aber alle Bücher und Bildbände über diese Insel gelesen, die mir Helen von der Bücherei mitgebracht hatte. Die Bilder von dieser Insel lebten in mir. Ich schilderte Eberhard dann Mallorca so, wie ich Island aus Büchern kannte. Ich erzählte ihm von Kratern und Gletschern, von Walen und Lachsen, von wilden Pferden und Schafen. Ich erzählte ihm von der Stille des Landes, wo man auf den Bergen nur seinen eigenen Atem hört, vom Wasser, das heiß aus der Erde schießt, so heiß, daß man darauf Kaffee kochen kann. Ich erzählte ihm von der Einsamkeit, den klaren Nächten und der reinen Luft, vom grünen Moos an den Berghängen, vom ewigen Eis und struppigen Ponys, von den Sommern, in denen die Sonne nie unterging.

Eberhard hörte meinen Erzählungen so andächtig zu, als berichte ihm ein Auserwählter vom gelobten Land, das er betreten wird, um dort zu sterben.

Einmal nur möchte ich da hin, wo die großen Fische sind und die struppigen Pferde und wo man nur seinen eigenen Atem hört. Das muß schön sein: Wo man nur seinen eigenen Atem hört, hatte er meine Worte wiederholt.

Eberhard war sein ganzes Leben lang aus Dortmund nie herausgekommen; er bewirtschaftete einen Schrebergarten, der ihm Mallorca und Island ersetzen mußte, und als seine Frau starb, verkaufte er seine Tauben und zog zu Frank in die ungenutzte Stube und fand in Gabi eine Sonne, die ihn, bis zu seinem Tode, nicht mehr losließ.

Ja, Lothar, so ist das. Die einen fliegen nach Mallorca und die anderen legen sich ins Bett.

Einmal brachte ich ihm ein Bild mit, ich hatte es aus einem Bildband gerissen. Das Foto zeigte einen Gletscher auf Island, im Vordergrund Schafe und Pferde.

Ich hatte das Foto Eberhard vor die Augen gehalten und er hat es genommen mit seinen Knochenfingern und es lange betrachtet und dann aufgeseufzt und gesagt: Ja, Lothar, jetzt versteh ich, warum man dort seinen eigenen Atem hört.

Damals habe ich ihm das Foto an die Wand geheftet, Gabi hat es später, als das Zimmer neu tapeziert werden mußte, mit den alten Tapeten in die Mülltonne geworfen.

Vielleicht ist er nicht an Silikose gestorben, sondern an seiner unerfüllten Sehnsucht nach Mallorca.

Damals war er mit dem Bild in der Hand eingeschlafen.

Wenn ich Eberhard ansah, dann wußte ich eines ganz gewiß: So willst du nicht sterben.

Der Tod ist eine ernste Sache, hatte meine Mutter immer gesagt, und sie glaubte daran.
Sie ist heiter gestorben.

Ich hatte nicht erwartet, daß so viele Menschen zur Beerdigung eines längst vergessenen Mannes kommen würden. Eine große Trauergemeinde versammelte sich an Eberhards Grab.
Nachdem der junge Pfarrer gepredigt und ein Betriebsrat seiner früheren Zeche eine kurze Abschiedsrede gehalten hatte, spielte eine uniformierte Bergmannskapelle das Lied «Glück auf, Glück auf der Steiger kommt...» und zum Schluß: «Ich hatt einen Kameraden.»
Auch der SPD-Vorsitzende meiner früheren Ortsgruppe sprach ein paar Worte. Er war sehr bewegt, denn Eberhard hatte ihm einmal vor vielen Jahren unter Tage das Leben gerettet. Zehn Minuten hatte sich Eberhard an eine Steinwand gestemmt, die einzustürzen und ihn zu verschütten drohte. Noch heute sind über diese Rettungsaktion Legenden im Umlauf, die im Laufe der Jahre so aufgebauscht wurden, daß es nicht nur mehr ein Stein war oder eine Steinwand, die Eberhard minutenlang mit seiner Körperkraft am Einsturz hinderte, das ganze Gebirge von achthundert Meter Höhe hatte er aufgehalten.
Wir warfen Erde und Blumen auf seinen Sarg, ich drückte Frank, der mit ausdruckslosem Gesicht am Grabe seines Vaters stand und Gabi stützte, die Hand, und als ich auch Gabi die Hand reichte, weinte sie und flüsterte mir zu: Hast du den Kranz gesehen, den der Bauschulte geschickt hat. Wunderschön.
Bauschultes Kranz erregte Aufmerksamkeit, es schien, als habe er all seine exotischen Blumen zu einem Kranz geflochten.

Wir waren zum Leichenschmaus in die «Linde» eingeladen, auch Helen hatte zugesagt, mitzukommen, obwohl sie sich keinen ganzen Tag hatte freinehmen wollen.
In der Gaststätte waren Tische zu einem Hufeisen zusammengestellt, weiß gedeckt. Gabi hatte vierzig Trauergäste eingeladen, dreißig waren gekommen.
Es gab westfälischen Pfefferpotthast, Salzkartoffeln und saure Gurken, die der Länge nach in vier Teile geschnitten waren. Auf den Tischen standen blaue Vasen mit bunten Sträußen.
So viel Geschmack hatte ich Bajazzo nicht zugetraut. Nichts war

aufdringlich oder protzig, nichts überladen, und Bajazzo gelang es auch mühelos, sein eingefrorenes Grinsen in ein ernstes Gesicht zu verwandeln. Er bewegte sich betont ernst durch die Gaststätte.

Frank stopfte mit einer Geschwindigkeit alles in sich hinein, als hätte er seit Tagen nichts mehr zu essen bekommen. Gabi stocherte in ihrem Fleisch herum und aß in langen Abständen kleine Häppchen. Aus lauter Verlegenheit baute sie aus den Fleischstückchen einen runden Wall auf ihrem Teller auf und goß Soße hinein, dann zog sie, wie ein spielendes Kind, ein Fleischstück aus dem Wall und die Potthastsoße lief langsam um den Fleischwall herum.

Gabi nickte allen zu und ermunterte die Trauergäste, kräftig zuzugreifen. Es sei genug da. Keiner soll sich genieren und jeder könne auch trinken, so viel er wolle.

Manchmal tupfte sie mit ihrem gestickten Taschentuch die Tränen ab, und wurde sie von jemandem angesprochen, legte sie ihre Hand auf meine, als suchte sie Schutz bei mir.

Sie schob mir eine ganze Terrine mit Fleisch zu und sagte: Komm Lothar, es ist genug da, wäre schade, wenn es der Wirt wegwerfen würde, es hat genug gekostet, genug Geld, auch wenn er uns einen Sonderpreis berechnet hat ... die Pfeifer, diese Alte, hätte wenigstens einen Kranz schicken können, wenn sie schon nicht zur Beerdigung kommen kann oder kommen will. Die ist noch ganz gut auf den Beinen, die simuliert nur.

Franks Bruder hatte dauernd den Hals verdreht, um besser mithören zu können, und er sagte: Du hast doch den Leichenschmaus nicht bezahlt, Gabi, hat mein Vater selber bezahlt mit seinem Geld, er hat nämlich genug Geld gehabt.

Du hältst dich da raus, unterbrach Frank seinen Bruder.

Eberhards frühere Arbeitskollegen, die nicht mehr so viel Alkohol vertrugen und doch nach jedem Schnapsglas und gefüllten Biergläsern griffen, wurden während der Mahlzeit immer lauter.

Am Ende des Leichenschmauses waren diese Invaliden wieder bei ihrem Lieblingsthema angekommen: früher, zu ihrer Zeit, war die Arbeit unter Tage weit weniger schwer und gemächlicher als heutzutage, früher, da hat es keine Hetze gegeben, da war jeder sein eigener Herr.

Und wer ihre Arbeit nie kennengelernt hat, konnte glauben, sie hätten nur zum Spaß gearbeitet und wären aus reiner Freude in die Grube gefahren, um Kohlen zu brechen, und nicht aus bitterer Notwendigkeit. Weil sich keine andere Arbeit anbot und weil es von

Geburt an so bestimmt worden war von ihren Eltern. Über Generationen hinweg.

Hört doch auf, ihr Lackaffen, schrie Frank, ihr tut ja so, als ob ihr in einem Sanatorium gearbeitet hättet. Dabei keucht jeder von euch aus allen Löchern wie eine ausrangierte Dampflok. Wenn ich das schon höre, gemütlicher, ohne Hektik, jeder sein eigener Herr, und dabei hängt euch Silikosegardisten die Staublunge bis zu den Zehen aus dem Maul raus.

Die Invaliden waren von Franks Worten tief betroffen und beleidigt. Sie sahen nun alle Frank böse an.

Frank, bat Gabi, sei doch still, das sind alles Freunde von Eberhardchen, warum bist du zu ihnen eigentlich so garstig.

Klaus, Franks Bruder, der mit seiner Frau und seinen drei halbwüchsigen Kindern gekommen war und schräg gegenüber von uns saß, herrschte Frank an: Daß du dich nicht schämst, Vater ist noch nicht unter der Erde und du beleidigst seine alten Kumpels ... aber das sieht dir wieder einmal ähnlich.

Klaus, halt dich da raus, drohte Frank seinem Bruder.

Frank füllte seinen Teller mit Kartoffeln und baute mit ihnen eine kleine Pyramide. Es machte ihm Spaß und wahrscheinlich hätte er mit diesem Spiel den Abend zugebracht, wenn nicht Klaus gegiftet hätte: Du kannst doch die alten Männer nicht beschimpfen, aber ich habe ja immer gesagt, du hast keine Ehre im Leib.

Weils wahr ist, rief Frank. Den Hustemännern kannst noch in den Arsch treten und die sagen noch Dankeschön. Ist doch kein Wunder, daß mit denen früher jeder machen konnte was er wollte, jeder Unternehmer und jeder kleine Politiker, ob sie braun oder schwarz gewesen sind.

Aber in der Gewerkschaft war jeder von uns, was man von den jungen Hüpfern heutzutage nicht mehr sagen kann, ereiferte sich ein Ausgetrockneter. Der alte Invalide saß steif am Tisch und hielt die Gabel mit den Zinken nach oben, den Ellbogen aufgestützt.

Gewerkschaft, höhnte Frank den Alten an, möchte nur mal wissen, warum ihr eigentlich in der Gewerkschaft gewesen seid, doch bloß, um Beitrag zu bezahlen. Ihr wißt doch nicht mal, was Gewerkschaft ist, das ist nämlich das Gegenteil vom Taubenzuchtverein.

Frank war betrunken.

Und du, rief der Ausgetrocknete wieder, du ißt doch jetzt nur das, was wir früher für euch gekocht haben.

Du hast es nötig, entgegnete Frank, du Scheintoter.

Frank, nun ist es aber genug, schrie Klaus seinen Bruder an und setzte sich demonstrativ zu den Invaliden auf die andere Seite des langen Tisches.

Gabi versuchte zu vermitteln: Der Frank meint das doch nicht so ...

Ich meine es aber so, schrie Frank und haute mit der Faust auf den Tisch, so schwer, daß die leeren Gläser klirrten.

Helen stand auf und ging wortlos aus der Kneipe, ohne sich von mir zu verabschieden, ohne mir etwas zu sagen, und als ich ihr nachlaufen und sie zurückhalten wollte, sah ich Bajazzo stehen und grinsen. Sein Grinsen widerte mich an.

Ich kehrte auf halbem Wege um und setzte mich wieder neben Gabi, die mir sogleich dankbar die Hand tätschelte. Nun aber war auch unter den Invaliden eine Auseinandersetzung ausgebrochen, die Alten teilten sich in zwei Lager: die einen stimmten Frank zu – ich wußte nicht weshalb –, die anderen erregten sich über seine Angriffe. Laut und gestenreich redeten sie aufeinander ein, und sie wurden dabei von stoßartigen Hustenanfällen in ihrem Redefluß unterbrochen. Je mehr sie sich aufregten, in um so kürzeren Abständen wiederholten sich ihre Anfälle. Ein abstoßendes und mitleiderregendes Schauspiel zugleich: abgearbeitete, ausgepowerte alte Männer zwischen Sechzig und Siebzig überschrien sich gegenseitig wie Kinder, die in der Lautstärke die Überzeugung suchen, weil sie keine Argumente haben.

Frank saß da und genoß diesen Auftritt.

Ich wagte nicht mehr hinzusehen. Da waren alte Männer, die auf ihren Beruf stolz waren und denen ihre Staublunge kaum noch Atem ließ, den nächsten Nebel oder das nächste Gewitter zu überleben, sie nannten ihre Krankheit Berufskrankheit, als wäre sie nicht eine Geißel, sondern ein Orden.

Gabi stieß Frank an: Frank, mein Gott, was hast du bloß angestellt, sind doch alles Freunde von Eberhardchen.

Und Klaus rief mit hochrotem Kopf: Vater dreht sich im Grab um, wenn er das hier erleben müßte.

Das tut er nicht, schrie Frank zurück, der hustet euch was, der ist froh, daß er endlich seine Ruhe hat. Halt du deinen Rand, Klaus. Du hast es gerade nötig, gerade du, ein einziges Mal hast du Vater besucht, ein einziges Mal, seit er bei mir war, in den letzten drei Jahren.

Ein Ausgetrockneter hustete Frank über den Tisch hinweg an: Du kannst überhaupt nicht mitreden, du entlassener Maurer. Jetzt mußt Hinz und Kunz Kisten und Kartons vor die Tür setzen und warten, daß sie dir ein Trinkgeld geben. Keine Ehre mehr im Leib habt ihr alle, keine Berufsehre, du entlassener Maurer du, keine Ehre mehr ...

Klaus begann über die Worte des Invaliden zu lachen und freute sich dermaßen, daß er mit den flachen Händen auf den Tisch klatschte.

Gibs ihm! Gibs dem Erbschleicher, ermunterte er den Invaliden, meinen Vater hat er vor mir versteckt, weil er Angst gehabt hat, ich könnte Vaters Rente absahnen, der ... der ...

Frank nahm ganz ruhig eine Handvoll noch heißer Kartoffeln von seinem Teller und warf sie seinem Bruder ins Gesicht.

Frank, bist du verrückt geworden, rief ich erschrocken und sprang auf, weil er seine Hand erneut nach den Kartoffeln ausstreckte und höhnisch seinen Bruder angrinste.

Lothar, halt dich raus. Ich habe das bezahlt und was ich bezahlt habe, das gehört mir, damit kann ich machen was ich will, auch meinem Bruder sein Lästermaul stopfen.

Klaus packte seine Frau am Arm und wies seinen drei Kindern die Tür. Bevor er hinausging, schrie er durch die Gaststube: Du Miststück, verklagen werde ich dich.

Frank lachte haltlos und rief ihm hinterher: Habt Ihr das alle gesehen, das war der Auszug eines Neidhammels, und der Neidhammel war mein eigener Bruder.

Frank kippte sich einen doppelten Wacholder hinunter und begann noch einmal ganz seelenruhig zu essen.

Ich wollte diesen peinlichen Auftritt hinter mich bringen und gehen, aber Gabi hielt meinen Arm so fest, daß ich mich nur mit Gewalt hätte befreien können, was ich ihretwegen nicht wollte: Bleib hier, Lothar, damit ich nicht allein bin. Frank wird heute noch sternhagelvoll, dann kennt er sich selber nicht mehr.

Ich muß nach Hause, Gabi, laß mich los, sei bitte vernünftig.

Die Invaliden standen uns plötzlich wie eine Mauer gegenüber. Zögernd ging einer vom Tisch, dann der nächste, und schließlich schlurften sie alle im Gänsemarsch zum Ausgang. Ohne ein Wort, ohne eine Regung.

Es war gespenstisch, wie die Alten stumm dem Ausgang zustrebten. Nur der letzte drehte sich an der Tür um, schüttelte die Faust und rief Frank zu: Daß du so etwas deinem Vater antun kannst an seinem Ehrentag. Die Pest über dich. Das Essen kotzen wir dir jetzt vor die Tür.

Ich wollte den Invaliden nachlaufen, aber wieder hielt mich Gabi zurück: Bleib hier, Lothar, bitte bleib hier.

Sie lächelte mich kindlich an und fragte mich plötzlich: Was mach
ich bloß jetzt, ohne Eberhardchen.

Wir drei saßen und tranken noch bis zum Abend. Frank, Gabi und
ich waren übriggeblieben. Gabi, die bei Bajazzo immer neue Lagen
bestellte, kippte den Schnaps hinunter wie Wasser. So hatte ich sie
noch nie erlebt.

Frank sprach überhaupt nichts mehr, er saß da und hielt mit beiden
Händen eine ganze Gurke, von der er immer wieder abbeißen wollte, es aber nie schaffte, sie bis zu seinem Mund zu führen. Er lallte
die Gurke an: Du, dududu, ich hau dich, wenn du nicht lieb bist.

Biß er zu, dann war sein Mund links und die Gurke rechts, war die
Gurke links, befand sich sein Mund rechts.

Aber Frank hatte endlich eine Beschäftigung und blieb friedlich.
Wenn Bajazzo neue Getränke brachte, grinste er uns an, und die
Gäste am Tresen, die zum Abendschoppen gekommen waren,
machten sich über uns drei lustig, sie deuteten auf uns, wie man
vielleicht als Besucher in einem Zoo auf Tiere deutet, die in einem
Gehege sind oder hinter Gittern.

Verlassen saßen wir drei an dem großen Hufeisentisch, von dem
Bajazzo das Eßgeschirr und die überflüssig gewordenen Gläser abgeräumt hatte.

Wie durch einen Nebel gewahrte ich Claudia, die durch die Gaststube schritt. Sie nahm mir im Vorbeigehen das Bierglas aus der Hand,
das ich zum Mund führen wollte und setzte sich mir gegenüber. Ich
war so betrunken, daß ich nicht einmal protestierte, ich sah sie nur
an und dachte: Was macht die hier. Warum kommt sie in eine Kneipe, in der nur Männer herumlungern.

Komm, Vater, komm nach Hause.

Frank wachte auf aus seiner Trunkenheit und rülpste Claudia an:
Was glaubst du wohl, Mädchen, wie gerne mein Vater mitgesoffen
hätte, der konnte früher nichts Flüssiges stehen sehen. Wir haben
nur auf seine Gesundheit getrunken, falls dich das beruhigen sollte.
Misch dich da nicht ein, dafür bist du noch zu jung, um unseren
Schmerz verstehen zu können. Weißt du, über den Tod darf man
nicht spotten.

Und da kippte Gabi vom Stuhl auf den Fußboden.

Frank warf die Gurke über seine Schulter in die Gaststube und
grunzte: Das fängt ja schon gut an mit ihr, jetzt, wo Eberhard nicht
mehr da ist und auf sie aufpassen kann.

Frank und ich, obwohl wir beide so betrunken waren, daß wir uns
von allein nicht mehr auf den Beinen halten konnten, hoben Gabi

hoch und trugen sie mehr als wir sie führten zu meinem Wagen, mit dem Claudia gekommen war, um mich abzuholen.

Auf der Treppe vor der «Linde» begegnete uns Osman. Er sah verschreckt auf Gabi: Frau betrunken? Nicht gut für Frau.

Hau ab, du Knoblauchbomber, schrie ihn Frank an und stieß ihn vor die Brust.

Claudia fuhr uns nach Hause. Zu dritt schleppten wir Gabi ins Haus, Gabi war schwer, sie war nicht mehr fähig, auch nur einen Schritt selbst zu laufen. Im Wohnzimmer legten wir sie auf die Couch. Frank setzte sich neben sie und legte ihren Kopf in seinen Schoß, er streichelte ihre Haare und begann, ohne uns zu beachten, aus ihren langen Haaren Zöpfe zu drehen.

Komm Vater, komm endlich nach Hause.

Armer Frank, sagte ich zu mir selbst und folgte Claudia.

Als ich zu Hause vor der Garage aus dem Auto stieg, stützte mich meine Tochter, damit ich den Weg über die Treppe fand. An der Haustür fragte ich: Schaut die Pfeifer aus dem Fenster? Claudia, schau genau hin, guckt sie?

Ja, Vater, sie guckt aus dem Fenster.

Na, dann ist ja alles in Ordnung.


Breitbeinig stand Frank in meiner Garageneinfahrt, ich lud gerade die drei Kisten in den Kofferraum, um sie dieses Mal nach Werl zu fahren, also nicht zu Obermann nach Unna.

Wie ein Cowboy sah Frank aus: die Hände in die Hüften gestemmt, seine Mütze etwas in den Nacken geschoben. Es fehlte nur noch der Patronengürtel und die Colts.

Du solltest dich fotografieren lassen, versuchte ich zu scherzen, denn ich wußte, warum er gekommen war. Mir war nicht wohl dabei, was sollte ich ihm sagen, wie sollte ich ihm erklären ...

Gib mir die Pistole, sagte er sachlich.

Ich überhörte seine Aufforderung.

Frank trat auf mich zu an den geöffneten Kofferraum meines Wagens und fragte: Was ist denn in den Kisten?

Frag Balke, antwortete ich kurz angebunden.

Frank strich mit der Hand über eine der Kisten, dann hob er eine hoch und drückte sie an seinen Bauch: Schwer, sagte er.

Als er die Kiste in den Kofferraum zurücksetzen wollte, sagte ich:

Die Pistole hat Bauschulte. Er hat sie mir einfach abgenommen, einfach so. Ich konnte mich nicht wehren.

Bauschulte? fragte er verblüfft. Was hat denn der damit zu tun. Er hob die Kiste nun ganz aus dem Kofferraum, stemmte sie langsam über seinen Kopf wie ein Gewichtheber und sagte leise und drohend: Gib die Pistole her, sonst ...

Sonst? fragte ich und hatte Angst, ihn anzusehen.

Sonst? fragte ich noch einmal.

Sonst schmeiß ich dir die Kiste auf die Zehen!

Ich trat einen Schritt zurück und rief: Bist du verrückt geworden, leg das Ding wieder weg, Frank, hörst du, es gehört mir.

Da schmetterte Frank mit aller Wucht die Kiste auf den Betonboden meiner Garage, daß es nur so knallte. Der Knall war laut.

Die Kiste platzte, die Stahlbänder zerrissen, das Holz splitterte, die schmalen Bretter spreißelten auf und heraus fielen – Pistolen! Wir waren beide so erschrocken, daß wir unfähig waren, uns zu bewegen.

Ich hörte mich sagen: Deshalb sind die verdammten Dinger so schwer.

Das ist ja wohl ein Ding, flüsterte Frank. Wer kann das ahnen.

Mach das Schwingtor zu, drängte ich ihn.

Ich selbst lief zur Stirnseite der Garage und verschloß die Tür, die zu meinem Garten führt.

Wir hatten uns eingeschlossen. Es war morgens, Frank hatte Mittagschicht, was ich vergessen hatte, ich war nicht sicher, ob Helen noch im Haus war, sie hätte durch die Tür vom Garten her in die Garage kommen können.

Frank kniete sich nieder und nahm aus der zerborstenen Kiste eine Pistole, in jede Hand eine, er streckte die Arme weit aus und schüttelte ungläubig den Kopf.

Lothar, das gibt es nicht, das darf es einfach nicht geben. Mauserpistolen, da stehts drauf. Das sind keine Attrappen, die sind echt, Lothar, dieselben wie unsere, haargenau dieselben, nun komm und sieh dir das an.

Die Pistolen glänzten im Halbdunkel.

Ich kniete mich neben Frank und nahm ebenfalls zwei Pistolen in die Hände, ich hielt sie so, daß beide Läufe auf Frank zielten, aber Frank bemerkte das nicht einmal.

Das darf doch wohl nicht wahr sein, das darf es nicht geben, sagte Frank mühsam, und mit so was kutschierst du in der Weltgeschichte herum ... ich muß schon sagen. Aber ich sage am besten nichts.

Ich hätte mir denken können, daß von Balke nichts Gutes kommt, sagte ich, aber so was, das konnte ich mir nicht denken, weil es nicht einmal zu Balke paßt.

Franks Hände pendelten mit den Pistolen wie eine Waage auf und ab, dann führte er sie dicht an seine Augen.

Schöne Dinger sind das, schwer, handlich, kalt. Aber die sind heiß, Lothar, sogar sehr heiß, du verbrennst dich daran . . . und was jetzt? fragte er und stand auf.

Ich erhob mich ebenfalls und sah ihn ratlos an, ich wußte einfach nicht, was ich sagen sollte.

Lothar, du alter Waffenschmuggler, wo bringst die Dinger eigentlich hin? Zu Balke?

Endlich hatte ich mich wieder gefaßt: Ich werde die Kiste wieder zusammenflicken. Ich krieg das schon hin. Ich liefere sie in Werl ab, damit sie aus meinem Haus kommen.

Nach Werl? In das katholische Kaff? Lothar, du kannst doch jetzt nicht mehr so tun, als interessiert dich das nicht, ob du Sand oder Pistolen transportierst.

Was soll ich denn machen? fragte ich.

Mensch Lothar, du hast im Kofferraum mehr als Pistolen, du hast da eine Bombe drin, mit einer Menge Dreck dran . . . einer Menge Dreck, so wie ich das einschätze. Verdammt . . . wer ist der Dreck.

Frank, wer hat mir bloß eingeflüstert, daß ich den Job von Balke annehmen soll. Das Scheißgeld.

Frank lehnte am Wagen und rauchte in tiefen Zügen und sah auf mich und auf die Pistolen und schüttelte immer wieder ungläubig den Kopf.

Vielleicht ist das nicht einmal so schlimm. Abwarten, sagte er.

Ich werde die Kiste wieder zusammenflicken, Frank, ganz kunstgerecht.

Wir knieten uns vor die zerborstene Kiste und sahen uns ratlos an.

Wenn das Helen wüßte, sagte ich und schielte zur Tür, die zum Garten führt.

Sie wird es nie wissen, Lothar, keine von den Weibern darf etwas davon erfahren, verstehst du.

Ich ging in den Keller und holte Werkzeug.

Ich sah erst durch die Tür in den Garten, die Terrassentür zum Haus war verschlossen, ein Zeichen dafür, daß Helen das Haus schon verlassen hatte.

In der Garage auf dem Betonboden nagelte ich mit Franks Hilfe die Kiste wieder zu, so gekonnt, daß auf den ersten Blick keiner bemerkte, daß sie einmal offen war.

Den Balke sollten wir hochgehen lassen, aber das geht ja nicht, Lothar, du hängst mit drin.

Ich häng mit drin, fragte ich. Wieso eigentlich ich.

Du hängst mit drin, du hast das Zeug transportiert, kein Mensch wird dir glauben, daß du nicht gewußt hast, was du transportierst. Mensch, jeder fragt doch erst, was er transportiert, kein Mensch ist doch so blöd wie du, nur weil er einen Fünfzigmarkschein winken sieht, wie ein Blinder loszubrausen ... verstehst du mich.

Mußt du nicht zur Arbeit, fragte ich, um ihn loszuwerden.

Erst nachmittags um zwei. Jeden Tag eine andere Arbeitszeit, mal hast einen Beifahrer, mal keinen, dann mußt allein die schweren Klamotten die Treppen raufschleppen und dann geben dir die Leute noch gnädig fünfzig Pfennig Trinkgeld ... Schnauze aufreißen und beschweren, den Zahn laß dir ziehen, dann fliegst. Einen Grund finden die immer ... Lothar, sei froh, daß du noch arbeitslos bist, was sich jetzt überall tut, das geht auf keine Kuhhaut, das hat es noch nie gegeben, seitdem ich denken kann.

Ich sah die Kiste zu unseren Füßen an und fragte: Und euer Betriebsrat?

Dieser Laden hat doch früher nie einen gehabt. Jetzt ist der Prokurist Betriebsratsvorsitzender, der Bock als Gärtner.

Ja, gibts in deiner Firma eigentlich nur Idioten, die nicht denken können ... sauberer Laden.

Denken schon, nur fragt sich, wohin sie denken. Bei uns sind einige, die waren fast zwei Jahre arbeitslos, mit denen diskutier mal über Zusammenhalt, die sehen dich schräg an und gehen weg, lassen dich einfach stehen ... da habe ich in so einer linken Zeitung etwas von Arbeiterklasse gelesen ... das schreiben doch nur Jüngelchen, die eine Schaufel nicht von einem Hammer unterscheiden können, die haben nichts weiter als ihre Ärscher breit gesessen, erst in der Schule, dann auf der Universität und dann am Schreibtisch ... die verwechseln Arbeiterklasse mit Beitragszahlern. Aber deiner Helen darf man mit sowas nicht kommen. Die ist eine Hundertfünfzigprozentige in der Partei ... die lebt für die Partei, die stirbt für die Partei.

Die frißt auch nicht mehr alles, was man ihr vorsetzt, sagte ich und war auf Frank wütend, weil er immer noch in meiner Garage herumhockte.

Das macht der kalte Wind, der aus allen Richtungen bläst, daß es heutzutage keine Hundertfünfzigprozentigen mehr gibt, nur noch Hundertprozentige und Aufgewärmte und Lauwarme ... Lothar, soll ich nach Werl mitfahren?

Balke hat gesagt, keine Begleitung ...
Quatsch. Ich komm einfach mit. Basta.

Die Straße in Werl fanden wir schnell, sie lag in einer Siedlung an der Ausfallstraße zum Möhnesee. Wir fuhren einige Male durch diese Siedlung, und plötzlich haute mir Frank auf die Schulter: Mich laust der Affe, die Adresse, das ist doch der Getränkeverleger, der mit seinen Lieferwagen auch unsere Baustellen beliefert hat ... Weißmann. Da stehn doch seine Autos, gelb und blau gestrichen, mit dem Spruch: Mensch sei schlau, trink bei gelb und blau.
Ich fuhr auf den weitläufigen Lagerplatz vor das Büro und hupte dreimal.
Eine Frau um die Vierzig trat aus dem zweistöckigen roten Klinkerbau und fragte: Was ist denn. Können Sie nicht ins Büro kommen wie andere Leute auch.
Ich hab eine Lieferung an diese Hausnummer. Drei Kisten, sagte ich und war gespannt, was nun passieren würde.
Ach so. Sie sind das. Fahren Sie bitte in die Lagerhalle, stellen Sie die Kisten neben den großen Coca-Cola-Stapel. Ich lud an der Stelle ab, die die Frau genannt hatte, Frank blieb im Auto sitzen, und als ich wieder einsteigen und abfahren wollte, rannte ein Mann durch die aus Stahlrohren und Eternit gebaute Halle. Er winkte aufgeregt und Frank rief mir aus dem Wagen zu: Das ist er. Herr Weißmann höchstpersönlich. Mensch sei schlau ...
Hallo! Sie! Bleiben Sie stehen. Wer hat Ihnen denn gesagt, daß die Kisten hier abgeladen werden ... weg ... weg, da gehören sie nicht hin!
Er stand vor mir und rang nach Luft.
Muß Ihre Frau gewesen sein ... denke ich mir, eine Frau hat es mir jedenfalls gesagt.
Die Kisten kommen in die Garage da gegenüber, sagte Weißmann im Befehlston.
Ich zögerte, Frank schüttelte im Auto den Kopf, und ich sagte zu Weißmann: Für Extrawürste werde ich nicht bezahlt. Ich habe das Zeug abgeliefert ... auf Wiedersehen. Weißmann hatte Frank im Auto bemerkt und sah mir aufgebracht ins Gesicht: In der Abmachung steht, daß bei Lieferungen kein Begleiter dabeisein darf.
Ich habe keine Abmachung unterschrieben ... Wiedersehen.
Ich stieg ein und fuhr ab, im Rückspiegel sah ich Weißmann, wie er mit hängenden Armen hinter mir herstarrte. Unterwegs, wir fuhren die alte Bundesstraße eins, sagte Frank auf einmal: Hast du dir ei-

gentlich schon mal Gedanken darüber gemacht, was das eigentlich zu bedeuten hat. Ich meine, man kann solche Kisten doch auch mit der Bundesbahn verschicken, ein Spediteur bringt sie ins Haus, einer wie ich. Und auf dem Frachtbrief steht: Inhalt Maschinenteile. Wen kümmert das, was drauf steht, mich kümmert zum Beispiel nur, ob die Kisten schwer sind oder leicht, handlich oder sperrig.

Ich habe einen Nebenverdienst von fünfzig Mark am Tag und Spesen und Kilometergeld. Ich will mir keine Gedanken machen, Frank, ich kann es mir nicht leisten, überhaupt Gedanken zu haben. Verstehst du.

Das ist natürlich ein Standpunkt, Lothar, Hauptsache die Kasse stimmt bei dir. Auf gehts, nobel geht die Welt zugrunde. Du fährst ... alles andere ist dir gleich. Ich habe dich immer für einen klugen Menschen gehalten, aber jetzt sehe ich, daß dich fünfzig Mark zu einem kleinen Scheißer gemacht haben ...

Und was ist damit, Frank: Da sind Arbeiter in einer Fabrik in Süddeutschland, die bauen Panzermotoren, und andere in Westdeutschland, sie liefern dafür die Panzerplatten, und wieder andere in Norddeutschland stellen die Ketten her, und alles wird dann irgendwo zusammenmontiert und in Länder verschickt, wo man damit Menschen totschießt, die auch Arbeiter sind ... machen die Arbeiter, die bei uns das alles herstellen, sich eigentlich Gedanken, was sie herstellen ... und da soll ich mir Gedanken machen, was ich transportiere ... da müßte ich doch Scheiße im Hirn haben. Die anderen bauen Mordinstrumente mit Billigung ihrer Gewerkschaft, weil sie Arbeitsplätze erhalten, ich fahre solche Dinger und nehme zumindest niemanden den Arbeitsplatz weg ...

Jetzt gehst du aber ein bißchen weit, Lothar.

Weit? Frank, das kann man nicht oft genug sagen. Mit dem Schlagwort Arbeitsplatzsicherung vernichten wir im Grunde genommen andere und dann uns selbst.

Ich parkte auf dem Parkstreifen vor dem Haus der Pfeifer, die Bauarbeiter hatten schon an der oberen Straßenhälfte begonnen, die Gräben zuzuwerfen, ein Mann schwemmte mit einem dicken Wasserschlauch, der an einen Hydranten angeschlossen war, das lockere Erdreich ein, ein zweiter stampfte es mit einer Motorramme fest. Frank winkte nicht, als er nach Hause ging.

Ich blieb auf dem Bürgersteig stehen und sah den Arbeitern zu.

Wieder sprach mich der Vorarbeiter an: Jammerschade, wenn so ein Kerl wie du die Sonne anbeten muß.

Ich bete ja nicht immer, antwortete ich. Der Vorarbeiter ging mir auf die Nerven, ich habe immer Wichtelmänner verachtet, weil sie nach oben buckeln und nach unten kräftig treten.

Jaja, die Zeiten sind schwer, aber sie werden auch mal wieder besser. Dann drehte er sich um und brüllte einen Türken an.

Ich wollte mich von ihm abwenden und in mein Haus gehen, da sah ich Gabi die Straße herunterkommen. Sie trug schwarze Kleidung, sie wollte ein Jahr lang, wie sie mir verraten hatte, für Eberhard schwarze Kleidung tragen zum Zeichen der Trauer. Sie zögerte, als sie mich bei dem Vorarbeiter stehen sah, und erst als ich winkte, überquerte sie die Straße.

Die Straßenbauarbeiter feixten hinter ihr her. Auch der Türke. Ich wußte nicht, warum sie gekommen war, aber ich führte sie am Arm durch meinen Vorgarten kurz vor die Haustür. Da platzte sie heraus: Lothar, ich will mich scheiden lassen ... was muß ich denn tun, damit ich mein Recht kriege.

Ich wollte erst lachen, weil ich das für einen Witz hielt, aber als ich Gabis trauriges Gesicht sah, fragte ich: Hast du etwas von Scheidung gesagt, Gabi.

Lach mich nicht aus. Ich will mich scheiden lassen, das ist mein Ernst, Lothar.

Ich nickte immerfort nur vor mich hin und dann stieß mir Gabi mit den Ellenbogen in die Rippen: Du hast es doch die ganze Zeit über gewußt und mir nichts gesagt. Das war nicht schön von dir.

Gabi, ich weiß überhaupt nicht von was du redest, drück dich deutlicher aus.

Du hast doch gewußt, daß Frank mich betrügt, schon seit einem halben Jahr mit einem Flittchen aus eurer früheren Firma.

Nein Gabi, das habe ich nicht gewußt, auf Ehre und Gewissen, das höre ich jetzt zum erstenmal.

Aber ich weiß es schon lange. Ich habe Frank keinen Vorwurf gemacht, ich habe mir gesagt, wer eine Frau hat, die so aussieht wie ich, der muß wohl was nebenbei haben. Und jetzt, wo Eberhard tot ist, habe ich Frank ganz offen gefragt, wie lange das mit dem Flittchen noch laufen soll. Da hat er zu toben angefangen und ich hab Angst gekriegt und bin weggelaufen ... einfach weg ... wo soll ich denn hin, ich hab doch kein Geld, und wer nimmt mich schon, mein Gott, was soll ich bloß machen.

Gabi war in Bewegung, ihr Gesicht hatte sich gerötet. Ich nahm sie am Arm: Komm rein, Gabi, die Pfeifer liegt wieder im Fenster und hat Ohren wie ein Luchs.

Ach, die Pfeifer, an die habe ich gar nicht gedacht. Die könnte mich doch aufnehmen, ein ganzes Haus hat sie allein.

Und plötzlich war ihr Gesicht nicht mehr traurig, sie lächelte versonnen vor sich hin, als ich sie ins Haus zog.

Lothar, die Pfeifer könnte mich doch aufnehmen, sprich doch mal mit ihr, auf dich hört sie.


Osman Gürlük hatte tatsächlich im Lotto gewonnen, etwas über hunderttausend Mark, und er erfüllte sich auch seinen langersehnten Wunsch: Er mietete sich einen Bus.

Osman war mir einmal für ein paar Wochen auf einer Baustelle als Handlanger zugeteilt und war jetzt bei einem Abbruchunternehmen beschäftigt. Und nun hatte er sich für ein Wochenende einen Bus mit sechsundfünfzig Sitzplätzen gemietet und ließ sich mit seiner Frau und seinen sechs Kindern in dem Bus durch unseren Stadtteil kutschieren.

Seine Kinder winkten mit kleinen Papierfähnchen aus dem Fenster, der Busfahrer machte eine saure Miene, wenn die Leute auf der Straße über diesen kuriosen Umzug lachten, und er tippte sich an die Stirn und wies nach hinten.

Osman hatte sich den Bus für einen Tag, von Samstagmittag bis Sonntagmittag gemietet und der Busfahrer mußte in dieser Zeit ständig durch unseren Stadtteil fahren. Osman und seine verrückte Idee waren das Thema unseres Vorortes.

Und am Sonntagmittag ging er mit seiner Frau zum Mittagessen beim Bajazzo. Er gab allen, die vom Frühschoppen hängengeblieben waren, so viel Bier und Schnaps aus, wie sie trinken wollten. Alle lachten sie über den Türken, der sich diese Idee mit dem Reisebus tausend Mark hatte kosten lassen. Nur wenige gönnten ihm seinen Lottogewinn. Der Busfahrer, den er auch zum Essen eingeladen hatte, war gekränkt, denn er war sich zu gut dafür, einen anatolischen Tölpel ohne jeden Sinn einen Tag lang durch unseren Stadtteil zu fahren, zudem wurde er von den Thekengästen aufgezogen, die ihn dauernd fragten, ob er nun in Istanbul Busfahrer werden möchte.

Osman und seine Familie genossen es, daß sie sagen konnten: Wir bezahlen alles. Wir haben es.

Ich trank am Tresen mein Bier, und immer wenn ich Frank auf Gabi ansprechen wollte, unterbrach er mich: guck dir bloß den Kümmeltürken an, ich sag's immer, die Welt ist ungerecht.

Osman traktierte uns mit einer Flasche Raki, und weil ich keinen Anisschnaps gewohnt war, wirkte der Alkohol schneller als sonst. Bajazzo grinste zufrieden, selten in letzter Zeit war sein Sonntagsgeschäft so gut gelaufen.

Als Frank und ich aus der Kneipe gingen, um nach Hause zu fahren, waren die meisten Gäste betrunken.

Unterwegs fragte ich Frank: Kocht Gabi für dich?

Was soll denn diese Frage. Warum soll sie nicht für mich kochen, sie hat doch sowieso den ganzen Tag nichts zu tun, jetzt, wo mein Vater unter der Erde ist.

Ich wollte ihm, als ich ausgestiegen war, von Gabis Besuch erzählen und ihrem Wunsch, sich scheiden zu lassen, aber die Pfeifer lag im Fenster und ich sagte mir: misch dich nicht ein, das ist nicht dein Bier. Das müssen die beiden miteinander ausmachen.

Frank sagte mit ernstem Ton: Wir sollten das mit den Fahrten nicht auf die leichte Schulter nehmen. Wir sollten der Sache nachgehen, auf eigene Faust. Vielleicht fahre ich mit, wenn du wieder eine Tour hast, vier Augen sehen mehr, vier Ohren hören mehr. Vielleicht aber sollten wir das einem Journalisten erzählen, der dicht halten kann ...

Halt dich da raus, Frank, das ist mein Job ... und wir beide wissen so gut wie nichts.

Doch. Daß von einer Stelle zur anderen Pistolen transportiert werden, von einer Stadt zur andern, und das ist genug. Keine Tortenböden ... und du weißt, daß du keine Tortenböden transportierst.

Und du auch, antwortete ich. Aber beide wissen wir gar nichts. Es ist nur Frachtgut. Privat. Und das geht uns nichts an.

So einfach kannst du das nicht abschieben, Lothar. Wir reden noch mal darüber, ich komme heute abend vorbei.

Ich sollte es Bauschulte erzählen, sagte ich zögernd, der hat Erfahrung, der riecht faule Sachen schon meilenweit, der hat eine gute Nase.

Laß das, Lothar. Dem pensionierten Kopfjäger kannst du nicht trauen.

Aus Claudias Zimmer hörte ich mehrere Instrumente spielen, ich blieb im Flur stehen und hörte eine Minute zu. Ich fragte Helen, die in der Küche den Mittagstisch deckte: Ist da oben ein Orchester, oder was spielt sich da oben ab.

Irgendwo müssen sie ja üben, erwiderte sie und gab mir einen Kuß auf das Ohr. Du stinkst nach Schnaps ... du verträgst doch keinen Schnaps ... sie spielen heute nachmittag auf dem alten Markt, irgendwas müssen sie ja schließlich machen, wenn sie nicht versauern wollen oder Trübsal blasen. Vielleicht werden sie entdeckt, sagte sie scherzhaft mit einem ernsten Unterton.

Woher kommt plötzlich dein Sinneswandel, Helen.

Helen klopfte beim Essen mit dem Messer an ihren Tellerrand und deutete mit der Gabel auf mich: Hör mal, Lothar, zwei Jobs habe ich für dich wieder in Aussicht, du brauchst nur ja zu sagen, du brauchst nur deine Sturheit abzulegen.

Von deinen lieben Genossen, spottete ich wieder.

Es sind auch deine Genossen, auch wenn du kein Parteibuch mehr hast, und Frank ist dein Freund, und ich bin deine Frau.

Von denen werde ich kein Stück Brot mehr essen. Hat sich einer hier mal sehen lassen und gesagt: Lothar, es tut uns leid. Das mit dir war ein Irrtum.

Du rennst ja immer weg, wenn einer mit dir sprechen will.

Helen, machen wir uns doch nichts vor. Wenn einer wirklich mit mir sprechen will, dann bin ich da ... die wollen doch nur Kopfnikker. Nur noch drei Monate, dann kriege ich Arbeitslosenhilfe. Wenn überhaupt. Aber von denen will ich keine Arbeit, damit wir uns da klar verstehen, Helen, und ich bitte dich auch, dieses Thema nicht mehr anzuschneiden ...

Lieber machst du kriminelle ...

Wie bitte? Ich war zusammengezuckt, ihre Worte hatten mich getroffen. Woher wußte sie? Was wußte sie?

Über Balke laufen Gerüchte, er will eine neue Partei gründen in unserer Stadt, und welche, das kannst du dir ungefähr vorstellen, denn sogar die CDU hat ihn rausgeworfen, weil er nicht mehr tragbar war mit seinen Ansichten und ...

Gerüchte laufen immer, die Leute sind krank, wenn sie nicht tratschen können. Helen, das sind deine Worte.

Lothar, begreif doch, dieser Balke ist gefährlich.

Gefährlich? fragte ich und wurde langsam wütend ... ich war deinen Genossen damals auch gefährlich, und die Genossen waren sich bei meinem Ausschlußverfahren einig, daß einer gefährlich ist, der auf Straßenbahnschienen sitzt. Hör auf mit deinen Genossen, Heuchler sind das, die sind nicht rot, nicht mal rosa, die sind gar nichts, die sind nur zufällig wohin geraten.

Lothar, du bist ungerecht, dein Ärger macht dich blind, du verteufelst jetzt alles, für das du einmal mitgestimmt hast. Und das haben wir nicht verdient, ich gehöre nämlich immer noch dazu ...

Bis sie dich ebenfalls rausschmeißen, wenn du mal in der Bücherei Bücher auslegst, die ihnen nicht passen ... dabei könnten sie das nicht mal beurteilen, weil sie nicht lesen. Glaub mir, Helen, meine Genossen lassen sich von oben herab regieren, wie ein Bauer seine Kühe regiert: Er läßt sie fressen, treibt sie auf die Weide und melkt sie zweimal am Tag.

Helen war blaß geworden, sie stand langsam auf und verließ beleidigt die Küche.

Ich stehe am Ufer des Flusses.

Ich will mit bloßen Füßen über das Wasser schreiten, ich will das gegenüberliegende Ufer mit trockenen Füßen erreichen, durch die blühenden Sträucher sehen, ich möchte am anderen Ufer leben, ich möchte nicht mehr ich sein, ich möchte ein anderer sein. Aber der Fluß ist unbegehbar, im Winter friert er nicht zu und er bleibt immer reißend. Die Winde über dem Fluß erlauben nicht, ihn zu überfliegen, und wer es versuchte, der wurde an sein Ufer zurückgetragen oder stürzte in den Fluß und ertrank. Nie wurde ein Abgestürzter wiedergefunden.

An manchen Abenden steigen drüben Lichter in den Himmel, weiße, bunte, sie färben den Himmel mit den Farben des Regenbogens. Dann starren wir auf das gegenüberliegende Ufer und lauschen auf das fröhliche Leben; spüren den Schmerz und die Lust, wenn ein wenig Licht von drüben auf unser Ufer fällt, es wärmt uns, wir beginnen zu tanzen und sind denen drüben dankbar für das schwache Licht, und die Bauleute, die schon Hammer und Kelle in der Hand halten, um eine Brücke über den Fluß zu schlagen, lassen ihr Werkzeug wieder fallen, weil sie den schwachen Abglanz von drüben genießen wollen.

Oft ist mir, als stürze alles auf mich ein und über mir zusammen, ich sehe Bäume laufen und Autos blühen, die Erde ist über mir und den Himmel trete ich mit Füßen, der Wind weht steil nach oben, die Welt steht Kopf und ich halte mich an den Wolken fest. Dann ist mir, als bewege ich mich in einer Kugel, die Kugel dreht sich, ich will mich festhalten, doch die glatten Innenflächen bieten mir keinen Halt, ich werde herumgeschleudert und es tut mir auch nicht weh, mir ist nur ein wenig schwindelig im Kopf, die Welt draußen sehe ich im Nebel, die Sterne wachsen zu trüben Monden und die Sonne ist längst untergegangen. Das Morgenrot ist Feuer, in dem täglich Hoffnungen verbrannt werden. Wer schürt das Feuer, wer schürt es für wen und wer wagt es zu löschen. Ich sehe mich als Zehnjährigen auf einem Pferd mit Flügeln über Städte fliegen und goldene Münzen auf die Erde niederwerfen und meine Wünsche fliegen vor mir her.

Was ist denn da draußen los, rief Helen und rüttelte mich wach. Ich sprang benommen auf, rannte durch das Wohnzimmer zur Haustür und als ich sie öffnete, fiel mir Gabi in die Arme. Auf dem Bürgersteig gegenüber stand Frank und drohte mit erhobenen Fäusten. Laß dich bloß nicht mehr sehen! rief er.
Gabi schlug mit dem Absatz die Haustür hinter sich zu und sackte einfach zusammen. Sie atmete stoßartig.
Sein Flittchen hat er mitgebracht, schluchzte sie, die bleibt jetzt hier, hat er gesagt, scher dich weg. Ich soll den Haushalt führen, weil sein Flittchen arbeiten geht. Ich soll in Eberhards Zimmer ziehen ... Lothar, da hat mich die Wut gepackt und ich hab dem Flittchen einen Eimer Wasser über den Kopf gegossen. Sie hat mich an den Haaren gepackt. Ich hab mich losgerissen und bin weggelaufen ... zu euch, wo sollte ich denn hin.
Bei jedem Wort bebte Gabis Körper auf, alles an ihr wabbelte.
Ich kauerte mich zu Gabi auf den Boden und versuchte, sie zu beruhigen: Und was jetzt, Gabi, was jetzt.
Gabi hob verzweifelt die Arme: Ich weiß nicht ... ich dachte ... vielleicht weißt du, was ich jetzt machen soll. Ich kenne doch niemanden. Die lachen über mich, ich weiß, daß die Leute über mich lachen.
Bleib hier. Setz dich ins Wohnzimmer, ich komme gleich wieder, ich hab eine Idee, vielleicht klappt es ... ich komm gleich wieder.
Tu dem Frank nichts, rief sie hinter mir her und richtete sich auf, um zu sehen, wohin ich laufe.
Ich lief hinüber zur Pfeifer, die erst nach mehrmaligem heftigen Klingeln die Haustür öffnete, nur einen Spalt, so weit, wie es die Sperrkette zuließ, sie blinzelte mißtrauisch und keifte, als sie mich erkannte, sofort los: Zu mir kommt sie nicht. Ich will sie nicht haben. Die stinkt, alle Dicken stinken. Die wirft alles um mit ihrem Arsch ...
Aber Frau Pfeifer, nur für ein paar Tage, dann hat sich wieder alles beruhigt.

Ich sagte das, weil ich sicher sein durfte, daß sie den Auftritt vor ihrem Haus mitbekommen hatte.

Warum zu mir ... zu Ihnen ist sie doch gelaufen, Herr Steingruber, zu Ihnen. Ich bin eine alte Frau, mir kann man nichts vormachen. Ich weiß Bescheid. Wenn die erst mal im Haus ist, dann sitzt sie in einer Ecke und brütet, nach acht Tagen habe ich in meinem eigenen Haus nichts mehr zu sagen.

Aber Frau Pfeifer, sie kann Ihnen doch Arbeit abnehmen, Sie brauchen die Jugoslawin nicht mehr zum Putzen, und wenn sie Ihnen auf die Nerven geht, dann schicken Sie die Gabi in ein Zimmer, Sie haben doch genug Zimmer.

Ich werde auch alles tun, was Sie von mir verlangen, sagte plötzlich Gabi hinter mir, die mir gefolgt war. Ich will alles für Sie tun, liebes Pfeiferchen.

Verblüfft verfolgte ich, wie sich das Gesicht der Pfeifer veränderte, sie löste die Kette und öffnete weit die Tür, sie trat über die Schwelle und drückte Gabi an sich. Geradezu zärtlich sagte die Alte: Komm rein, mein Kind, was stehst du da draußen ... Pfeiferchen hat noch niemand zu mir gesagt ... komm rein ... du kriegst das beste Zimmer, das mit dem Erker zur Straße raus, du weißt ja, das mit den roten Läden.

Sie umfaßte Gabis Schultern und führte sie in das Haus.

Sie warf die Haustür mit einem lauten Knall zu, und ich hörte, wie sie die Kette vorschob.

Da stand ich nun verblüfft und erinnerte mich plötzlich an die Worte meiner Mutter: Man guckt den Leuten immer nur vor den Kopf, nicht in den Kopf.

Ich ging zu Frank, ich wollte ihn zur Rede stellen. Weil die Haustür nur angelehnt war, läutete ich nicht. Im Hausflur rief ich mehrmals seinen Namen, aber erhielt keine Antwort. Ich ging die Treppe hoch und öffnete die Tür von Eberhards früherem Zimmer. Auf dem Fußboden wälzten sich zwei Körper.

Die Frau sah mich und schrie: Da! Da steht einer.

Frank schubste die nackte Frau weg, sprang auf und fragte ganz sachlich: Seit wann guckst du Leuten beim Vögeln zu.

Ich will nur Gabis Sachen holen. Dann kannst du weitermachen, ich will dich nicht aufhalten.

Zisch ab, warte im Wohnzimmer.

Während ich im Wohnzimmer wartete, überlegte ich, wer die Frau war, ich hatte sie irgendwo schon gesehen.

Als Frank nach einer Ewigkeit zwei Koffer und zwei Reisetaschen vor mir aufbaute, da wußte ich, wo ich die Frau schon gesehen hatte; es war dieselbe, die mir in Bochum, als ich um Arbeit nachgefragt hatte, so schnippisch begegnet war.

Woher kannte Frank diese Frau. Gabi hatte zwar erzählt, sie sei in unserer früheren Firma beschäftigt gewesen. Aber dort war sie mir nie begegnet, mir hatte es schon genügt, Bäuerlein auf der Baustelle ertragen zu müssen, ich wollte ihm nicht auch noch in einem Büro begegnen.

Einen Koffer und eine Tasche will ich wiederhaben, sagte Frank, der nun wenigstens mit einer Hose bekleidet war. Er klemmte mir die Taschen unter die Arme, damit ich beide Koffer in die Hände nehmen und tragen konnte und öffnete die Tür für mich, eilfertig, als ob er mich schnell los werden wollte.

An der Haustür sagte er, und es klang ehrlich: Ich hab das alles nicht so gemeint, sag ihr das.

Ich lief den Marienkäferweg hinunter, ich spürte die neugierigen Blicke der Nachbarn hinter Gardinen und Stores, aber ich dachte nur: Wie kommt diese Frau in Franks Wohnung. Wie und auf welche Weise hat er sie kennengelernt.

Ich stellte Koffer und Taschen vor die Haustür der Pfeifer, ohne zu klingeln, und ging nach Hause.

Helen saß im Wohnzimmer und sah von ihrem Buch auf. Lachend sagte sie: Mein Gott, Lothar, nun soll bloß keiner sagen, in unserer Siedlung wäre nichts los. Wie du als Packesel ausgesehen hast. Ich habe dich vom Küchenfenster aus beobachtet. Die ganze Straße hat dich beobachtet ... nimm es mir nicht übel, die ganze Sache ist zum Weinen, aber ich muß darüber lachen.

Ich aber nicht, erwiderte ich, wenn du das gesehen hättest, was ich eben gesehen habe ... lassen wir das.

Ich fuhr mit Helen in die Stadt, um Claudia mit ihren beiden Freundinnen spielen zu sehen.

Auf dem Alten Markt vor dem Bläserbrunnen, wo das Trio spielte, traf ich Roland. Roland war vor Jahren Ortsgruppenvorsitzender unserer Gewerkschaft gewesen, aus unerfindlichen Gründen aber nach zwei Jahren zurückgetreten. Die einen vermuteten, er sympathisiere mit Kommunisten, die anderen unterstellten, er wolle den Schwarzen beitreten. Der wirkliche Grund war, wie ich später von Helen erfuhr, und sie erzählte es mir nicht ohne Bitterkeit, er habe seit Jahren ein Verhältnis mit einer verheirateten Frau unterhalten, und als das durchsickerte, wurde er von seinen Genossen gedrängt, entweder die Beziehung zu der anderen Frau aufzugeben oder zurückzutreten.

Roland trat zurück.

Wollen wir einen trinken gehen, fragte ich Roland. Was machst du denn jetzt, ich habe dich eine Ewigkeit nicht mehr gesehen, was war das eigentlich, als wir beide . . .

Ich bin in Bochum in einer Maschinenfabrik, antwortete er und fragte seine Frau: Hast du was dagegen, daß ich mit Lothar einen heben gehe? Die Frau schüttelte den Kopf.

Ich gab Helen die Autoschlüssel. Ich komme mit der Straßenbahn nach Hause, erzähl mir dann, wie es gewesen ist, und deutete auf das musizierende Trio.

Ich stellte mich mit Roland an den Tresen einer Bierschwemme in der Brückstraße, wir lehnten unsere Rücken an den Handlauf und sahen in die verräucherte Gaststube. Und was verdienst du in der Maschinenfabrik? fragte ich, und war nicht einmal neugierig auf seine Antwort.

Mehr als ich ausgeben kann, sagte er und es klang echt. Und du, Lothar, immer noch arbeitslos?

Immer noch. Ich weiß nicht, Roland, an mir hängt was . . .

Wenn du damals die Scheiße mit den Kommunisten nicht gemacht hättest, wärst du längst wieder unter der Haube . . .

Jeder baut mal Scheiße, Roland, das weißt du doch am besten, aber meine war keine . . . was ist los mit dir, Roland. So kenn ich dich gar nicht. Du hast mir selber mal gesagt, daß etwas nicht zum Unrecht wird, nur weil es Kommunisten machen . . . und die Fahrpreiserhöhung war ein Unrecht, weil die allein die Armen bezahlen müssen, die anderen fahren Auto, es war deshalb auch Unrecht, weil auch unsere Genossen mittlerweile mehr an den Profit als an den Menschen denken.

Wir tranken und sprachen von alten Zeiten.

Deinem früheren Boss wird wenig passieren, sagte er, kommt mit Bewährung davon und wird mit einem Strohmann in ein paar Monaten eine neue Firma gründen, Konkurse sind heutzutage ein gutes Geschäft, aber nur für die, die den Konkurs planen . . . du bist dabei auf der Strecke geblieben . . . tröste dich, bald kriegen wir Rente, sag ich mir immer, dann bin ich ein freier Mann, und das ganze Gesockse kann mir den Buckel runterrutschen.

Als wir wieder durch die Brückenstraße liefen, stieß er mich an und fragte: Hast du mal wieder versucht in die Partei reinzukommen, ich meine, das müßte doch möglich sein.

Nein, ich werde keinen Versuch mehr machen, Roland. Ich bin es leid, mal an die Brust gedrückt zu werden, mal in den Arsch getreten zu werden.

Das ist nicht klug, Lothar. In der heutigen Zeit muß man einem Haufen angehören, ganz gleich welchen, ob den Evangelischen oder Katholischen. Irgendwo muß man Mitglied sein, sonst wissen die Leute nicht, wie sie mit einem dran sind, und das ist schon verdächtig.

An der Straßenbahnhaltestelle klopfte er mir auf die Schulter: Im Herbst sind Neuwahlen, vorgezogene, für den Vorsitzenden deiner Ortsgruppe ... meine, weißt schon was ich meine, auch wenn es nicht mehr deine ist. Überzeug den Frank, daß er kandidiert ...

Frank? Aber Roland, Frank ist nicht der Mann dafür, der hat doch jetzt Weiber im Kopf.

Doch, er ist der richtige ... Auch wegen der Nordsiedlung ... das sollten wir nicht allein der Stadt überlassen. Der ganze Stadtteil muß was unternehmen, und dafür ist Frank der richtige Mann.

Roland verabschiedete sich und überquerte die Bornstraße. Das Quietschen der bremsenden Straßenbahn tat meinen Ohren weh, ich bekomme jedesmal eine Gänsehaut.

An der Insel stieg ich hinten ein und sah mich nach einem Sitzplatz um, und auf einmal bemerkte ich Claudia, die vorne ausstieg. Ich war so verblüfft darüber, daß ich mich gar nicht bewegen konnte, dann lief ich endlich nach vorn, aber die automatischen Türen schlossen sich vor meiner Nase und die Straßenbahn setzte sich in Bewegung. Ich war zornig auf den Straßenbahnfahrer, er mußte doch gesehen haben, daß ich aussteigen wollte. Und als ich mein Gesicht an die Scheibe drückte, um herauszufinden, wohin Claudia lief, da sah ich sie auf dem Bürgersteig stehen und einen Mann begrüßen, der aus dem Schatten einer überdachten Pommes-frites-Bude hervorgetreten war.

Es war Obermann aus Unna.

Derselbe Mann, dem ich die Kisten geliefert hatte.

An der nächsten Haltestelle stieg ich aus und rannte den kurzen Weg zurück. Nichts. Ich suchte in allen umliegenden Kneipen. Nichts.

Auf der Straßenbahninsel wartete ich auf die nächste Bahn, ich war der einzige Fahrgast, die Straßen waren leer, die Stadt schien mir wie ausgestorben.

Träumte ich. Was hatte Claudia mit einem Schützenkönig zu tun aus einem kleinen Dorf bei Unna. Hatte ich mich getäuscht. Nein, es war Claudia.

Als ich in unserem Vorort an der Haltestelle ausstieg, von der es nur noch fünf Minuten nach Hause waren, und ich den Knopf der Fußgängerampel drücken wollte, winkte mir der junge Pfarrer, der an Eberhards Grab gepredigt hatte.

Bis zur Beerdigung hatte ich immer gelaubt, Eberhard wäre, als guter Sozialist, aus der Kirche ausgetreten, wie man sich täuschen kann, er hatte sein kirchliches Begräbnis bekommen.

Tag, Herr Steingruber … haben Sie es eilig. Nicht? Dann ist es gut. Ich wollte mit Ihnen reden. Ich habe erfahren, Sie sind immer noch ohne Arbeit, ja, wie soll ich sagen, es ist nämlich so, unser Totengräber und Friedhofswärter liegt im Krankenhaus … es sieht so aus, daß er nicht wieder arbeitsfähig wird … Leber, ganz schlimm … und weil Sie ja quasi vom Fach sind … entschuldigen Sie bitte den Vergleich, wollte ich Sie fragen, ob Sie, bis Sie wieder eine angemessene Arbeit finden, das übernehmen wollen. Verstehen Sie das bitte nicht falsch, Sie müssen beileibe nicht jeden Tag ein Grab ausheben, so viel stirbt sichs nicht bei uns, aber wenn der Friedhof nach etwas aussehen soll, dann … na, Sie wissen ja, Sie haben auch einen Garten, einen schönen Garten, hab ich mir sagen lassen, ich habe ihn auch mal gesehen, vom Fenster Ihres Nachbarn aus.

Während er sprach, musterte ich ihn. Er war jung. Kaum über dreißig. Er trug einen Backenbart, die Oberlippe war rasiert. Der Mann war sympathisch, wie er etwas linkisch und doch zielstrebig seine Absicht äußerte. Sein Angebot verwirrte mich. Er hatte an Eberhards Grab eine vernünftige Rede gehalten, er hatte keine Sprüche geklopft und keine Fleißaufgabe abgelesen, er hatte keinen Schmus erzählt, bei dem es einem meistens schlecht wird, weil man die Verlogenheit heraushört, die mit salbungsvollen Worten verkleistert werden soll. Er hat am Grab gesagt, daß die meisten Menschen von ihrer Arbeit kaputtgemacht werden.

Das hat mir gefallen, daß endlich einmal öffentlich einer ausspricht, wo der Hund begraben liegt, kein Wort von Gottes Fügung, nur Anklage, daß die Arbeit am Profit gemessen wird und nicht an den Bedürfnissen.

Der Pfarrer war einen Kopf größer als ich und schlank, und er wirkte etwas linkisch in seinem blauen Anzug bei der Hitze, die schon den ganzen Tag über der Stadt lastete.

Ich habe einen Sterbenden besucht, sagte er, als hätte er meine Gedanken erraten, die haben es nicht gern, wenn man im Freizeithemd am Bett sitzt.

Herr Pastor ... oder soll ich Herr Pfarrer sagen, damit wir uns klar verstehen, ich war seit meiner Konfirmation nicht mehr in der Kirche. Meine Frau und ich sind aus der Kirche ausgetreten. Meine Tochter ist nicht einmal getauft. Das wollte ich Ihnen sagen.

Die Toten werden Ihnen das nicht krummnehmen, antwortete er lächelnd.

Aber vielleicht die Besucher, Herr Pastor. Viele kennen mich und sagen Roter zu mir.

Na und? Lassen Sie doch die Leute reden, die wissen es nicht besser. Ich besuche Sie mal in den nächsten Tagen, ich rufe vorher an, Sie haben ja Telefon. Überlegen Sie sich mein Angebot. Ich muß das auch erst noch mit meinem Kirchenvorstand besprechen und mit meinem Amtsbruder, auch die Bezahlung muß noch geklärt werden.

Er gab mir die Hand. Ich drückte den Knopf für die Fußgängerampel. Zum Abschied nickte er mir freundlich und, wie ich glaubte, aufmunternd zu.

Auf dem Parkstreifen vor Franks Haus stand Franks Wagen. Ich zögerte, lief aber weiter. Da hörte ich Frank rufen: Lothar! Warte! Er stand in Shorts und mit nacktem Oberkörper unter der Haustür und wirkte behäbig.

Lothar, ich habe das nicht so gemeint mit Gabi. Sie hat einfach durchgedreht. Aber verdammt, einmal platzt unsereinem auch der Kragen. Seit mein Vater unter der Erde ist, hat dieses Weib nur geputzt. Die bildet sich ein, Vaters Krankheit sitzt noch in allen Ritzen. Und als sie dann noch mit Lysol ankam, da wars aus bei mir. Wenn ich alles auf der Welt vertragen kann, Lysol dreht mir den Magen um.

Ich habe Roland getroffen in der Stadt, ganz zufällig, er sagt, du sollst dich als Kandidat aufstellen lassen, und dann sagt er, wir sollten was tun wegen der Nordsiedlung, nicht alles den Leuten von der Stadt überlassen, wir sollten das den Genossen in der Stadt nicht so leicht machen ...

Nicht daß du denkst, Lothar, die andere bleibt für ewig hier, bei passender Gelegenheit fliegt die wieder ... Aber dumm ist sie nicht, die hat was im Kopf, und sonst kann sie auch was ... natürlich werde ich kandidieren, hast du was anderes angenommen ... oder traust du mir den Vorsitzenden nicht zu ... und die Siedlung? Kommt Zeit, kommt Rat.

88

Frank ging ins Haus zurück, ohne Gruß.

Die Pfeifer winkte mir aufgeregt aus dem Küchenfenster. Sie rief mir gutgelaunt, als ich den Vorgarten betrat, entgegen: Die Gabi macht das alles schon ganz gut. Kommen Sie doch mal nach hinten in den Garten, Sie werden staunen, was die Gabi alles kann. Ein gutes Kind ist sie ... ein gutes. Gabi spritzte den Rasen.

Die Blumenrabatten waren sauber gejätet, die jungen Dahlien schon abgestützt. Für mich blieb da nichts mehr zu tun übrig. Hoffentlich pflückt Gabi im Herbst auch das Obst, dachte ich und fühlte mich erleichtert.

Seit ich die Pfeifer kannte, hatte ich sie noch nie so zufrieden, so lebendig gesehen, mit verschränkten Armen stand sie neben mir und sah Gabi wohlgefällig bei der Arbeit zu, und auch Gabi schien an ihrer Arbeit Freude zu haben.

Die Pfeifer bat mich neben sich auf die Bank. Ich setzte mich zu ihr, ich wollte nicht unhöflich sein.

Sie ist ein liebes Kind. Sie hat in der ersten Stunde schon bemerkt, wo es fehlt. Sie hat gesagt, sie braucht einen neuen Staubsauger. Sie kann ihn haben, ich schicke sie morgen gleich in die Stadt, um einen zu kaufen. Den besten.

Mein Gott, dachte ich, die beiden Frauen konnten jeden Tag in der Woche in einem anderen Zimmer wohnen, so groß war das Haus, das frühere Privatbüro ihres verstorbenen Mannes nicht eingerechnet. Das Privatbüro durfte auch die Jugoslawin nicht betreten, die Alte putzte es selber.

Das Leben war schon seltsam, die einen verkümmern schon mit sechzig in einem Altersheim, die anderen bewohnen einen Palast und wissen nichts mit diesem Palast anzufangen.

Wenn das Gerechtigkeit sein soll.

Gabi hatte gesehen, daß ich mich verabschieden wollte. Sie ließ den Wasserschlauch fallen und drehte den Hahn ab. Sie sagte: Bleib sitzen, Lothar, ich mach uns schnell Kaffee, ich hab einen Pflaumenkuchen gebacken, ganz frisch, mit Zimt und braunem Zucker, das Pfeiferchen mag ihn gern mit Zimt ... ich auch.

Ich blieb sitzen und fragte mich, warum ich nicht über die Straße nach Hause ging und bei den beiden schrulligen Frauen sitzen blieb, bei dieser Alten, der Pfeifer, deren Haus und Garten ich jahrelang instand gehalten hatte.

Ich hatte Angst nach Hause zu gehen, ich versuchte vergeblich, mir über meine Angst klar zu werden, wo ich mich doch am wohlsten und auch am sichersten in meinem Haus fühlte.

Gabi breitete eine blaukarierte Decke über den Gartentisch, auf einem Tablett brachte sie Kaffee. Ihr Pflaumenkuchen roch stark nach Zimt. Der Kaffeeduft verdrängte sogar den Geruch der Blumen. Ich trank mit Behagen und aß mit Genuß. Gabi war ausgelassen und unbeschwert wie ein junges Mädchen. Was ist mit ihr vorgegangen. Andere würden Verwünschungen ausstoßen oder im Büro eines Rechtsanwalts sitzen.

Soll ich dir noch etwas aus der Wohnung bringen, Gabi, ich habe vorhin Frank getroffen.

Das Kind braucht nichts, unterbrach mich die Alte unfreundlich. Das beste Zimmer hat sie gekriegt, das mit dem Erker zur Straße, damit sie auch die Leute beobachten kann, ohne sich den Hals zu verrenken, damit sie für mich die Leute beobachten kann, wenn ich mich hingelegt habe ... die Rosen werden dieses Jahr blühen wie noch nie.

Gabi nickte eifrig zu allem, was die Pfeifer sagte. Sie las der Alten jeden Wunsch von den Augen ab oder merkte schon an der kleinsten Bewegung der Alten, was sie wünschte, was sie ärgerte, und Gabi war ständig in Bewegung.

Als ich dann doch ging, fragte ich: Soll ich Frank Grüße bestellen? Und wieder unterbrach mich die Pfeifer: Der Kerl soll sich hier bloß nicht sehen lassen, sonst rufe ich die Polizei.

Am Haus, auf dem mit Natursteinplatten ausgelegten Weg, drehte ich mich noch einmal zu den beiden Frauen um: Gabi tätschelte der Alten die Hände, die sie auf ihren Knien liegen hatte.

Vor meinem Haus parkte ein grüner Porsche.

Ruppert saß im Wohnzimmer. Der junge Schwinghammer saß mit Helen und Claudia bei Kaffee und Kuchen und Kognak. Er war sportlich gekleidet, er erhob sich wohlerzogen bei meinem Eintritt und gab mir die Hand.

Wieder war sein Händedruck fest. Er war mir sympathisch. Ich setzte mich zu den dreien und sie blieben ein paar Sekunden stumm, ich hatte sie wohl mit meinem Erscheinen in Verlegenheit gebracht, sie hatten wahrscheinlich über etwas gesprochen, das ich nicht unbedingt zu hören brauchte.

Schönes Auto haben Sie da, sagte ich, weil mir nichts anderes einfiel. Ich hätte auch über das Wetter reden können oder über die letzten Bundesligaspiele.

Hat mir mein Vater zum bestandenen Abitur geschenkt.

Nobler Vater, erwiderte ich. Was ich fragen wollte: Haben Sie einen Studienplatz?

Ja, ich gehe nach Berlin. Im Herbst. Mein Vater will es so, sagte Schwinghammer und sein Lächeln fror ein.

Das ist schön, da freue ich mich für Sie. Ja, mit Claudia hat es ja nun nicht geklappt, aber das wird Ihnen meine Tochter schon erzählt haben.

Deswegen bin ich eigentlich hier, antwortete Ruppert eilfertig, ich habe das schon Ihrer Frau Gemahlin erzählt, Ihre Gattin scheint nicht abgeneigt zu sein. Wir haben davon gesprochen, bevor sie kamen. Wie soll ich sagen, ich komme sozusagen im Auftrage meines Vaters, er meint, Claudia, Ihre Tochter, könnte in Vaters Betrieb so lange arbeiten, bis sie einen Studienplatz gefunden hat ... immerhin steht sie ja auf der Warteliste ... meint mein Vater.

Soso. Meint Ihr Vater. Das ist schön von Ihrem Vater.

Die Szene in meinem Auto bei der Abiturfeier stand mir wieder vor Augen, aber ich konnte ihm deswegen nicht böse sein.

Hört sich gut an, sagte Helen, nicht wahr, Lothar.

Claudia hatte mich kein einziges Mal angesehen, sie sah entweder aus dem großen Fenster in den Garten oder aber Ruppert an, sie hatte kein einziges Mal gelächelt, sie saß da, als würde über sie ein Gericht gehalten.

Ich stand auf, sagte: Ihr müßt mich entschuldigen. Ich habe noch etwas zu erledigen.

Lassen Sie sich meinetwegen nicht aufhalten, Herr Steingruber, sagte Ruppert, wir haben alle unsere Verpflichtungen.

Die beiden Frauen schwiegen befremdet, sie versuchten auch nicht, mich zurückzuhalten.

Mit dem Fahrrad fuhr ich zur Kneipe. Bajazzo empfing mich grinsend. Während ich mein erstes Bier in einem Zug trank, dachte ich: Einmal nur möchte ich ihn weinen sehen.

Der Tresen war voll besetzt, auch einige Tische, dabei stand die Zeit des Abendschoppens erst bevor.

Jemand tippte mir auf die Schulter. Ich drehte mich um, Bauschulte winkte mich an seinen Tisch.

Als ich ihm an einem Ecktisch gegenübersaß, fragte er leise: Was transportierst du für Balke.

Woher weißt du, fragte ich überrascht.

Was ist das. Mensch, Lothar, ich hab doch Augen im Kopf.

Und was geht es dich an, fragte ich, innerlich wütend, weil ich mich ertappt fühlte.

Es geht mich natürlich nichts an, Lothar, das ist dein Job und für diesen Job wirst du, wie ich annehme, gut bezahlt. Es geht mich nichts an.

Und warum fragst du dann, wenn es dich nichts angeht?

Weil es mich vielleicht etwas angehen könnte. Verstehst du. Es wäre für dich auf jeden Fall besser, wenn du mir ein wenig erzählen würdest ... ich will dir nichts wegnehmen.

Dann erzählte ich ihm von meinen Transporten und dem Inhalt der Kisten. Er hörte ausdruckslos zu und paffte an seiner für sein schmales Gesicht viel zu großen Zigarre.

Als ich ihm alles erzählt hatte, fühlte ich mich leichter. Weißt du noch, wo du die Sachen abgeholt und wo du sie hingebracht hast, fragte er. Straßen, Hausnummern, Namen?

Straße und Hausnummer ja. Ob die Namen stimmen weiß ich nicht. Wenn ich es abenteuerlich machen wollte, könnte ich sagen, wenn ich abgefahren war, haben die Leute andere Namensschilder an die Tür geschraubt.

Daß du dich auf so etwas hast einlassen können, Lothar. Sei auf der Hut. Ich weiß auch nichts, aber ich weiß, daß da was ist, und ich weiß, wenn ich mal Argwohn geschöpft habe, daß dann auch was dabei herausgekommen ist, ich war zu lange in dem Geschäft, daß man mir etwas vormachen könnte ... ich kenne meine Pappenheimer. Ich kenne auch die Balkes.

Bauschulte, wenn du ertrinkst, ist es dir egal, wer dir den Rettungsring zuwirft.

Du warst aber nicht am Ersaufen. Lothar, übertreib nicht, deine Frau bringt Geld für zwei ... du kennst doch Balke.

Dachte ich auch. Jetzt aber kenn ich ihn besser.

Bauschulte stand auf, legte mir beide Hände auf die Schulter und sagte: Lothar, ich bitte dich inständig, halte mich auf dem laufenden. Vielleicht kommt eine Zeit, wo du nicht mehr weiter weißt ... dann weißt du ja, wo mein Treibhaus steht ... übrigens, ich habe eine weißgrüne Orchidee gezüchtet, die hat noch keiner vor mir gezüchtet ... bis die Tage mal.

Frank stieg eine Straße vor der von Balke angegebenen Adresse aus und lief zu Fuß weiter.

Wir hatten vereinbart, daß er sich in der Nähe des Hauses, das sich wieder im Kölner Stadtteil Lindenthal befand, aufhalten und beobachten sollte, was ich vielleicht bei der Übernahme der Kisten überse-hen könnte. Vielleicht war es ihm auch möglich, durch andere Leute, Leute, womöglich Nachbarn, mehr in Erfahrung zu bringen.

Wieder fand ich ein gepflegtes Haus.

Vor einer Garage wartete eine zierliche Frau. Als sie das Kennzeichen meines Wagens erkannte, winkte sie mir mit beiden Armen und wies mich in eine leerstehende Garage ein. Die Garage war vollgestopft mit alten und neuen Gartenmöbeln, an der Wand waren Regale ver-dübelt, auf den Regalen standen Eimer und Dosen, ein Mofa lehnte an der Wand und zwei Kinderschlitten aus Holz.

Es war in der Garage schwierig auszusteigen, die Wagentür ließ sich nur einen Spalt weit öffnen, und ich quetschte mich durch die schmale Öffnung und stieß mir dabei mit der Kante der Wagentür das Kinn blutig.

Ich sagte der Frau guten Morgen, die mir in die Garage nachgelau-fen war. Ich täuschte einen verklemmten Kofferraum vor, um mit der Frau in ein Gespräch zu kommen, aber sie sagte nur kurz ange-bunden: Sie müssen selbst einladen, mir ist das Zeug zu schwer.

Ist doch klar, gnädige Frau, und ich lächelte sie an, dafür werde ich ja schließlich bezahlt ... was ist denn da eigentlich drin, die sind ja furchtbar schwer.

Fürs Fragen werden Sie nicht bezahlt, antwortete sie schroff. Ich ließ mir Zeit.

Nun machen Sie schon, Sie halten mich von der Arbeit ab, erst ha-be ich zwei Stunden auf Sie gewartet und jetzt trödeln Sie.

Noch einmal, so von obenhin, um keinen Verdacht zu erregen, sagte ich: Meine Güte, sind die schwer. Ist da Blei drin ... oder Sprengstoff? Ich lachte.

Sie machte eine unbestimmte Handbewegung und erwiderte, ohne eine Miene zu verziehen: Sie werden es nicht glauben, da ist Brot drin. Brot für die Welt.

Ich ging auf ihren Ton ein und antwortete: Da wird sich aber die Welt freuen. Na, dann bin ich für einen guten Zweck gefahren, für so etwas ist man immer gerne unterwegs und das läßt einen nachts auch gut schlafen.

Als ich den Wagen aus der Garage fuhr, stand plötzlich Frank bei der Frau und redete mit ihr, ich verstand nichts, der Motor brummte zu laut.

Ich fuhr los, ohne mich um die beiden zu kümmern, und zur Tank-stelle, die wir als Treffpunkt verabredet hatten. Es dauerte eine hal-be Stunde, bis Frank auftauchte. Der Tankwart hatte ab und zu zu mir herübergeschielt, weil ich die ganze Zeit im Wagen sitzen geblieben war. Er konnte nichts sagen, ich parkte nicht auf seinem Grundstück.

Frank sagte beim Einsteigen nur: Fahr.

Bis zur Mühlheimer Rheinbrücke wechselten wir kein Wort, ich bemühte mich, im Verkehrsfluß zu bleiben, und erst auf der dreispurigen Autobahn nach Leverkusen begann Frank stockend zu berichten: Da sollst vielleicht was rauskriegen. Ein Haus ist verschwiegener als das andere, das ist ein feines Viertel, da kommt die Polizei nicht in der Nacht oder morgens vor dem Aufstehen, wenn die kommen, dann schreiben sie vorher einen Brief, eingeschrieben, mit Boten, da geh mal an eine Tür und frag Leute, kannst nur durch eine Sprechanlage mit denen reden, die machen noch nicht einmal auf ... und in dem Haus, wo du verladen hast, wohnen vier Familien. Da müßte ich schon eine Ewigkeit warten, bis dieselbe Frau wiederkommt ... oder ich müßte mich als Staubsaugervertreter ausgeben, aber die haben genug, bestimmt für jedes Zimmer einen, da käme ich überhaupt nicht rein ... ich kann doch nicht überall läuten.

Sollen wir es der Polizei melden, sagte ich.

Polizei? Lothar, die Leute dort sind vornehm, so vornehm, daß sie ihre Hunde mit Sie ansprechen, die können überhaupt nicht kriminell sein, die treiben Sport, wie man was im Kaufhaus mitgehen läßt.

Was hast du mit der Frau gesprochen, fragte ich neugierig.

Ich habe sie nach der Zeppelinallee gefragt, was anderes ist mir nicht eingefallen. So was gibt's hier nicht, hat sie gesagt, nicht Dame, ganz patzig.

Wir wissen also wieder nichts, Frank.

Doch, daß du heute wieder fünfzig Mark verdient hast, und wenn du so über die Autobahn schleichst, komme ich zu spät zur Arbeit. Mein lieber Chef sagt nämlich gar nichts, wenn man zu spät kommt, der steht auf der Rampe vor den Fahrzeugen und schaut demonstrativ auf seine Armbanduhr, der sagt dann: He! Sie da! He! der redet keinen mit Namen an, für den sind wir nur alle: He! Sie! He! Sie da!

Ich fahre also für eine kleine Schieberbande Pistolen, sagte ich. Es könnten auch Hosenknöpfe drin sein, aber wir wissen, daß keine Hosenknöpfe drin sind. Es könnten auch Tortenböden drin sein, aber wir wissen, daß Pistolen drin sind ... dieser Balke, sagte ich zu Frank.

Und wenn du Balke auf den Inhalt in den Kisten festnageln willst, dann wird er entsetzt ausrufen: Was? Pistolen! Das ist ja furchtbar. Und das mir. Davon habe ich nichts gewußt. Ich habe nur transportiert, und weil meine Firmenwagen bis auf das letzte Rad ausgelastet sind, da habe ich einem armen Teufel was zu verdienen gegeben ... Ich bin Fuhrunternehmer, es ist mein Geschäft zu transportieren, ich frage nur nach Gewicht, Entfernung, Größe und Verpackung. Frank hatte es beinahe beschwörend gesagt und Balkes Tonfall nachgeahmt.

Ich werde mal mit Bauschulte sprechen, sagte ich lauernd. Dem Kopfjäger erzählst du nichts, erwiderte Frank entschieden, der macht noch immer Dienst. Die Sorte kann nicht anders. Ich wagte nicht zu gestehen, daß ich Bauschulte bereits davon erzählt hatte.

Als ich ihn vor seinem Haus absetzte, bat mich Frank mit in die Wohnung. Die Wohnung war unaufgeräumt und schmuddelig, als sei sie wochenlang nicht geputzt worden, dabei waren erst wenige Tage seit Gabis Auszug vergangen.

Frank filterte Kaffee und ich beobachtete ihn verstohlen. Wir tranken aus Tassen, die er vorher unter dem kalten Wasserhahn mit zwei Fingern gespült hatte, er saß mir gegenüber und rührte eifrig in seiner Tasse, obwohl er weder Zucker noch Milch genommen hatte.

Unsicher kam es aus ihm heraus: Hast du Gabi gesehen? Was hat sie gesagt?

Ja, ich habe sie gesehen. Aber sie hat mir keine Grüße aufgetragen. Bitte, Frank, du bist mein Freund, aber halte mich aus eurer Privatsache raus. Ich will das nicht, verstehst du ... Gabi hat auf mich einen zufriedenen Eindruck gemacht, wenn du es genau wissen willst.

Eindrücke täuschen, sagte er enttäuscht.

Und dann war da die junge Frau im Zimmer, sie war ungekämmt und hob die Brauen, als sie mich sitzen sah. Sie trug einen Schlafanzug und hob den Deckel von der Kanne und sog genußvoll den Duft des Kaffees ein.

Auch sie spülte mit zwei Fingern eine Tasse unter dem Kaltwasserhahn und setzte sich an den Tisch zu uns. Sie schenkte sich ein.

Frank hatte seine Freundin die ganze Zeit über beobachtet, unwillig sagte er: Guten Tag sagt man, wenn man reinkommt ... Wo kommst du überhaupt her? Arbeitest du jetzt nur noch halbtags, oder was ist los, daß du in diesem Aufzug am hellichten Tag rumläufst.

Guten Tag, sagte die junge Frau und nickte mir freundlich zu und lächelte dabei. Ihr Mund war ein Knopf.

Die Situation war mir peinlich geworden, und doch war etwas an dem Gesicht der jungen Frau, das mich fesselte. Die Nase war zu lang geraten, der Mund war breit und schmal, wenn er nicht gerade ein Knopf war, und das alles stand in einem sonderbaren Kontrast zu den großen runden Augen.

Sie war häßlich und anziehend zugleich.

In ihrem Gesicht lag Spott. War sie schon zwanzig?

Mein Bruder kommt heute abend, sagte das Mädchen.

Was will denn der Stinker, brauste Frank auf.

Wenn einer keine Arbeit hat, dann ist er noch lange kein Stinker, das müßtest du doch wissen, erwiderte sie in einem Ton, der mich unwillkürlich zwang, den Kopf einzuziehen.

Armer Frank, dachte ich, an der wirst du noch was zu knabbern kriegen. Wenn erst mal das Abenteuer im Bett vorbei ist, ja, dann ...

Die Junge machte auf mich nicht den Eindruck, als würde ihr das Abenteuer Bett genügen, sie verfolgte mehr, sie wollte mehr haben, vielleicht wollte sie wirklich Frank haben. Jetzt bringt sie noch ihren Bruder mit und der macht sich vielleicht in Franks Wohnung breit, kassiert vielleicht für Dienste, die seine Schwester leistet.

Ich verabschiedete mich und fuhr nach Hause.

Die Baustelle war abgeräumt, nur das Verkehrsschild, das auf die Fahrbahnverengung hingewiesen hatte, stand noch vor meiner Garageneinfahrt. Wenn ich es nicht selbst entfernte, würde es noch in einem Jahr hier stehen. Wenn die Arbeit erledigt ist, fühlt sich niemand mehr zuständig, ich habe das jahrelang erlebt.

Ich verschloß die Garage und hatte plötzlich Scheu, in mein Haus zu gehen, mir war, als nehme mir jemand die Luft zum Atmen.

Und als ich dann doch ins Haus trat, war mir, als lauere in jedem Winkel eine Gefahr. Das Haus war wie immer: sauber und aufgeräumt und gemütlich.

Im Wohnzimmer sah ich durch das große Fenster nach draußen in den Garten. Der Rasen muß wieder geschnitten werden, ich brauche einen neuen Rasenmäher, der alte tut's nicht mehr lange und vom Nachbarn will ich mir nichts borgen.

Wieso war Helen nicht in ihrer Bücherei. Sie saß wie erstarrt auf einem Gartenstuhl und hielt ein Blatt Papier in der Hand. Ihre Hand zitterte, ich trat ins Freie auf die Terrasse und bemerkte mit Schrekken, daß ihre Lippen sich tonlos bewegten. Ich trat neben ihren Stuhl und Helen gab mir wortlos, ohne aufzusehen, das Blatt Papier.

Es war Claudias Handschrift. Ich las:

Liebe Mama, lieber Vater, ich weiß, Ihr werdet es nicht verstehen, aber ich gehe weg. Ich gehe allein. Ich weiß noch nicht genau wohin, aber ich will irgendwo hingehen, wo man an das alles hier nicht mehr erinnert wird. Ich kann es zu Hause nicht mehr aushalten. Ich muß das sagen, auch wenn ich Euch wehtun sollte. Sucht mich nicht, ich bin volljährig und kann tun und lassen was ich will. Ich werde mich wieder melden, wenn ich es für richtig halte, vielleicht aus Frankreich oder Italien. Sorgt Euch nicht und denkt nicht zu viel an die Hypothek. Wenn ich Euch einen guten Rat geben darf, verkauft das Haus und macht Euch noch ein paar schöne Jahre. Claudia.

Ich hielt Claudias Brief mit beiden Händen weit von mir weg. Dann drehte ich mich um und wollte ins Haus laufen. Helen hielt mich zurück: Bleib hier. Ich habe schon nachgesehen. Sie hat nur das Nötigste mitgenommen, und ihr Sparbuch. Ihren Schmuck auch. Der Kleiderschrank hängt noch voll.

Die Schwalben flogen hoch. Morgen wird es wieder gutes Wetter geben. Von irgendwoher aus der Siedlung brummte ein elektrischer Rasenmäher, der halbwüchsige Junge in der Nachbarschaft ließ wieder einmal seine Stereoanlage auf vollen Touren laufen, noch vier Häuser weiter war es zu hören. Und ich hörte das alles und doch war es ganz weit weg.

Helen saß immer noch wie festgegossen auf ihrem Stuhl, ihre Hände lagen auf ihren Knien und ihre Lippen sprachen lautlos. Der Nachbar arbeitete in seinem Garten, sah aber nicht zu uns herüber, er streckte sich manchmal nur auf aus seiner gebückten Haltung und wischte sich mit dem Handrücken den Schweiß von der Stirn.

Hast du schon gegessen? fragte sie. Ich habe aus den Salzkartoffeln von gestern Bratkartoffeln gemacht, ich kann dir in das Blaukraut eine Bratwurst reinkochen, wenn du willst.

Da erst fiel mir ein, daß sie heute, wie jeden zweiten Mittwoch im Monat, ihren freien Nachmittag hatte.

Sie stand schwerfällig auf und ich folgte ihr in die Küche. Ich ließ mich auf der Eckbank nieder und stützte meinen Kopf in beide Arme und sah auf die Küchenuhr, deren aufdringliches Tick-Tack die Stille durchschnitt, ich sah auf die Wand am Hängeschrank, von der sich vor Wochen schon ein Stück Rauhfasertapete abgelöst hatte, ich sah auf den Elektroherd, wo zwischen den Brennplatten auf dem weißen Emaille Kaffeespritzer eingebrannt waren, ich sah auf das rotkarierte schmutzige Geschirrtuch, das an einem Haken über der Spüle hing und das Helen gegen ein frisch gewaschenes auszutauschen vergessen hatte. Ich sah das alles und sah es doch nicht, es war unsere Küche und doch war mir die Küche neu, die Eckbank war hart, obwohl über die lange und kurze Sitzfläche weiche Polster genäht waren.

Ich hörte mich fragen: Wann hast du den Brief gefunden? Wo hast du ihn entdeckt?

Heute mittag, als ich nach Hause kam. Auf der Flurgarderobe. Ich wollte Claudia gerade sagen, daß ich für sie zwei Stellen habe. Sie könnte in unserer Hauptstelle anfangen als Bibliothekslehrling. Bei der Dresdner Bank könnte sie auch unterkommen ... Laufbahn für den mittleren Dienst, vielleicht sogar für den gehobenen. Ich war es überdrüssig, Lothar, ich habe einfach mal meine Verbindungen spielen lassen, warum auch nicht, andere tun es ja auch ... warum sollen dann gerade wir uns überspielen lassen von Leuten, die immer nur schmarotzen.

Hätte, Helen, hätte, hörte ich mich sagen. Du hättest für Claudia zwei Angebote. Ich lauschte meinen Worten nach. Ich wußte überhaupt nicht, was ich gesprochen hatte.

Helen deckte den Tisch und schob meine Arme von der Tischplatte, um die Decke aufzulegen, und als wir dann beim Essen saßen, sagte sie: Schmeckt's?

Aufgewärmtes schmeckt immer besser, antwortete ich und vermied es, sie anzusehen.

Helen holte aus dem Keller, ohne daß ich auch nur eine Andeutung gemacht hätte, eine Flasche Wein, die von Weihnachten noch übrig geblieben war und die wir völlig vergessen hatten. Sie nahm zwei Gläser aus dem Hängeschrank und entkorkte die Weinflasche selbst.

Sie trank ihr Glas in einem Zug leer.

Das hat gutgetan, sagte sie. Lothar, was machen wir heute abend? ... Wir sind schon lange nicht mehr im Kino gewesen, zumindest nicht zusammen im Kino gewesen.

Gute Idee, Helen. Wann fängt der Film an?

Um acht. Oder Viertel nach acht. Es steht in der Zeitung. Sieh bitte nach. Sie räumte das Geschirr in die Spüle.

Die Küchenuhr tickte laut. Da saßen wir in einem Haus, wir beide allein, das früher zu klein war und das uns beiden nun viel zu groß wurde, in unserem Haus, das wir buchstäblich mit unserer Hände Arbeit, mit unseren Händen gebaut hatten. Auch Helen schob damals nach Feierabend und an den Wochenenden die Schubkarre mit Sand und Zement. Ihr wuchsen Schwielen an den Händen und nachts zitterte sie, nicht vor Verlangen, sondern nur vor Erschöpfung. Claudia hatte nie ganz unrecht, wenn sie uns vorhielt, daß wir das Haus nicht ihretwegen, sondern unseretwegen gebaut hatten. Und doch haben wir es auch für Claudia gebaut. Nun sitzen wir uns gegenüber wie zwei alte Leute, die auf das Knarren im Gebälk warten und daraus die Zeit und das Ende der Zeit deuten.

Ich saß da ohne Zukunft.

Ich ging in den Flur, hob den Hörer ab und rief Balke an.

Als er sich meldete, sagte ich kurz angebunden und frostig: Du kannst die Kisten bei mir abholen. Ich steige aus.

Ich hörte deutlich, wie er nach Atem rang, aber er antwortete beherrscht: Das kannst du nicht machen, du kannst mich nicht sitzen lassen ... Das ist nur eine Art Bewährungsprobe für dich. Ich habe noch ganz andere Aufgaben für dich. Vollzeitbeschäftigung, noch mehr ... du wirst sehen, was ich noch alles mit dir vorhabe ...

Balke, klopf keine Sprüche, ich steig aus, das Geschäft ist mir einfach zu heiß.

Heiß? Was heißt das, wie meinst du das, fragte er hastig.

Balke. Stell dich nicht dümmer als die Polizei erlaubt. Ich hole Pistolen von Leuten, die ich nicht kenne und bringe Pistolen zu Leuten, die ich nicht kenne. Ich steig aus ...

Pistolen, fragte er und es klang, als sei er tief erschreckt.

Frank hatte also doch recht, Balke stellte sich dumm.

Pistolen. Hast du Pistolen gesagt, rief er durch die Muschel ... woher weißt du überhaupt, was in den Kisten ist ... Pistolen, mein Gott, wenn das rauskommt, mein guter Ruf ist im Eimer.

Ich habe die Kisten beim Zahnarzt röntgen lassen. Hol morgen die Kisten ab oder ich bring sie dir selber ins Büro.

Lothar, Steingruber, ich will damit nichts zu tun haben, rief er aufgeregt. Bring sie nicht ins Geschäft, ich lasse sie abholen ... Lothar, Steingruber, sei doch vernünftig ... Was willst du denn sonst machen ... was, frage ich dich, ewig zu Hause hocken, also, was willst du sonst machen ...

Totengräber, antwortete ich und legte den Hörer auf.

Als ich mich umdrehte, stand Helen hinter mir, fertig zum Ausgehen. Sie hatte sich umgezogen.

Wir fuhren in die Stadt und ich parkte an der U-Bahnbaustelle am Freistuhl. Dort war das Parken verboten, aber der Wagen stand dort sicher. Helen hakte sich bei mir ein, aber anstatt in Richtung Brückstraße zu laufen oder zur Münsterstraße zu gehen, wo die Kinos lagen, dirigierte sie mich, sanft meinen Arm drückend, zum Alten

Markt, wo sie mich auf eine Bank zog und meine Hand festhielt.

Du solltest den jungen Schwinghammer in Hagen anrufen, sagte sie. Die beiden haben doch ein gutes Verhältnis miteinander. Frag ihn direkt, ob er uns weiterhelfen könnte, sie kann doch Ruppert nicht einfach sang- und klanglos sitzenlassen so wie uns.

Sie wird ihm auch einen Brief geschrieben haben so wie uns, Helen. Das ist nun mal so, wenn man abhauen will, hängt man es vorher nicht an die große Glocke.

Es fiel mir jetzt schwer, an diesem schwülen Abend, untätig in der Innenstadt auf einer Bank zu sitzen und den Passanten nachzusehen. Komm, sagte ich, in unserem Garten ist es erträglicher.

Lothar, bleib noch sitzen. Lothar, das ist doch alles verrückt, wir können doch nicht so herumsitzen und warten. Such sie.

Wo soll ich anfangen zu suchen, Helen. Wo. Ich fahre ans Ende der Welt, wenn ich wüßte, daß sie am Ende der Welt ist.

Such sie, sagte Helen wieder.

Wir spazierten langsam zum Freistuhl, wo unser Wagen stand. Als wir über den Westenhellweg liefen, sagte ich: Helen, es mag jetzt dumm klingen, was ich dir erzähle, aber kannst du dich noch erinnern, als wir in dem Dorf bei Unna in den Schützenzug gerieten, kannst du dich erinnern?

Hör auf, Lothar. Meinst du den Kerl, der beim Marschieren gepinkelt hat. Das werde ich nie vergessen. Ein Bild war das, ein Bild für Götter.

Den meine ich nicht. Kannst du dich an den Schützenkönig erinnern, den Dicken auf der Kutsche mit der gewichtigen Alten neben sich als Königin.

Aber natürlich. Der hat mir doch dauernd Handküßchen zugeworfen, als ich meinen Kopf aus dem Autofenster gesteckt habe ... war das ein Bild ... alle so schön grün angezogen und alle im Gleichschritt, bis auf die Besoffenen ... weshalb fragst du?

Ich habe ihn vor kurzem in Köln wiedergesehen und gleich darauf wieder hier in der Stadt, an dem Nachmittag, wo ich mit Roland einen trinken gegangen bin.

Na und? Viele Menschen sind irgendwo, antwortete Helen verständnislos.

Aber ich habe ihn hier in der Stadt gesehen an dem Tag, wo ich nicht nur mit Roland einen trinken war, es war auch derselbe Tag, an dem Claudia mit ihren beiden Freundinnen auf dem Alten Markt musiziert hat ... und in Köln an dem Tag, an dem ich für Balke Kisten abgeholt habe.

Lothar, drück dich bitte nicht in Rätseln aus, mir ist nicht danach, drück dich deutlicher aus, sag, was du sagen willst und spann mich nicht auf die Folter ... ich verstehe überhaupt nichts, was soll diese Geheimnistuerei.

Warte einen Moment, Helen. Ich bin, als ich dir die Autoschlüssel gegeben habe, mit Roland in die Kneipe gegangen. Wir haben von alten Zeiten gesprochen, wie das eben so ist, wenn man sich lange nicht gesehen hat, du bist mit dem Wagen nach Hause gefahren und ich später mit der Straßenbahn. Als die Bahn losgefahren ist, da habe ich Claudia auf dem Bürgersteig gesehen, wie sie einen Mann begrüßt hat, und die beiden schienen sich gut zu kennen ... ich konnte nicht mehr raus, die Türen haben sich zu schnell geschlossen ...

Ich verstehe nicht, Lothar ...

Der Mann war der Schützenkönig, der dir damals die Kußhändchen zugeworfen hat, und er heißt Obermann ...

Aber jetzt verstehe ich überhaupt nichts mehr, sagte Helen völlig verwirrt. Was hat Claudia mit dem Mann zu tun?

Helen, sagte ich eindringlich, der Mann ist derselbe, bei dem ich zum erstenmal meine Kisten abgeliefert habe. Verstehst du jetzt?

Nein. Ich sehe da immer noch keinen Zusammenhang.

Helen, ich kann es dir jetzt sagen, weil ich den Job bei Balke aufgegeben habe. Ich habe heute nachmittag mit Balke telefoniert, bevor wir weggefahren sind, und habe es ihm gesagt. Der Mann in Unna könnte uns gleichgültig sein, wenn in den Kisten nicht Pistolen gewesen wären.

Pistolen, rief Helen entsetzt und hielt sich gleich darauf den Mund zu. Lothar, Pistolen, fragte sie wieder ungläubig und faßte mich am Arm.

Ja, Helen. Frank und ich haben es zufällig entdeckt. Ich habe mich immer vor Franks Jähzorn gefürchtet, habe ihn deshalb manchmal verflucht ... aber dieses Mal kam sein Jähzorn im richtigen Moment. Deshalb haben wir die Pistolen entdeckt.

Mein Gott, Lothar, und du sagst, Claudia hat diesen Mann begrüßt. Sie kennt also diesen Mann.

Ja, Helen, sie kennt ihn.

Dieser Friedhof glich einer Oase in dieser lauten und unruhigen Stadt, der kirchliche Friedhof war eher eine üppige Parkanlage aus der Jahrhundertwende, vor allem der ältere Teil, in dem hundertjährige Ulmen stehen und großklotzige Familiengruften, mannshohe marmorne Engel, Christusstatuen, dazwischen wieder ausladende Platanen, aber unter den Bäumen Mausoleen, eingedunkelter Marmor, grüner und roter Granit; der Friedhof glich von weitem einem Wald, aber um den Friedhof war eine übermannshohe rote Backsteinmauer gezogen.

An heißen Tagen blieb es schattig und bei Regen blieben, dank der Bäume mit den breiten Kronen, die Wege trocken. Erst nach dem Regen, wenn der Wind die Kronen rüttelte, regnete es von den Bäumen und nicht vom Himmel.

An meinem ersten Arbeitstag blieb ich Müßiggänger, las die Namen der Toten auf den Grabsteinen, Geburts- und Sterbejahre und rechnete mir aus, wie alt die Menschen geworden sind, die nun unter der Erde lagen, unter Blumen, Granit und Marmor zu Staub zerfielen. Viele Gräber fand ich, in denen Menschen bestattet lagen, die nicht älter geworden waren, als ich heute bin, oder die noch weit jünger verstarben.

Auf keinem Stein aber war zu lesen, woran sie gestorben sind, über die Todesursachen erfuhr ich nichts: Mord, Unfall, Selbstmord, Krebs, Leber, Altersschwäche.

Es stimmte mich zufrieden, daß ich immer wieder Gräber fand, in denen Menschen lagen, die weit jünger verstarben, als ich heute alt bin. Aber darüber hinaus gaben Grabsteine keine Auskunft, ich konnte nur vermuten, mir Lebensläufe zurechtlegen.

In einer Ecke des Friedhofs, wo auf niedrigen Grabsteinen Eiserne Kreuze aufgemalt und eingemeißelt waren, durfte ich sicher sein, daß sie im letzten Krieg hier in der Heimat als Soldaten umgekommen sind, entweder bei den letzten Schießereien oder aber ihren Verletzungen in einem Krankenhaus erlagen.

In einer anderen Ecke lagen Fremdarbeiter, vor allem Russen, aber auch viele Polen, Jugoslawen und Franzosen, die während der Zwangsarbeit in Deutschland bis Kriegsende hier verstorben sind; auch diese Steine gaben darüber keine Auskunft, ob der eine oder andere erschossen worden war, ob sie verhungert sind, zu Tode gequält wurden, ihren Folterungen erlagen. Das Geviert des Friedhofs war gut gepflegt, wenn auch Efeu fast alle Grabsteine überwuchert hatte.

Das Presbyterium, das mich auf Fürsprache des jungen Pfarrers und seines älteren Amtsbruders einstellte, knüpfte an meine Arbeit keinerlei Auflagen, außer der einen, daß ich Trauernden und anderen Friedhofsbesuchern gegenüber immer dezent und pietätvoll aufzutreten hätte.

Ich gab meine Papiere in der Verwaltung ab, ein alter, aber noch sehr rüstiger Pensionär, der dreißig Jahre nebenbei diese Arbeit auf dem Friedhof verrichtet hatte und der wiederum der Vorgänger des im Krankenhaus liegenden Friedhofswärters gewesen war, wies mich an einem Sonntagvormittag in meine Aufgaben und Pflichten ein.

Erst blieb er einsilbig und betrachtete mich mißtrauisch, so, als wollte er abschätzen, ob ich dieser Arbeit auch gewachsen war. Erklärte er mir etwas, dann gebrauchte er mehr seine Hände als seinen Mund. Manchmal spuckte er den braunen Kautabaksaft in hohem Bogen über ein Grab. Er zeigte mir den Geräteschuppen, in dem ein Aufenthaltsraum eingebaut war. Inmitten des Raumes stand ein alter Kanonenofen.

Hinter dir steht kein Antreiber und kein Aufpasser, du bist dein eigener Herr, sagte der Alte, du machst deine Arbeit und siehst zu, daß du immer in Bewegung bleibst, das mögen die Besucher ganz besonders gern, du mußt für die Besucher auch immer da sein, kannst nicht weglaufen … aber du wirst schon noch deine Erfahrungen machen. Frag mich, ich sag dir dann, wie du es machen sollst, wie du dich verhalten mußt, damit es mit den Besuchern und mit dem Presbyterium keinen Ärger gibt.

Ich harkte die Wege, ich schnitt die schmalen Rasenflächen, ich stutzte die Hecken, säuberte Bänke, prüfte Wasserstellen auf ihre Brauchbarkeit, reparierte, was es zu reparieren gab, ich hob Gräber aus und schaufelte sie wieder zu; bei Beerdigungen blieb für mich wenig zu tun, die Hauptarbeit übernahmen die Beerdigungsinstitute, im Leichenschauhaus hatte ich nur die Sachen heranzuschaffen, die für die Aufbewahrung der Toten vorgeschrieben waren, aber auch da griffen die Bestattungsinstitute ein, denn Beerdigungen waren nicht einheitlich. Es gab Klassen, von gewöhnlich bis erster Klasse, das kostete Geld. So wie man gelebt hatte, reich oder arm, so wollte man auch unter die Erde.

Nach Tagen schon fühlte ich mich wie einer, der gar nichts mehr mit dieser Stadt gemein hat, manchmal fühlte ich mich auch schon wie ein Toter, den man nur vergessen hatte, unter die Erde zu bringen.

Auch wenn viele Besucher über den Friedhof liefen, verliefen sie sich, blieben unaufdringlich, sie wurden von Sträuchern, Hecken und Bäumen geschluckt. Nur ihre Schritte auf den Kieswegen knirschten gedämpft, niemand hastete, jeder hatte Zeit. Ich staunte die ersten Tage, wie ein besonderer Platz besonderes Verhalten formte. Keiner sprach laut, sogar die Kinder ließen sich willig an der Hand nehmen, stritten und balgten sich nicht.

An Werktagen waren der überwiegende Teil der Besucher Frauen, und es suchten auch viele den Friedhof auf, die kein Grab zu versorgen hatten, sie spazierten einfach so herum: junge Mütter mit ihren Kindern, Invaliden mit ihren Enkeln, alte Frauen, die sich mit einer Handarbeit auf Bänke setzten. Kinder ließen Kieselsteine durch die Finger gleiten oder häufelten sie auf dem Weg.

An diesen Augusttagen brannte auf die Stadt eine höllische Hitze, deshalb suchten mehr Menschen denn je die Kühle des Friedhofes. Die Neubauten rings um den Friedhof waren ohne Bäume, ohne Sträucher, ohne Rasen, erbarmungslos brannte die Sonne auf Dächer, betonierte Bürgersteige, gepflasterte Garageneinfahrten und asphaltierte Straßen.

Ich trug eine uniformähnliche Mütze. Sie störte mich, aber jeder Besucher sollte an der Mütze sogleich erkennen, wer ich war. Dreißig Jahre auf dem Bau hatte ich keine Mütze getragen, nicht bei Hitze, nicht bei Regen.

Der Alte, der mich einwies, sagte, als er sich verabschiedete: Na, wir werden uns jetzt öfter sehen, bestimmt. Meine Frau liegt hier, mein Schwiegersohn und mein Bruder. Dann trinken wir zusammen ein Schnäpschen. Ich hab immer welchen bei mir.

Er zog einen Flachmann aus seiner Sommerjacke, entkorkte ihn und rieb den Stöpsel am Glas, so daß es hell aufquietschte. Er trank, er reichte mir die flache Flasche.

Ich vertrag keinen Schnaps, sagte ich.

Du verträgst keinen Schnaps? Wo gibt's denn so was, an den wirst du dich hier gewöhnen müssen, denn das da, und er führte mit dem Arm einen weiten Bogen über den Friedhof, kannst du nur mit Schnaps ertragen. Jaja, du mußt hier noch viel lernen. Das ist zwar keine Fabrik und auch keine Großbaustelle, aber halt doch ein Arbeitsplatz, wirst schon noch dahinterkommen. Dann wollte ich dich noch darauf vorbereiten, es ist besser, wenn ich es dir sofort sage, weil nämlich auf so einen Friedhof die verrücktesten Leute kommen, ich glaube, nur Verrückte kommen auf so einen Friedhof. Du wirst das alles hier schön finden, ruhig, keine Hetze, bist dein eigener Herr ... stimmt auch alles, aber ich sag dir, eines Tages wirst du den Tod zum Kotzen finden, wenn du erleben mußt, wie die

Leute den Toten das Geld hinterherwerfen. Nichts kann teuer genug sein auf dem Grab. Dann kriegst du einen Haß auf den Tod, und was die Leute für Marotten haben, wie gesagt, nichts als Verrückte.

Wir liefen zum Schuppen und setzten uns dort auf eine Bank. Der Alte schob sich einen neuen Priem in den Mund, den er aus einer schmierigen Blechdose nahm.

Weißt Steingruber, ach was, ich sag einfach Lothar zu dir, könntest ja mein Sohn sein, weißt Lothar, da war mal eine, die wollte auf das Grab ihres Alten ein kleines Glashaus bauen lassen und Orchideen züchten, weißt, so ein kleines Treibhaus, weil ihr Alter Orchideen gezüchtet hat, und eine andere wollte ein Glockenspiel anbringen lassen mit einer Uhr drin, die nachts um zwölf immer spielt: Üb immer Treu und Redlichkeit ... weil ihr Alter sie dauernd betrogen hat mit anderen Weibern, und da war eine, die wollte eine Stiege in die Gruft haben mit einer Falltür, damit sie immer runtersteigen kann zu ihrem Alten an den Sarg, die blöde Ziege, und da war eine, die hat doch eines Tages einen großen Sonnenschirm mitgebracht und über dem Grab ihres Mannes aufgespannt, weil der, wie sie sagte, niemals Sonne vertragen hat, ich sag dir, lauter Verrückte, du wirst den Tod noch hassen lernen ...

Hör auf bitte, hör auf.

Jaja, das wollte ich dir noch sagen, auf die mußt aufpassen, wenn solche Tanten bei dir antanzen ... da war mal eine, die wollte zu Weihnachten immer einen Christbaum auf das Grab stellen und auf dem Christbaum silberne Glasvögel, die sich dann elektrisch drehen und elektrisch singen, deshalb will sie immer ein Kabel gezogen haben aus der Leichenschauhalle ... ich sag dir ... na, du wirst es noch erleben, du bist ja noch jung ... am verrücktesten sind die Weiber. Die Witwen, auf die mußt du ganz besonders aufpassen, mußt immer kategorisch nein sagen, wenn sie ankommen und was von dir wollen. Wenn die Alte zuerst stirbt, dann ist es besser, die Männer stehn am Grab und flennen Rotz zu Wasser und hinterher gehn sie ins Wirtshaus und saufen ihre Alte noch mal tot und suchen sich am nächsten Tag was Junges oder einfach was anderes. Ich hab auch eine Jüngere, fünfzig, knackig, ihr Mann ist schon vor fünf Jahren zwischen die Mühlsteine gekommen, gute Rente hat sie, haben nicht wieder geheiratet, warum, sie verliert sonst ihre Rente, wir sind doch nicht bescheuert und schenken sie dem Staat. Jaja, die verlangt schon noch was, bei der muß ich mir mindestens einmal in der Woche meine Bratkartoffeln verdienen, aber sonst ist sie in Ordnung, sie backt die besten Reibeplätzchen, die ich je gegessen habe, aber sonst, das sag ich dir, ist der Tod zum Kotzen, du wirst schon noch von allein dahinterkommen.

Von seinem Kinn troff der braune Priemsaft.

Bühler heiß ich, aber das weißt du ja längst, ich wohne in der Fuhrgasse, an der Ecke, wenn du Hilfe brauchst, ich bin immer da, ich hab immer Zeit, ich wohne gleich drüben an der Ecke, hinter dem großen Pfarrhaus ... viel zu groß für den jungen Pfarrer, der noch keine Kinder hat ... wird Zeit, ein Pfarrer muß Kinder haben, sonst ist er kein Pfarrer ... jaja, wenn du siehst, wie hier das Geld rausgeschmissen wird, der Tote hat doch nichts mehr davon, der kriegt dadurch auch keine warmen Füße mehr, sollen doch die Leute das Geld versaufen und verfressen, das sie auf den Friedhof tragen oder es den Armen geben.

Das kann ja heiter werden, dachte ich, wenn der Bühler mich jetzt jeden Tag besucht und immer so quasselt, das kann ja heiter werden. Zu allem Unglück wohnte er auch nicht weit weg vom Friedhof. Er war einige Schritte weitergegangen und kehrte dann noch einmal um, er sagte: Aber Arme gibt's bei uns ja nicht mehr, nur noch Arbeitslose und Gastarbeiter und eine halbe Million Obdachlose, aber sonst ist alles zum Kotzen, ich weiß das, ich bin bald siebenundsiebzig, so alt wie das Jahrhundert.

Morgens nahm ich mir eine Thermosflasche mit schwarzem Kaffee mit und belegte Brote. Zur Pause, die ich mir selbst setzte, verkroch ich mich in meinen Aufenthaltsraum im Geräteschuppen; ich hätte auch mittags mit dem Fahrrad nach Hause fahren können, aber was sollte ich da, Helen saß in der Bibliothek, Claudia war irgendwo, vielleicht am Ende der Welt.

Seltsam zumute war mir schon, schulterte ich meine Eisenharke, die eine Art Berufsstempel wurde wie die Kelle auf dem Bau, meine uniformähnliche Mütze auf dem Kopf und schritt so den Friedhof ab.

Ich inspizierte mein Reich.

Nur wenn ich mir eine Zigarette ansteckte, verkroch ich mich, es schien mir unpassend, auf dem Friedhof zu rauchen.

Ich fragte mich immer öfter und eindringlicher, warum mir Friedhöfe bis dahin fremd geblieben sind.

Meine Mutter wurde eingeäschert, ebenso mein Vater, ihre Asche ruht in Urnen und die Urnen ruhen in einem Gewölbe unter dem Krematorium, das die Angehörigen einmal im Jahr betreten dürfen. Wir haben davon nie Gebrauch gemacht; was soll man in einem

Gewölbe, in dem eine Urne aussieht wie die andere und nur an den Messingtäfelchen auf den Urnen abzulesen ist, wessen Asche darin verwahrt wird. Die urnengefüllten Regale gleichen Katakomben. Auch wäre Helen und mir nie in den Sinn gekommen, einfach so auf einem Friedhof spazierenzugehen, wenn, dann spazierten wir auf den Wiesen oder Wegen am Ufer der Ruhr oder in den Wäldern des nahen Sauerlandes. Ich entsann mich, daß ich vor Jahren einmal zu Helen sagte, als wir nicht wußten, was wir mit dem verregneten Sonntagnachmittag anfangen sollten, wir spazieren über den Friedhof. Sie hatte entschieden abgewinkt und sich heftig dagegen gewehrt: Dahin kommen wir noch früh genug. Eigenartig ist das schon, jetzt ist dieser Friedhof meine Arbeitsstätte, und nicht die schlechteste.

Ein einziges Mal nur hatte ich beruflich auf einem Friedhof zu tun. Mit drei Kollegen wurde ich abgestellt, eine vierteilige Gruft auszuheben und auszumauern, auf einem Teil des Friedhofes, auf dem vor mehr als fünfundzwanzig Jahren Tote bestattet worden waren und der Platz von den Hinterbliebenen nicht neu angekauft wurde und deshalb in die Verfügung der Friedhofsverwaltung zurückfiel.

Innerhalb von drei Tagen mußten wir die Gruft ausheben und Mauern mit glasierten Klinkern errichten, wir schufteten sechzehn Stunden am Tag, wir buddelten Knochen aus und einen Schädel, mit dem die Kollegen Fußball spielen wollten, Frank hinderte sie daran, er reinigte den Schädel, nahm ihn mit nach Hause und erschreckte damit Gabi, die den Totenkopf noch am gleichen Abend in die Mülltonne warf und einen Eimer Abfall darüber kippte, damit er von Nachbarn nicht entdeckt wurde.

Als wir die Gruft fertig hatten, gossen wir den Boden mit einem zehn Zentimeter dicken Beton aus, darüber strichen wir Estrich, die Abdeckungen allerdings wurden fertig angeliefert, viergeteilte Leichtbetonplatten mit Eisenringen, damit die Abdeckungen leichter abgehoben werden konnten, wenn ein neuer Sarg in die Gruft gesenkt wurde. Wir standen stolz vor unserem Werk, als der Auftraggeber, ein bekannter Frauenarzt, uns besuchte und bat, die Unterseite der gesamten Abdeckung blau anzustreichen. Als wir damit fertig waren, bat er uns erneut, auf das Blau goldene Sterne zu malen; also lief Frank zu einem Anstreicher, borgte sich eine Schablone und pinselte goldene Sterne auf den blauen Untergrund, und als wir glaubten, endlich damit fertig zu sein, bat uns der Auftraggeber nochmals, einen goldenen Kometen zwischen die Sterne zu malen. Wie versessen malte ich den Kometen und meine Kollegen saßen unten in der Gruft auf dem feuchten Beton, sahen mir andächtig bei der Arbeit zu und sangen, während ich malte, das Kinderlied: Weißt du, wieviel Sternlein stehen ...

Unser Frauenarzt gab uns, da alles zu seiner vollsten Zufriedenheit ausgeführt worden war, zwei Kästen Bier extra aus und mir für den Kometen zwanzig Mark, er stieg die Leiter hinunter und leuchtete den Raum mit unserer Gaslampe aus. Er war zufrieden, er war gerührt.

In unserer Arbeitskolonne machten wir uns noch ein Jahr später über diesen sonderbaren Auftrag lustig.

Eine alte Frau, die sich mühsam auf zwei Krücken fortbewegte, kreuzte meinen Weg. Sie wies unwillig auf meine Mütze, die ich zurückgeschoben im Nacken sitzen hatte, sie hob eine Krücke und deutete auf meine Mütze: Junger Mann, wenn Sie jetzt hier der Friedhofswärter sind, dann achten Sie auch darauf, daß die Kinder mit ihren Schaufeln nicht immer den Kies aufkratzen.

Dann ging sie, wenn vorher mühsam, dann jetzt auf beide Krücken sich stützend, energisch zur Wasserstelle, ein breitkrempiger Sonnenhut beschattete ihr Gesicht.

Viele kommen und bitten mich um Rat, vor allem, wie sie ihre Gräber gestalten und wie sie die Blumen anordnen sollten. Junge beschweren sich über Alte, Alte über Kinder und die jungen Mütter, die heutzutage über ihre Kinder keine Zucht mehr ausüben, weil sie selbst ohne Zucht sind, die Alten würden am liebsten den Friedhof für Kinder sperren lassen.

Die ersten Tage war ich verwundert darüber, daß ein besonderer Ort besonderes Verhalten formte und das ich, seltsam genug, niemals als Zwang empfand.

Nach einer Beerdigung, ich hatte den Korb mit Blumen bereitzuhalten, aus dem die Trauergäste Blüten in das Grab warfen, und auch eine Kiste mit Erde und ein langstieliges Schäufelchen gehörten zu meiner Ausrüstung, sprach mich der junge Pfarrer an, als die Trauergemeinde dem Hauptausgang zulief: Eingelebt? fragte er.

Ich nickte.

Das ist gut. Ich weiß, daß wir uns auf Sie verlassen können, in jeder Beziehung.

Und dann nahm ich mir den Mut zu fragen, warum er, ausgerechnet er, Pastor geworden war mit seinen ungewöhnlichen Ansichten, seiner freien Art sich zu geben, der offenen Art, mit den Leuten zu reden.

Seinen Backenbart fand ich lustig.

Er lächelte mich an und stocherte mit dem Schäufelchen in der Erde: Ich weiß nicht, was Sie unter Ansichten verstehen, Herr Steingruber, der Pastor aus dem vorigen Jahrhundert ist längst tot, der noch Untertan des deutschen Kaisers war, weil der Kaiser auch das Oberhaupt der Kirche gewesen ist, wie der Papst in Rom über die Katholiken, aber das wissen Sie ja als alter Sozialdemokrat am besten ... ja, dafür gibt es viele Gründe, Herr Steingruber, ich könnte auch sagen, weil sich mir beim Studium nichts Alternatives angeboten hat, oder weil ich aus einer religiösen Familie komme, wo die Bibel immer noch das Buch der Bücher ist, vielleicht weil ich eine Schwester habe, die blind ist, es kommt so viel zusammen, aber der wirkliche Grund scheint zu sein, daß ich den Tod für eine ernste Sache halte, für eine sehr ernste.

Das hat meine Mutter auch immer gesagt, und sie ist nicht Pfarrer geworden, antwortete ich.

Er ging fort. Sein Talar flatterte im Wind.

Am nächsten Sonntag fuhren Helen und ich in das zwanzig Kilometer entfernte Unna, und wir schlenderten durch das Viertel im Ortsteil Königsborn, in dem Obermann seinen Bungalow hatte, wir wollten ihn eigentlich herausklingeln, fanden dann aber doch nicht den Mut und kehrten wieder um.

Zu Hause suchte ich seine Nummer aus dem Telefonbuch, Name und Straße stimmten überein, ich hob den Hörer ab und wählte die Nummer, Helen stand neben mir und zitterte vor Aufregung und wußte mit ihren Händen nichts anzufangen.

Ich erkannte sofort seine Stimme, ich sagte: Entschuldigen Sie bitte, ist dort Obermann?

Ja, hier ist Obermann. Wer spricht dort?

Kann ich bitte Claudia sprechen?

Claudia? Welche Claudia, Sie müssen sich irren ...

Claudia Steingruber, sagte ich gespannt.

Sie müssen mich mit jemand verwechseln, hier gibt es keine Claudia Steingruber.

Sie wohnen doch ... versuchte ich das Gespräch zu halten.

Also hören Sie mal, hier ist keine Claudia und ich kenne auch keine Steingruber. Guten Tag.

Er hängte auf.

Das war alles. Ich konnte nun diesem Obermann auch nicht mehr persönlich ins Haus fallen, wollte ich ihn nicht mißtrauisch machen. Seine Stimme jedenfalls klang echt, kein Zögern.

Und was jetzt? fragte ich Helen.

Helen setzte sich ins Wohnzimmer und sah durch die große Scheibe. Du mußt den Flieder umpflanzen, sagte sie, er steht so frei, wenn ein Sturm kommt, dann könnte er umknicken, wäre schade um den Fliederbaum.

Was geht in ihr vor, fragte ich mich, sie sagt nicht, was sie mir sagen sollte. Es hatte keine Auseinandersetzungen gegeben, als ich Helen vom Angebot des jungen Pfarrers erzählte. Helen hatte mich nur ungläubig angesehen und gefragt: Bist du nicht zu jung für einen Totengräber, ich habe mir darunter immer uralte Leute vorgestellt. Aber, wann war ich das letzte Mal schon auf einem Friedhof ... meinetwegen, es ist besser, du bist lebendig unter Toten als tot unter Lebendigen.

Und nach einer Weile hat sie hinzugefügt: Wolkenkratzer könntest du noch bauen in deinem Alter.

Wolkenkratzer bauen sie nur in Amerika, sagte ich.

Hier auch, Lothar.

Am Abend fuhr ein junger Mann vor unserem Haus vor, klingelte mich heraus und sagte kurz angebunden, ja geradezu unfreundlich: Balke schickt mich. Ich soll hier drei Kisten einladen.

Ich führte ihn in die Garage und wies auf die Kisten, die neben Claudias Mofa gestapelt waren.

Er hob die erste auf: Donnerwetter, ist aber schwer. Was ist denn da drin.

Frag Balke, antwortete ich und wartete, bis er eingeladen hatte und abgefahren war.

Auf seiner Jeansjacke war auf dem Rücken ein großes schwarzes eisernes Kreuz aufgemalt.


Zur Villa führten zwei Zufahrten, eine von der Kammstraße steil bergab, die andere von der Talstraße serpentinenartig bergauf. Sie klebte an einem Hang und von ihr aus hatte man einen weiten Blick über das Ruhrtal. Die altmodische und verschnörkelte Fassade der Villa erinnerte tatsächlich an ein verwunschenes Schloß, das nicht in diese Zeit gehörte, das vor einer Ewigkeit einmal bewohnt war, hinter ausladenden und steinalten Blaubuchen war sie versteckt.

Als Helen ihren Namen in die Sprechmuschel am Torpfeiler gesagt hatte, öffnete sich automatisch und beinahe geräuschlos das aus Leichtmetall gefertigte Einfahrtstor.

Eine ältere Frau, ein Dienstmädchen oder was sie sonst sein mochte, bat uns auf die Terrasse. Wir setzten uns unter einen Sonnenschirm auf wattierte bunte Gartenstühle, ein junges Mädchen brachte uns eisgekühlten Orangensaft und Kekse und bat uns ein paar Minuten um Geduld, die gnädige Frau telefoniere gerade, der Herr Senior sei noch in der Fabrik, aber der Herr Junior bereits unterwegs.

Obwohl es auf den ersten Blick so aussah, daß diese Villa zur Stadt Hagen oder Schwerte gehörte, täuschte das, denn der schmale Zipfel am Hang gehörte noch zur Stadt Dortmund, und deshalb waren Ruppert und Claudia im gleichen Gymnasium gewesen, wahrscheinlich auch, weil Rupperts Vater etwas nachgeholfen hatte, denn Claudias Gymnasium genoß weit und breit einen guten Ruf.

Wir genossen die schöne Aussicht über das Tal und man konnte glauben, wir befänden uns hier im Voralpenland und nicht in einem geballten Industriegebiet.

Vom Ruhrtal aus kroch ein kühlender Wind an den Hängen hoch, in den Bäumen ringsum sangen unzählige Vögel, der Duft der Blumen betäubte und im Halbrund vor der Terrasse blühten langstielige Dahlien in allen Farben.

Ein schönes, ein friedliches Bild.

Frau Schwinghammer, die ich beim Abiturfest nur kurz gesehen hatte, war eine stämmige Frau mit lustigen Augen, die sich ohne Förmlichkeit gab, sie reichte uns kurz und herzlich die Hand und setzte sich zu uns, als wären wir seit Jahren gern gesehene Gäste.

Sie wußte, weswegen wir kamen, Helen hatte lange mit ihr telefoniert und dabei war diese Einladung ausgesprochen worden, wobei Claudias Verschwinden noch einmal sozusagen, zwischen Eltern, so wie sie sich ausdrückte, persönlich erörtert werden sollte, es spricht sich besser, wenn man sich gegenübersitzt, Telefon ist zu unpersönlich.

Aber was wir dann redeten, war entweder am Telefon schon gesagt worden oder hätte am Telefon gesagt werden können. Einmal wurde es für mich peinlich, als Ruppert die Terrasse betrat und mit seiner lauten Höflichkeit die Idylle zertrat: Er wisse absolut nichts über Claudias Verschwinden, er sei über das Ereignis selbst konsterniert, er habe nicht einmal etwas geahnt, sein Kontakt zu Claudia sei zwar freundschaftlich gewesen, aber doch lose, nach Schulabschluß haben sie sich nur noch dreimal getroffen, einmal zufällig in der Dortmunder Innenstadt, dann bei uns im Marienkäferweg und schließlich auf Susis Geburtstagsparty, aber da sei er auch früher gegangen, denn dort wurde Rauschgift geraucht und geschnupft und in so etwas wollte er nicht hineingezogen werden. Sie hätten zwar einige Male miteinander telefoniert, aber auch da sei ihm an der Stimme und am Verhalten Claudias nichts aufgefallen, sie sei wie immer gewesen: freundlich, ausgeglichen und zufrieden, trotz der Enttäuschung in Köln. Sie vertrat manchmal politische Ansichten, die er nicht teilen konnte, aber sie hatte eine besondere Art, sich Leute vom Leib zu halten, stumm zu werden, wenn sie nicht reden wollte.

Wir saßen schon länger als eine Stunde, als Schwinghammer senior kam. Er begrüßte uns jovial, klopfte mir auf die Schulter, und als erstes sagte er: So ist das, da setzt man Kinder in die Welt und dann hauen sie ohne ein Wort der Erklärung ab. Eine Zeit ist das, eine Zeit. Womit, frage ich Sie, Herr Steingruber, haben wir Väter das verdient.

Er trank ein großes, bis zum Rand mit Eis gefülltes Glas Gin-Tonic langsam in einem Zug leer. Das Dienstmädchen bewegte sich lautlos und war immer zur Stelle.

Ich hätte mich gern verabschiedet, aber Helen schien es nicht eilig zu haben. Ich befürchtete, Frau Schwinghammer würde uns zum Abendessen einladen, wenn wir noch länger blieben, aber dann erzählte sie voller Stolz, daß es ihnen, wenn auch nicht unbedingt auf geraden Wegen, gelungen sei, für Ruppert einen Studienplatz in Berlin zu ergattern.

Sie sagte ergattern, ein Wort, das Helen immer gebrauchte, wenn sie etwas Billiges im Sommerschlußverkauf erstanden hatte.

Ich wollte sagen: Komm, Helen, wir fahren. Aber auch ich blieb, wo ich saß, ich war auf einmal von diesen Leuten eingenommen, ohne sagen zu können, warum sie mir sympathisch waren. Während sie redeten, malte ich mir aus, Schwinghammer senior wäre mein Boss. Ich stellte mir ihn als einen Mann vor, der durch die Fabrikhallen ging und jedem Arbeiter zuwinkte und mit jedermann auf du und du stand und zu dem man mit allen Wehwehchen kommen durfte, der sogar darauf wartete, mit allen Sorgen seiner Arbeiter belästigt zu werden.

Er fragte mich: Sie waren doch arbeitslos, Herr Steingruber. Sind Sie es noch?

Jetzt bin ich Totengräber, antwortete ich, lauter als ich wollte, und ich war plötzlich stolz auf das Wort.

Er sah mich amüsiert an: Das ist ein ehrenwerter Beruf, mein Werter, alle Achtung. Nur so wird man täglich an den Tod erinnert, und vor allem, daß man nichts mitnehmen kann in die Ewigkeit. Wissen Sie, das Übel in unserer Zeit ist, daß die Leute kein Verhältnis mehr zum Tod haben, sag ich immer zu meiner Frau, die Menschen leben so in den Tag, als ob sie ewig leben würden, die kaufen und schaffen an, als wäre die Ewigkeit schon hier auf Erden. Ich mußte mit meiner Mutter schon als kleines Kind in die Leichenschauhallen und mir die aufgebahrten Toten ansehen, sie hat dann immer gesagt: Guck hin, Junge, am Ende liegen wir alle so da, Arm oder Reich. Wissen Sie, Herr Steingruber, ich bin beileibe kein gläubiger Mensch, aber an den Tod glaube ich, vor dem habe ich Respekt.

Sie luden uns tatsächlich zum Abendessen ein. Aber da wurde Helen plötzlich lebendig. Sie sprang hastig auf, strich ihr Kleid glatt und sprudelte los: Ich habe heute abend noch eine Büchereikonferenz, ich darf da auf keinen Fall fehlen, mein Gott, es ist schon so spät geworden.

Frau Schwinghammer begleitete uns zum Wagen, sie hakte sich bei meiner Frau unter und redete unaufhörlich auf Helen ein: Machen Sie sich keine allzugroßen Sorgen, Frau Steingruber, junge Leute in dem Alter haben manchmal den Drang in die Fremde, wir hatten das ja auch, aber die Zeit damals war nicht so, daß wir einfach hätten ausbrechen können. Es wird schon nichts passieren, die Mädchen heutzutage nehmen doch alle die Pille. Nach ein paar Wochen steht sie gutgelaunt vor der Tür, braungebrannt und sagt: Hallo, da bin ich wieder, macht mir mal was Anständiges zu essen, ich habe einen Wolfshunger.

Auf der Heimfahrt sagte ich: Eigentlich ganz nette Leute.

Widerliche Leute, sagte Helen, und wenig später erklärte sie, warum sie Schwinghammers für widerlich hielt.

Hast du genau hingehört, was er gesagt hat ... die kaufen und schaffen an, hat er gesagt. Der hat leicht reden, für ihn haben andere gekauft und angeschafft, wahrscheinlich hat er sich in ein warmes Nest gesetzt, da kann man leicht solche großen Worte im Mund führen ... widerlich.

Als wir in unsere Straße einbogen, sah ich Bauschulte im Vorgarten arbeiten. Ich bat Helen zu halten und stieg aus. Helen fuhr den Wagen nach Hause.

Bauschulte sah mich erwartungsvoll an: Nichts, sagte ich, zwei Wochen ist Claudia jetzt verschwunden, kein Lebenszeichen. Sollen wir eine Vermißtenanzeige aufgeben? Bauschulte schüttelte den Kopf: Laß das, Lothar, der Abschiedsbrief sagt alles, die Polizei rührt da keinen Finger, weil ein Verbrechen nicht zu befürchten ist aufgrund des Abschiedsbriefes ... mein Gott, wenn die Polizei auch noch solchen Fällen nachgehen müßte, sie brauchte nichts mehr anderes zu tun.

So viele sind das? fragte ich verwundert.

Mehr als du denkst. Das ist an der Tagesordnung. Die Leute brechen aus, denen ist es zu eng geworden ... ich kenn da einen Fall aus England, habe ich mal in der Zeitung gelesen, der Mann ist abends nur weggegangen, um Zigaretten zu holen, nach dreißig Jahren ist er wiedergekommen, mit einer anderen Frau, wollte nur sehen, ob seine erste Frau noch dort wohnte ...

Sag mal, wagte ich ihn zu unterbrechen, was macht eigentlich unsere Pistole.

Aber er ging auf meine Frage nicht ein, er sah mich lauernd an, als er seine Frage stellte: Und was weißt du sonst noch?

Sonst? Ich weiß nichts, und ich weiß auch nicht, was du meinst, erwiderte ich trotzig.

Aber du wirst bald etwas wissen. Und dann sag es mir. Ich kenn mich da aus, Lothar. Frag mich, lauf nicht in offene Messer, das könnte deiner Haut schaden.

Vor meinem Haus saß Frank auf der Haustürstufe und streichelte eine schwarze fremde Katze.

Nanu, läßt dich Helen nicht rein?

Ich habe gar nicht geklingelt, ich hab dich bei Bauschulte stehen sehen ... du, Lothar, kannst du was tun, daß Gabi wieder nach Hause kommt ... ich meine, ist es von mir zu viel verlangt, wenn ich dich um eine Vermittlung bitte ...

Bist du die andere schon leid, fragte ich nicht ohne Schadenfreude.

Brauchst gar nicht so hämisch zu grinsen ... jetzt macht sich ihr Bruder in der Wohnung breit und säuft mir das Bier weg. Aber der Grund ist ein anderer, ich will einfach weg von der Spedition, die ist der reinste Zuchthausbetrieb, dagegen war der Bau das reinste Sanatorium. Und ich will es jetzt mal drauf ankommen lassen, ob sie mich rausschmeißen, wenn ich nein sage ...

Und dazu brauchst du Gabi? fragte ich und verstand Franks Logik nicht.

Jeden Samstag muß ich fahren, ich krieg in der Woche siebzig Stunden zusammen, stell dir das mal vor, und vierundvierzig brauche ich nur zu machen. Neue Leute stellt er einfach nicht ein, neue Leute sind zu teuer, Überstunden sind billiger. Ja, für ihn, aber nicht für die, die sie machen müssen ... Wenn ich noch lange bleibe, dann verlerne ich das Neinsagen.

Und was hat Gabi damit zu tun, fragte ich wieder.

Ich brauche sie. Wenn ich wieder arbeitslos werden sollte, dann brauch ich sie. Ich kann doch nicht siebzig Stunden in der Woche Lieferwagen fahren, treppauf und treppab Kisten schleppen und dann noch jeden Abend über ein Weib im Bett. Gabi fordert nichts. Du kommst nach Hause und das Essen steht auf dem Tisch ... und sie fragt nicht. Was glaubst du, was es heißt, ein Weib zu haben, das nicht fragt ... Sprichst du mit ihr?

Ja. Aber ich kann dir nichts versprechen.

Ich weiß, daß sie wiederkommt, sagte er überzeugt.

Frank, ich wäre mir da nicht so sicher.

Wir sahen beide hinüber zum Haus der Pfeifer, und auf einmal packte er mich am Arm: Weißt du noch, Lothar, wie die ersten Häuser hier gebaut wurden. Der Roggen stand schon vor dem Schnitt, die Bulldozer haben alles abgeräumt, den Humus und den Roggen dazu, alles auf einen Haufen. Als ob es in dieser Welt keinen Hunger mehr geben würde. Auf vierzehn Tage früher oder später wäre es auch nicht angekommen mit dem Ausschachten.

Das ist halt so, Frank, wir haben es anderswo doch auch bis zum Erbrechen erlebt. Die Firmen haben Termine, der Bauer läßt sich die nichteingefahrene Ernte bezahlen, was spielen da ein paar Tonnen Weizen und Roggen für eine Rolle ... ja, und dann sind wir selber in das Viertel eingezogen.

Das Haus gegenüber war ohne Licht. Düster gähnte uns das Haus an, manchmal war es mir unheimlich.

Wenn Gabi morgen zurückkommt, dann sage ich in der Spedition nein, und nochmals nein, sprach Frank in die Nacht.

Frank, sei nicht leichtsinnig, setz deine Arbeit nicht aufs Spiel. Oder hast du schon vergessen, wie es ist, wenn man sieben Monate zu Hause rumlungert und sich und anderen im Wege steht, Muster ohne Wert, Wut auf alles und alle, Wut auf das Arbeitsamt und auf die eigene Frau, nur weil sie Arbeit hat, Wut auf die Tochter und die nächsten Freunde, Wut, Wut, und dann läßt du alle Fünfe gerade sein und dann kommt der Punkt, wo man sich sagt: Nach mir die Sintflut, und dann kommt der Punkt, wo man die Leute versteht, die plötzlich etwas Irrsinniges machen ... Behalte deinen Job, du verdienst gut bei deiner Arbeit.

Gut verdienen ist nicht alles, das müßtest du doch wissen, Lothar, du hast uns immer auf dem Bau gesagt, wenn es um Überstunden gegangen ist: Wer Überstunden macht, der hat Scheiße im Hirn. Du warst nie scharf auf Überstunden, du hattest ja auch immer eine Frau, die die Mäuse angeschleppt hat, aber die anderen, die hatten keine Frau mit Mäusen, die sind den Überstunden nachgelaufen, und deswegen warst du bei den anderen nicht beliebt, die haben dich respektiert, weil du was gekonnt hast, aber die waren nie auf deiner Seite, denn ihr habt immer zweierlei gewollt.

Ich ging noch, wie jeden Abend, um das Haus, um zu prüfen, ob auch alle Türen und Fenster verschlossen waren, Frank wartete auf mich auf dem Bürgersteig, er drängte, er wollte noch zum Bajazzo. Ich ließ mich überreden.

Unterwegs nahmen wir eine Abkürzung über die abgeernteten Felder und sprachen von der Vergangenheit, von der wir ein Stück gemeinsam durchlebt hatten ... Weißt du noch ... wir sagten immer wieder: Das waren noch Zeiten. Wir sagten es so, als wären es tatsächlich gute Zeiten gewesen. Vielleicht waren es auch wirklich gute Zeiten, gemessen an der heutigen: Wir hatten unsere Arbeit, und es lohnte sich noch, für etwas zu arbeiten, für ein wenig mehr als nur das Fressen. Unsere Genossen haben damals noch das Feuer geschürt und waren noch nicht satt. Sie kämpften damals noch für: Nie wieder Krieg! Heute sprechen sie nur noch von Sicherheit und Frieden.

Die Nacht war hell und die Sterne zum Greifen nahe, aus Bajazzos Küchenfenster roch es nach heißem Fett und in der Ferne quietschten die Bremsen einer Straßenbahn.

Frank hielt mich zurück, sein Gesicht war mir nah und ich spürte seinen unruhigen Atem: Lothar, die Erfahrung habe ich gemacht: Arbeitslos sein ist schlimm. Aber schlimmer ist, wenn man Arbeit hat und die Schnauze halten muß ... Diese Kleinunternehmer, das sind die schlimmsten, das sind die eigentlichen Blutsauger, weil ihre Betriebe ohne Kontrolle sind ... Lothar, wir haben etwas erreicht, zugegeben, und dafür haben wir uns zwei Jahrzehnte in der Partei und für die Partei die Füße wund gelaufen. Und wo stehen wir heute wieder: entweder arbeitslos und das Maul aufreißen oder gut verdienen und alles reinschlucken. Schloß vor die Schnauze, Zahlenschloß, die Zahlenkombination kennt nur der Boss ... und wenn sie mich sonntags aus dem Bett holen, weil eine dringende Fuhre nach Bielefeld ansteht mit einem VW-Transporter, der sonntags fahren darf, und ich sag nein, dann bekomme ich zum nächsten Monat meine Papiere oder brauche gleich nicht mehr zu kommen, weil das angeblich Arbeitsverweigerung ist.

Aus der Kneipe stolperte einer, den ich nur vom Sehen kannte, wie so viele, die man nur vom Sehen kennt oder den großen Sprüchen, die sie am Tresen klopfen.

Na ihr beiden, knobelt ihr noch aus, ob ihr reingeht. Bleibt lieber draußen an der frischen Luft, da drinnen gebt ihr nur euer Geld aus.

Er war betrunken und verschwand in der Nacht, und Sekunden später hörten wir ihn auf die Straße pissen.

Kaum standen wir am Tresen, hatte Bajazzo für uns schon ein Bier gezapft, und er fragte Frank geradeheraus: Stimmts, dir ist die Frau weggelaufen. Bist jetzt mit einer Jungen zusammen. Richtig so, Frank, immer was Junges, das hebt den Papa auf die Mama. Frank drehte sich weg.

Aber Bajazzo war nicht zu beleidigen, er war nie zu beleidigen, das konnte er sich in seinem Geschäft überhaupt nicht leisten. Er grinste nur breiter als sonst und nickte den anderen Gästen am Tresen zu, als wollte er sagen: Der Frank, das ist einer, an dem nehmt euch ein Beispiel.

Die Luft war zum Schneiden, der Ventilator nicht eingeschaltet, Bajazzo sparte mal wieder an der verkehrten Stelle. Ich hatte ihn einmal daraufhin angesprochen, ob er hinterm Tresen nicht umkomme in diesem Mief, und das jeden Tag und jeden Tag zehn Stunden und mehr.

Ich bin es gewohnt. Ich krieg an der frischen Luft schon keine Luft mehr. Je dicker die Luft, desto besser mein Geschäft, hatte er damals gesagt.

Manchmal ließ er solche Sprüche ab und man wußte nie genau, meinte er es ernst oder flaxte er nur.

Und heute sagte er: Ich hab den Eindruck, je mehr Arbeitslose es gibt, um so höher klettert mein Bierausstoß. Ist auch logisch. Wer nichts zu tun hat, geht in die Kneipe.

Goldene Zeiten für Wirte, warf ich ein.

Und für Brauereien, antwortete er. Früher, Lothar, hast vor lauter Arbeit kaum Zeit gehabt, in die Kneipe zu gehen, dann warst arbeitslos und jeden Abend hier. Jetzt hast du wieder Arbeit, buddelst

Tote ein, und du kommst nicht mehr so oft. Siehst, so ist das im Leben, wenn der eine lacht, dann weint der andere und umgekehrt.

Als Frank Schnaps zu trinken begann, drängte ich zum Aufbruch. Wenn er Schnaps trank, verlor er die Kontrolle über sich und beschimpfte alle Leute.

Mir ist zum Kotzen, sagte Frank und lehnte sich auf mich. Dann ging er doch lammfromm mit nach Hause. Wieder nahmen wir die Abkürzung über die Felder, und mitten auf einem abgeernteten Gerstenfeld blieb er stehen und sah zu den Sternen hinauf, die heute ganz besonders nah waren.

Lothar, kannst mir sagen was du willst, damals, das waren noch Zeiten. Heute ist die Zeit eine Hure.


Helen hatte sich eine Liste mit Namen und Adressen der Leute angelegt, von denen wir annahmen, daß sie in der letzten Zeit mit Claudia Umgang gehabt haben mußten. An erster Stelle natürlich die Schulfreunde und deren Eltern.

Helen hatte fast jeden Abend herumtelefoniert und Leute aufgesucht in der Hoffnung, daß sich ein Bild zusammenfügen würde.

Es fiel ihr nicht leicht, mit all diesen Menschen zu reden, denn sie wollte nicht gleich mit der Tür ins Haus fallen, konnte aber auf die Dauer Claudias Verschwinden nicht verschweigen.

In unserer Siedlung wurden wir schon gefragt, wo Claudia geblieben wäre, denn man habe sie seit längerem nicht mehr gesehen.

Bislang gelang es uns immer wieder, sie mit Erklärungen abzuspeisen, Claudia trampe mit Freunden durch Europa, sie wolle erst etwas von der Welt sehen, bevor sie ihr Studium aufnehme und der Ernst des Lebens beginne.

Nur die Pfeifer schien etwas gerochen zu haben. Wenn sie uns sah, rief sie laut über die Straße hinweg: Wann kommt denn das Töchterlein wieder. Paßt mal schön auf, daß sie überhaupt wiederkommt. Jaja, das kommt davon, wenn man seine Kinder studieren läßt, ich hab da meine Erfahrungen, dann spucken sie auf einen herunter.

Und die Pfeifer grinste hämisch, wenn sie ihren Spruch ableierte: Die undankbaren Gören, erst an der Mutterbrust saugen und dann in die Titten beißen.

Helen glaubte immer noch, Claudias Verschwinden ließe sich auf

Dauer verheimlichen, sie hatte sogar ihren Metzger und Bäcker gewechselt und kaufte nur noch im Supermarkt ein, wo man sie nicht
kannte oder nicht wagte, persönliche Worte zu wechseln. Nur ihrer
Mutter hatte sie von Claudias Verschwinden erzählt, aber ihr Vater,
der seit zwei Jahren nicht mehr richtig im Kopf war, wußte nichts
davon. Helens Vater, körperlich noch fit wie ein Holzfäller, sieht
Gesichter.

Die meiste Zeit des Tages verbringt er in einem Lehnstuhl am Fenster und sieht auf die verkehrsreiche Straße hinunter, aus dem vierten Stock eines Neubaus an der Ruhrallee. Helens Vater redet ständig von seiner großen Vergangenheit, dabei war er nur ein kleiner
Beamter auf dem Sozialamt und wurde dort verschlissen. Manchmal
weinte er mit den Bittstellern, weil ihm die Kompetenzen fehlten,
um ihnen zu helfen, es war gar nicht so selten vorgekommen, daß er
ihnen ein Zweimarkstück von seinem Geld in die Hand drückte,
damit er sie wieder los wurde.

Wann kommt denn endlich mein Goldkind wieder zu Opa, hat den
Opa ganz vergessen.

Meine Schwiegermutter beruhigte ihn dann: Das Goldkind macht
eine Weltreise. Es bringt dir auch was Schönes mit.

Ich brauch nichts, erwiderte er dann bockig, das Goldkind soll
kommen und Opa was vorsingen.

Manchmal sprang er auch auf und flüchtete in eine Ecke des Zim-
mers, weil er glaubte, die auf der Straße fahrenden Autos wären
riesige Ameisen, und vor Ameisen fürchtete er sich.

Es muß doch möglich sein, von den Leuten erfahren zu können, von
was Claudia in der letzten Zeit geträumt hat. Da zieht man ein Kind
groß und weiß im Grunde genommen nichts von ihm. Das ist doch
nicht normal.

Hat deine Mutter gewußt, wovon du geträumt hast, Helen, fragte
ich sie.

Frag deinen Bauschulte, er hat Erfahrung, er weiß, was man da unternehmen muß ... hoffentlich landet sie nicht bei einer dieser bi-
gotten Sekten ... mein Gott, wenn ich daran denke, ich könnte die
Wände hochklettern.

Bauschulte hat aber keinen Apparat mehr hinter sich, er ist Pensionär, das darfst du nicht vergessen, Helen.

Solche Leute haben immer einen Apparat hinter sich. Frag ihn.

Das habe ich schon. Er hat geraten, keine Anzeige aufzugeben ...

Wer spricht denn von Anzeige, rief sie erschrocken aus. Glaubst du,
ich will Claudia per Fahndungsfoto suchen?

Nein, aber Bauschulte sagt, Tausende hauen jedes Jahr ab von zu Hause, weil es ihnen zu eng geworden ist.

Zu eng? Ja, aber, wir haben doch ein Haus, in dem jeder Platz hat, genug Platz.

Das größte Haus kann zu eng werden, Helen. Es liegt nicht am Haus.

Helen kannte durch die Elternsprechtage die meisten Eltern von Claudias Klassenkameraden, aber zwei Besuche wollte sie nicht übernehmen: Claudias Deutschlehrer und ihren Geschichtslehrer. Sie sagte: Ich habe es mit den beiden nie gekonnt all die Jahre. Der eine ist mir zu rechthaberisch und der andere ist ein Eierkopf ... Geh du hin.

Vor dem Frühstück um halb sieben rief mich der junge Pfarrer telefonisch zum Friedhof. Seine Stimme war erregt, er bat mich, sofort zu kommen und seine Bitte klang wie ein Befehl.

Helen überließ mir den Wagen. Ich hätte Claudias Mofa benutzen können, aber ich scheute mich, damit zu fahren, warum wußte ich auch nicht. Das Mofa verstaubte in der Garage.

Von weitem schon sah ich zwei Polizeifahrzeuge auf dem Platz vor dem Haupteingang und als ich ausgestiegen war, hörte ich zwei Polizeibeamte heftig aufeinander einreden. Ich ging auf die beiden Polizisten zu und fragte: Was ist denn los hier. Jemand vom Tode auferstanden, versuchte ich zu scherzen, aber ich spürte sofort, daß etwas Ungewöhnliches passiert sein mußte.

Und wer sind Sie, Sie Witzbold, fragte mich der jüngere der beiden nicht gerade freundlich.

Mein Name ist Steingruber, ich bin der Friedhofswärter.

Auf Sie haben wir gewartet. Kommen Sie bitte mit, sagte der ältere Beamte und führte mich durch die Friedhofspforte. Ich hörte den jüngeren Beamten hinter uns herrufen: Und ich sag dir noch einmal, auf die verrücktesten Ideen kommen die Leute heutzutage. Und warum, weil sie nicht ausgelastet sind, da kannst du erklären was du willst.

Der Polizist, der mich begleitete und der etwas älter zu sein schien als ich, winkte mich, ohne daß er auch nur ein Wort auf meine wiederholten Fragen geantwortet hätte, in das Viertel des Friedhofs, in dem die teuren Familiengruften lagen und wo vor übermannshohen

Grabsteinen mannshohe Statuen standen; wahrscheinlich waren diese marmornen Christusse und Engel sogar wertvoll, wer weiß.

Und da sah ich es durch das Blattwerk leuchten.

Der Polizist blieb stehen und wies mit dem Arm in diese Richtung: Dort fängt es an. Und nun sagen Sie mir bloß wie mein Kollege da draußen am Tor, das sind Halbstarke oder Arbeitslose gewesen, die aus Jux und Dollerei Farbe verspritzen. Gestern habe ich in der Zeitung gelesen, es gibt eine neue Art von Kriminalität: Arbeitslosenkriminalität. Diese Zeitungsschmierer.

Auf die Grabsteine der Grüfte waren mit weißer Ölfarbe Hakenkreuze geschmiert, auf einer kleinen Statue, Maria mit dem Jesuskind, sah ich einen Judenstern und auf dem Grab einer alten jüdischen Kaufmannsfamilie, das die braune Zeit aus unerfindlichen Gründen unbeschädigt überstanden hatte, leuchtete ein großes weißes Hakenkreuz, das über den ganzen fünf Meter breiten und fast drei Meter hohen Grabstein gemalt war, und davor stand ein Pappschild, auf dem, ebenfalls in Ölfarbe, zu lesen war: Wie kriegt man Juden lautlos aus Deutschland? Durch den Kamin!

Eine Szene fiel mir plötzlich ein. Claudia stand vor dem Abschluß der Unterprima und hatte Mitschüler zu sich auf ihr Zimmer eingeladen, Helen hatte Kuchen gebacken und für den Abend belegte Brote zubereitet, die Tür zu Claudias Zimmer stand offen. Und wir hörten, ob wir wollten oder nicht, worüber die Mädchen oben in Claudias Zimmer sich unterhielten. Da hörten wir auch, wie ein Mädchen das sagte, was ich jetzt auf dieser Tafel las, das mit dem Kamin.

Als Helen das hörte, ließ sie vor Schreck einen Teller fallen und war einen Moment unfähig, sich zu rühren. Dann aber stürmte sie die Treppe hoch und schrie: Wer hat das eben gesagt. Heraus mit der Sprache.

Helen war dem Weinen nahe, und Claudia erwiderte ruhig: Aber Mama, was regst du dich denn auf, das erzählen wir uns doch alle in der Klasse, was ist denn dabei.

Helen kam wieder zurück in die Küche, sie schien mir um zwanzig Jahre gealtert.

Tonlos sagte sie: Trag du das Tablett mit den Broten rauf. Ich möchte niemanden sehen.

Betroffen stand ich vor dem Grabstein. Ich sah auf den Polizisten, der mich begleitete, und dann auf die beiden anderen, die durch die Hecken, die den Hauptweg säumten, vermutlich von einer Ortsbesichtigung zurückkehrten. Ich fragte den Beamten, der mich hergeführt hatte: Hat der Pfarrer Ihnen das Tor aufgeschlossen?

Ja, von ihm kam auch die Meldung. Er hat aus dem Fenster gesehen und es kam ihm etwas komisch vor. Er hat sein Fernglas geholt und die Bescherung hier gesehen ... haben Sie einen Verdacht?

Ich schüttelte den Kopf, das hier war für mich unfaßbar.

Na, jedenfalls halten Sie sich zu unserer Verfügung, bis wir mit den Ermittlungen fertig sind. Die Kriminalpolizei ist auch da, die wird Sie noch vernehmen.

Ich bin den ganzen Tag hier auf dem Friedhof, wenn Sie mich brauchen sollten. Entweder im Geräteschuppen oder hier irgendwo auf dem Gelände. Ich muß heute noch ein Grab ausheben.

Bleiben Sie lieber hier weg, die Spurensicherung ist noch bei der Arbeit. Rühren Sie nichts an, machen Sie sich heute einen guten Tag ... und machen Sie das Haupttor bis heute mittag nicht auf ... bis Sie dazu Erlaubnis bekommen.

Ich lief zurück und verriegelte das verschlossene Haupttor zusätzlich von innen. Ich sagte zu dem jungen Polizisten vor dem Törchen: Schöne Bescherung.

Auf was die Leute nicht kommen in ihrer Langeweile, erwiderte er, früher haben die Halbstarken die Reifen zerschnitten und die Antennen abgebrochen, heute malen sie Grabsteine an. Kaum zu glauben, auf was die Leute alles kommen.

Ich kehrte zu den Grüften zurück und sah den Männern von der Spurensicherung zu. Als der Pfarrer mit den beiden Beamten in Zivil auf mich zukam, erzählte ich ihnen, noch ehe sie mich dazu aufforderten, daß ich nichts wüßte und auch keine Vermutungen hätte ...

Jaja, sagte der eine Kriminalbeamte, schöne Sauerei das.

Der Pfarrer war verstört, er stand da mit hängenden Armen und schüttelte dauernd den Kopf.

Ich lief mit dem älteren Polizisten, der mich auf den Friedhof geführt hatte, zu meiner Bude zurück, um mir Werkzeug für das Grab zu holen, das ich heute und morgen auszuheben hatte.

Darf man hier eigentlich rauchen? fragte er.

Rauchen Sie getrost, ich tu es auch manchmal.

Jetzt könnte ich einen Schnaps vertragen. Auf nüchternen Magen, nach so viel Gemeinheit. Eigentlich hätte ich seit zwei Stunden Dienstschluß.

Ich habe einen Schnaps in meiner Bude, ist zwar nicht meiner, aber Sie können ihn haben.

Lieber nicht, ich bin noch im Dienst, will mir keine Laus in den Pelz setzen ... Als ich das gesehen habe heute morgen, da blieb mir die Spucke weg. Ich bin wohl etwas älter als Sie ...

Fünfundvierzig, warf ich ein.

Fast zehn Jahre. Ich habe das alles noch mitgemacht und ich hab mich heute gefragt: Fängt das schon wieder an oder hat es nie aufgehört. Vielleicht geht es uns nur zu gut ... Das da, und er wies mit beiden Armen in die Richtung der Schmierereien, das waren welche, denen geht es einfach zu gut, die haben nie ein Stück trockenes Brot gegessen. Verhätschelte Bübchen waren das, ich hab da meine Erfahrungen. Glauben Sie einem ergrauten Beamten ... mein Gott, wenn unsereiner mal auspacken wollte, da käme nur Gestank raus. Was hab ich schon bereut, daß ich nach dem Krieg zur Polizei gegangen bin ... wäre ich mal lieber Schreiner geblieben oder wie Sie Friedhofswärter geworden.

Ihr Kollege an der Pforte meint ...

Der meint immer, daß es Halbstarke sind, der hat sich auf die eingeschossen, nur ist er selber noch einer. Es merkt nur keiner, weil er eine Uniform trägt ... Jetzt kriegen Sie wohl ganz schön Arbeit, die teure Farbe wieder abkratzen, kein Vergnügen, die Ölfarbe klebt wie Kleister.

Eine Stunde später wurde es auf dem Friedhof lebendig, Fotografen rannten herum, Reporter, es wurde gefragt und geknipst und immer wieder hieß es: Und das in unserer Stadt.

Um die Mittagszeit verließ auch die Spurensicherung den Friedhof. Ich durfte für das Publikum das Haupttor aufschließen, vor dem schon ungeduldig Neugierige warteten, denn es hatte sich längst herumgesprochen.

Ich beobachtete die Leute. Ältere blickten verstört auf die Schmiereien, manche geradezu ängstlich, andere mit Abscheu, die meisten aber ungläubig. Und es wurde dauernd fotografiert. Reporter stellten mir Fragen. Ob mir in letzter Zeit etwas Ungewöhnliches aufgefallen wäre. Aber mir war nichts aufgefallen, schließlich war der Friedhof für jedermann zugänglich, und wer wollte, der konnte auch nachts mühelos die mannshohe Backsteinmauer überklettern. Der Friedhof war schließlich keine bewachte Festung. Als ich mich am Nachmittag daran machte – die Polizei hatte beim Pfarrer dazu telefonisch die Erlaubnis gegeben – die Farbe mit Spachtel, Eisenbürste und einem speziellen Farblöser zu entfernen, protestierten einige Besucher, weil sie entweder noch fotografieren wollten oder aber weil diese Schande, wie mir ein älterer Mann sagte, für ewige Zeiten auf den Steinen bleiben sollte.

Am Nachmittag kam der Pfarrer wieder. Er setzte sich mit mir auf eine erhöhte Grabeinfassung. Ich schenkte ihm aus meiner Thermosflasche Kaffee ein und er trank mit fahrigen Händen. Er war noch verstörter als am Morgen, und er machte auf mich den Eindruck eines Gehetzten. Er rauchte in kurzen Zügen, ohne Rücksicht auf die Meinung der Friedhofsbesucher.

Sie glauben doch auch nicht an einen bösen Bubenstreich, Herr Steingruber.

Nein, das glaube ich auch nicht, Herr Pfarrer.

In den Zeitungen wird morgen zu lesen sein, Halbstarke hätten das Ansehen der Stadt besudelt. Aber das ist natürlich Unsinn. Oder die Feigheit von Journalisten, die sollten lieber schreiben, und zwar deutlich, daß gewisse Kreise schon wieder den Kopf heben in unserem Land. Sie trauen sich zwar noch nicht ganz aus ihren Höhlen, noch scheuen sie das Licht. In der Innenstadt wagen sie es noch nicht, deshalb versuchen sie es erst mal auf verschwiegenen Friedhöfen. Aber bald werden sie von außen nach innen wandern und öffentlich Versammlungen einberufen. Dann wird es zu spät sein ... Diese Kreise schüren schon wieder ein Feuer, aber das ist nicht unser Feuer, Herr Steingruber.

Von welchen Kreisen sprechen Sie, Herr Pfarrer.

Er ging nicht auf meine Frage ein, sondern sagte: Die Zeitungen werden Vermutungen anstellen. Aber sie werden nicht bis zum Kern vorstoßen, weil hier in diesem Land immer noch geschrieben wird nach dem Motto: Daß nicht sein kann was nicht sein darf.

Ich weiß nur eins, Herr Pfarrer, dahinter steckt System. Heute hier, morgen woanders ... und jetzt gibt es schon wieder welche, die sagen: Das haben wir nicht gewußt.

Der Pfarrer sah ausdruckslos irgendwohin, sein Kopf ging dauernd hin und her, als wäre er ein willenloses Pendel.

Ich sagte zu ihm: Wissen Sie, Herr Pfarrer, Worte helfen da nicht mehr, auch nicht Worte von der Kanzel. Und wenn Sie es genau wissen wollen, das war auch ein Grund, warum ich aus der Kirche ausgetreten bin.

Aber Herr Steingruber. Soll die Kirche in ihren Sakristeien Knüppel- und Waffenlager errichten. Wir Pfarrer haben nur das Wort. Nicht leider ... Gott sei Dank.

Das mag Sie trösten, Herr Pfarrer, mich nicht.

Ich muß gehen. Guten Kaffee haben Sie da.

Obwohl ich damit gerechnet hatte, war ich doch überrascht, als Helen mich am frühen Abend besuchte. Ich führte sie stumm zu den beschmierten Grabsteinen, die ich noch nicht gereinigt hatte, es würde Wochen dauern, denn die Farbe klebte in den Poren der alten

Steine, so daß es ungewiß blieb, ob ich sie je würde ganz beseitigen können.

Helen sah aus, als würde sie jeden Moment in Tränen ausbrechen und sie schluckte immerfort.

Mein Gott, Lothar, auf deinem Friedhof . . . Geht das schon wieder los . . . Oder hat es nie aufgehört.

Von einem der Gräber nahm ich die Schubkarre, die ich dort abgestellt hatte. An einem anderen Ort und zu einem anderen Anlaß hätte ich Helen in die Schubkarre gesetzt, in unserem Garten schob ich sie manchmal herum und kippte sie dann einfach auf den Rasen, sie protestierte zwar, ließ es aber lachend geschehen.

Mein Gott, Lothar, daß wir das noch erleben müssen . . . in unserer Stadt . . . auf deinem Friedhof, sagte sie, als ich die Schubkarre im Geräteschuppen abstellte.

Ist unsere Stadt eine besondere Stadt, Helen, weil du das so betonst. Unsere ist wie jede andere auch, nämlich anfällig. Es gibt doch Mahnmale in unserer Stadt, die wurden doch nicht gebaut, um Baulücken zu schließen.

Dreißig Jahre sind eine lange Zeit, sagte ich.

Unsere Claudia wäre zu so etwas nicht fähig, sagte sie entschieden. Und als sie den Namen Claudia aussprach, wußte ich, was ich Helen zeigen wollte. Ich führte sie in meinen Aufenthaltsraum und reichte ihr das Pappschild: Lies es, es wird dir bekannt vorkommen.

Sie las leise, aber sie sprach jedes Wort deutlich aus: «Wie kriegt man die Juden lautlos aus Deutschland? Durch den Kamin.»

Was da draufsteht, Helen, erinnerst du dich, das haben sich damals die Mädchen in Claudias Zimmer erzählt.

Bring mich nach Hause, Lothar, ich krieg keine Luft.

Sie nahm dann doch das Fahrrad, mit dem sie von zu Hause gekommen war, und ließ mir den Wagen. Ich sah ihr an, daß sie mir noch etwas Wichtiges sagen wollte und forderte sie auf: Helen, was ist los. Sprech dich aus.

Lothar, bitte, halte mich nicht für verrückt, wenn ich dir jetzt etwas erzähle, ich kann mich irren, jeder Mensch kann sich irren, auch eine Mutter. Aber es ist so. Heute war ich auf der Hauptstelle, ich bin mit der Straßenbahn hingefahren . . . manchmal bin ich mir sicher, daß Claudia noch in der Stadt ist.

Ja, sagte ich, um sie nicht zu verletzen, man kommt schon auf die verrücktesten Gedanken.

Keine Gedanken, Lothar. Als ich bei Karstadt ausgestiegen bin und zum Alten Markt laufen wollte, da habe ich eine Frau gesehen, die unserer Claudia glich wie ein Ei dem anderen. Ich hab die Frau nur einen Moment gesehen. Es war wie ein Schlag. Und als ich mich von dem Schlag erholt hatte und der Frau nachlaufen wollte, da kam die Straßenbahn und verdeckte mir die Sicht. Als sie vorbei war, war die Frau nicht mehr zu sehen.

Es gibt solche Täuschungen, Helen, wir haben schon bei einer anderen Gelegenheit darüber gesprochen.

Vielleicht hast du recht und ich bin nur etwas überdreht, weil ich Tag und Nacht daran denken muß.

Ich sah ihr nach, bis sie vom Vorplatz gefahren war.

Bühler tippte mir auf die Schulter. Träumst? fragte er.

Nein, ich denke nach.

Dann denk mal weiter. Ich bin schon eine Zeit da, wollte dich nicht stören, weil du mit deiner Frau rumgelaufen bist. Jaja, so was habe ich schon lange kommen sehen. Ich habe es dir prophezeit, daß deine Arbeit nicht so ruhig ist, wie sie aussieht, aber das habe ich damit nicht gemeint.

Und du weißt natürlich, wer das war, stichelte ich.

Natürlich weiß ich das, Lothar, nur, ich kann es nicht beweisen.

Bühler, was würdest du an meiner Stelle tun.

Die Farbe abkratzen, natürlich, nichts weiter, und dann würde ich mal eine undichte Stelle suchen.

Undichte Stelle, fragte ich dumm.

Na, glaubst du, die schleppen die Eimer mit der Farbe mit über die Mauer, die sind ganz schön schwer, wenn sie voll sind ... hier ist irgendwo ein Nest ... ich weiß das, ich habe da meine Erfahrungen, nicht solche, aber andere ... erzähle ich dir mal bei Gelegenheit, weißt, ein Friedhof ist das sicherste Versteck, sogar die Mutigsten fürchten sich, nachts auf den Friedhof zu gehen, für die Deutschen ist nämlich der Friedhof immer noch der heiligste Ort ... aber das erzähle ich dir mal später, bei passender Gelegenheit ... jetzt muß ich nach Hause, um sieben gibts Essen, die wird immer fuchsteufelswild, wenn ich nicht pünktlich zum Essen komme ... Weiber sind halt so, meine Alte ... na dann.

Gabi putzte Fenster, als ich in die Garage fuhr. Ich dachte, es wäre an der Zeit, ihr von Franks Bitte zu erzählen. Ich ging hinüber.

Ich winkte Gabi, daß sie vom Fenstersims herunterkäme. Erst tat sie so, als bemerke sie meine Aufforderung nicht, dann sprang sie doch auf den weichen Rasen. Sie sagte zur Pfeifer: Jetzt glänzen sie wieder, wie ein Spiegel.

Mein Kind, die leuchten.

Ich nahm Gabi beiseite: Frank war bei mir, er bittet dich, daß du wieder nach Hause kommen sollst. Es ist alles vergeben und vergessen. Die andere hat er rausgeworfen.

Die Pfeifer hatte meine Worte gehört und kicherte: Rausgeworfen, das ist gut.

Gabi klatschte ihr Fensterleder auf dem rechten Oberschenkel aus, sie antwortete mir freundlich: So, vergessen, vergeben, dann richte ihm aus, er soll mir den Buckel runterrutschen.

Das war gut so, Gabi, Buckel runterrutschen ... gut war das ... der Hurenbock.

Gabi, sei vernünftig, er braucht dich. Es tut ihm leid, versuchte ich zu vermitteln, vielleicht auch zu überzeugen.

So, leid tut es ihm. Lothar, machen wir uns doch nichts vor, wie lange wird es ihm leid tun, wie lange denn. Er braucht mich, weil ich seine Hemden waschen soll und seine vollgeschissenen Unterhosen. Drei Wochen später schleppt er ein neues Flittchen an. Vielleicht schmeißt er mich dann nicht raus, aber er geht mit dem Weib vor meinen Augen ins Bett. Ich bin doch auch nicht aus Eisen, ich bin doch auch nur ein Mensch. Lothar, du bist sein Freund, du mußt ja so reden. Aber ich bin seine Frau, das ist was anderes.

Gabi bleibt hier, nur über meine Leiche. So gut hat es das Kind noch nie gehabt in seinem Leben, ereiferte sich die alte Pfeifer und sah mich dabei giftig an.

Ja, Pfeiferlein, antwortete Gabi gehorsam und ging ins Haus.

Gabi hatte in demselben Ton Pfeiferlein gesagt, wie sie früher Eberhardchen gesagt hatte. Hier gab es für mich nichts mehr zu vermitteln. Es wunderte mich nur, daß keine der beiden Frauen auf die Vorfälle auf dem Friedhof zu sprechen gekommen war. Wußten sie nichts? Oder interessiert es sie überhaupt nicht mehr, was um sie her vorgeht.

Hier war für mich nichts mehr zu tun. Ich fürchtete den Tag, an dem Frank gewaltsam hier einzudringen versuchte. Und das wird er tun.


Das Unwetter, das Anfang Oktober über der Stadt wütete, Regen wie mit Eimern ausgeschüttet und Hagelkörner groß wie Taubeneier, hatte auch den Friedhof nicht verschont. Äste brachen, locker sitzende Grabsteine wurden einfach umgepustet und von frisch aufgeworfenen Gräbern wurden Kränze fortgetragen, bis an die Mauern oder Hecken geweht, Kranzschleifen fanden sich noch im Geäst der Bäume.

Ich hatte drei volle Tage damit zu tun, die schlimmsten Verwüstungen zu beseitigen.

Noch drei Wochen nach den Schmierereien auf dem Friedhof fanden sich Leserbriefe in allen Zeitungen, aber nur ein einziger Briefschreiber hatte die Frage aufgeworfen, ob dahinter nicht eine politische Organisation stecke, sonst hieß es allgemein, Beschmieren von Grabsteinen sei skandalös, pietätlos und ein Beweis dafür, daß es an sittlicher Erziehung fehle. Ein Mann schrieb, es gebe in der Stadt genug triste Fassaden, die eine Auflockerung mit Farbe dringend nötig hätten, aber doch nicht auf einem Friedhof, der eines Tages auch die Stätte der Auferstehung werde.

Mir wäre es nie in den Sinn gekommen, aber der Pfarrer schnitt alle Berichte und Leserbriefe aus und klebte sie in eine Mappe; er ließ davon eine Fotokopie anfertigen und gab sie mir mit den Worten: Man sollte das von Zeit zu Zeit lesen, damit man nicht vergißt, wo wir leben, in welchem Land wir leben ... Herr Steingruber, wir gehen schweren Zeiten entgegen, sehr schweren Zeiten, ich weiß es, ich spüre es, ich habe einen sechsten Sinn dafür.

Und da erzählte ich ihm vom Verschwinden meiner Tochter und von Helens fixer Idee, Claudia befände sich noch in der Stadt und auch, daß sie behauptet hatte, sie habe sie selbst in der Stadt bei Karstadt an der Straßenbahnhaltestelle gesehen.

Herr Pfarrer. Unsere Stadt ist zwar kein Dorf, aber immerhin ... unsichtbar kann man sich nicht machen. Wenn sie mit einem Freund zusammenleben wollte, meine Frau und ich sind schließlich keine Moralapostel, dann soll sie, aber einfach weggehen, weil es hier angeblich zu eng geworden ist ...

Sie fragen natürlich zu Recht nach Gründen ... Gehen Sie mal mit mir einen Tag auf Hausbesuche, da erleben Sie eine Welt, die nirgendwo beschrieben wird, die kaum einer kennt. Ich muß nur zuhören. Kirchliche Handlungen sind für die Leute nur noch ein lästiges Beiwerk, aber man will loswerden, was sich angesammelt hat, was sich aufgestaut hat, und bei vielen läuft es einfach über, sie haben keine Kontrolle mehr über sich selber ... Ich sage Ihnen nur, unter jedem Dach ist ein Ach.

Hat meine Mutter auch immer gesagt, sagte ich und lächelte ihn an.

Sie hatten wohl ein gutes Verhältnis zu Ihrer Mutter, fragte er interessiert.

Nein, Herr Pfarrer, das schlechteste, das man sich denken kann. Sie war zänkisch und rechthaberisch bis zur Selbstzerfleischung. Sie war immer und überall zu kurz gekommen, sie hat nach Wasser geschrien, weil sie Angst hatte zu verdursten, dabei hatte sie eine Flasche Wein auf dem Tisch stehen, aber den Wein durfte man nicht trinken, der war für bessere Zeiten.

Sonderbar, was man von seinen Müttern lernt. Ich habe ein gutes Verhältnis zu meiner Mutter, das heißt, um ehrlich zu sein, wenn wir uns nicht begegnen. Er lachte laut wie ein Junge und ging, ohne ein Wort.

Der Teil des Friedhofes mit den alten Grüften zog mich an, ich suchte dort etwas und wußte nicht was. Ich war mir im Laufe der letzten Wochen klar geworden darüber, wenn es überhaupt eine Antwort gab, dann würde ich sie hier finden. Aber Antwort auf was?

Bühler hatte gesagt, ein Friedhof ist ein gutes Versteck, auf einem Friedhof könnte man zur Not einige Zeit überleben. Aber wer hatte es nötig, auf einem Friedhof zu überleben.

Am frühen Abend, ich hatte eine Stunde früher Schluß gemacht, hörte ich Helen aus der Küche singen, als ich die Haustür hinter mir schloß.

Als sie meinen fragenden Blick bemerkte, wies sie auf den Küchentisch, auf dem eine Ansichtskarte lag, die eine blumengesäumte Promenade in Nizza zeigte, das Meer himmelblau, und die weißen Schiffe im Hafen sahen aus wie Spielzeug.

Claudia schrieb: Keine Sorge, mir geht es gut. Ich arbeite hier tagsüber als Serviererin in einem großen Hotel, abends spielen wir auf Plätzen und Straßen. Ich komme gut zurecht, mein Französisch wird besser, ich verdiene mehr, als ich ausgeben kann. Gruß, Eure Claudia.

Nizza muß eine schöne Stadt sein, sagte ich.

Ach was. Ansichtskarten sind immer schön. Oder hast du schon mal einen Hinterhof oder ein Elendsquartier auf einer Ansichtskarte gesehen.

Sie setzte mir eine kalte Schinkenplatte vor mit Brot und Meerrettich und brachte mir eine Flasche Bier aus dem Keller, die ich sonst selbst heraufhole.

Helen war ausgelassen, und ich staunte über ihre Worte: Ich bin froh, daß Claudia nicht in der Stadt ist, daß ich mich bei Karstadt getäuscht habe.

Eine eigenartige Freude, konnte ich nur sagen.

Aber, Lothar, wenn sie in der Stadt wäre, müßten wir uns fragen, warum sie sich versteckt. Jetzt brauchen wir nicht zu fragen. Weißt du, ich hab es mir überlegt, junge Menschen haben ein Recht, sich die Welt anzusehen.

Der Fliederbaum war nicht mehr zu retten, ich mußte ihn schweren Herzens ausgraben, der Sturm hatte den Stamm einen Meter über dem Boden abgeknickt. Und wie stolz war ich auf diesen Baum gewesen. Ich hatte ihn eingepflanzt als er noch auf meinen Handteller paßte.

Die Tage waren kurz geworden, ich knipste das Terrassenlicht an und da hörte ich von weitem die keifende Stimme der Pfeifer. Ich lief durch die Sträucher auf die Straße und sah Frank gegenüber unter der Haustür stehen.

Das war nicht meine Angelegenheit, dennoch ging ich hinüber, ich fühlte immer noch den beiden Frauen gegenüber Verantwortung. Ich kannte die sanfte Gabi nicht wieder, sie versuchte, sich hinter der dürren Pfeifer zu verstecken und beschimpfte Frank unflätig. Mir blieb unerklärlich, wie sich eine Frau in wenigen Wochen so hatte verändern können.

Es war still in der Siedlung, ich zog Frank mit Gewalt fort, ich fürchtete einen Auflauf, denn das Gezänk mußte weit zu hören gewesen sein.

An der Gartenpforte schrie Frank den beiden Frauen zu: Ich komme wieder, und wenn du nicht mitkommst, dann kannst du was erleben.

Ich hatte nur einen Wunsch, Frank so schnell wie möglich in mein Haus zu ziehen, um ihn zu beruhigen.

Ich hatte mit Frank überhaupt noch nicht über die Friedhofsschmierereien gesprochen, fiel mir jetzt ein, aber ich sagte auf der Straße: Wie ist das, Frank, du wolltest doch nein sagen, aber du fährst noch immer deine siebzig Stunden die Woche. Was ist mit dir los, Frank, bist du kaputt.

Wie kann ich nein sagen, wenn Gabi nicht zurückkommt, antwortete er beinahe weinerlich.

Geh doch mal zur Gewerkschaft und decke den Skandal auf, die ganze Schweinerei mit den Überstunden. Verdammt noch mal, Frank, tu was, rede dich nicht immer mit Gabi raus.

Lothar, du redest wie ein heuriger Hase. Wir sind dreißig Fahrer und keiner ist organisiert, die tun alle so, als hätten sie in dem Scheißbetrieb eine Lebensstellung mit Familienanschluß, da ist die Gewerkschaft machtlos, wenn die Fahrer nicht mitmachen, die fühlen sich als Heilige. So viele Arschlöcher auf einen Haufen habe ich mein Leben lang noch nicht gesehen.

Siehst du es nicht zu einseitig? fragte ich besorgt.

Ich bin Betroffener, Lothar, ich habe ein Recht darauf, es einseitig zu sehen. Gestern war ein Inserat in der Zeitung, die suchen Einschaler ... gelesen, gleich bin ich mit meinem Lieferwagen hingefahren ... zu spät gekommen ... verdammt, Lothar, wir können doch nicht das ganze Leben Inseraten hinterherlaufen ... warst mal drüben am Telefonhäuschen in der Titanengasse ... Nein ... du kennst deine eigene Nachbarschaft nicht ... da stehen jeden Morgen um sieben schon zehn junge Leute, in der einen Hand haben sie den Inseratenteil der Zeitung und in der anderen Hand schon die Flasche Bier ... sie schieben auch ihre Hoffnungen vor sich her wie ein Bauchladenmann seine Schnürsenkel und Zahnbürsten und Rasierklingen.

Als sich Frank mitten auf der Straße verabschieden wollte, hielt ich ihn fest: Frank, die Wahl steht an. Bald. Kandidiere. Kandidierst du, ja oder nein.

Natürlich kandidiere ich. Aber warum zum Teufel wollt ihr alle, daß ich kandidiere. Überall, wo ich hinkomme, heißt es: Frank, kandidiere ... warum nicht ein Lehrer oder Beamter oder Rechtsanwalt, warum ich, ein Kistenausfahrer, warum ich, ausgerechnet ich ... Aber wenn ich kandidiere, dann weiß ich warum: Mir geht es um die Nordsiedlung, um nichts mehr, um nichts weniger, was die dort vorhaben, das ist eine Schweinerei, ich war schon immer gegen Schweinereien, dabei esse ich so gerne Schweinefleisch.

Es gab Momente, da haßte ich Frank, es gab Augenblicke, da beneidete ich ihn. Er hat keine Kinder, Gabi war wohl nicht die Frau zum Kinderkriegen. Obwohl er ein Eigenheim besaß, wie ich, hatte er nie nach Besitz getrachtet.

Frank war mein Freund. Aber Gabi nicht meine Freundin, sie war nur die Frau meines Freundes.

Ich hatte es an diesem Abend begriffen.

Susi starb an einer Überdosis Heroin.

Wenngleich die Lokalseiten der Zeitungen vom Tode Susis, dem schönen und scheuen Mädchen, wie es hieß, voll waren, erfuhr niemand, wie sie zu dieser Dosis gekommen war, gefunden wurde sie im Stadtteil Schönau von Leuten, die morgens zur Arbeit fuhren. Sie lag in einem Straßengraben.

Auf dem Weg ins Krankenhaus ist sie gestorben.

Ich hielt den Blumenkorb in meinen Händen, aus dem die Trauernden Sträußchen in das Grab warfen. Der junge Pastor hatte nur eine kurze Ansprache gehalten, von der Verführung der Jugend, von der Suche nach einem Halt und dem Verlangen nach Vorbildern gesprochen. Gott sei für die heutige Jugend nur noch ein Möbelstück, auf das man zwar nicht verzichten möchte, weil es das Zimmer dekorativ mache, aber am liebsten würde man es doch auf den Müll werfen.

Ruppert Schwinghammer stand unter den Trauernden.

Ich wunderte mich ein wenig, er hätte doch zum Studium in Berlin sein müssen.

Claudias Klasse war, soweit ich das beurteilen konnte, vollzählig zur Beerdigung erschienen, nur Claudia fehlte, sie konnte auch so schnell vom Tod ihrer Freundin nichts wissen, vorausgesetzt, daß überhaupt jemand ihre Anschrift wußte.

Ruppert war blaß, als er sein Sträußchen in die Gruft warf, er schien mir kleiner, als ich ihn in Erinnerung hatte.

Auch Helen war zur Beerdigung gekommen, schließlich verkehrte Susi jahrelang in unserem Haus, das bindet, Susi hatte in unserer Küche Kuchen gebacken und zu Weihnachten Plätzchen, Susi war ein ausgelassenes Kind, aber ich sah sie vor mir, wie sie auf der Treppe saß und weinte und mir gestand, daß sie nicht Musik studieren wollte, daß ihre Eltern es befohlen hatten. Nun standen ihre Eltern unscheinbar am Grab und suchten nach Tränen.

Helen war nicht an das Grab getreten, sie starrte dauernd auf eine nicht allzuweit entfernte, schon blätterlose Platane, als gäbe es dort wer weiß was zu entdecken. Ich merkte ihr an, daß sie vor Spannung bebte.

Meine Verpflichtungen ließen mir keine Zeit, sie anzusprechen, meine Pflicht war es, bis zum letzten Moment am Grab auszuharren, bis der letzte Trauergast das Grab verlassen hatte, und als der Pfarrer die Reihe der nächsten Angehörigen abschritt und ihnen sein Beileid aussprach und jedem die Hand gab, da schrie plötzlich Helen mit überschnappender Stimme: Claudia! Kind! Claudia! Mit Schrecken sah ich Helen weglaufen, sie bahnte sich rücksichtslos einen Weg durch die Trauergäste, die ihr nur zögernd und verstört eine Gasse öffneten. Sie lief in Richtung Platane und sie schrie immerzu: Claudia!

Hilfesuchend sah ich den Pfarrer an, er gab mir mit dem Kopf einen Wink, ihr zu folgen. Ich setzte meinen Korb ab und lief Helen nach.

Als ich glaubte, weit genug vom Grab entfernt zu sein, rief ich Helen zurück.

Aber ich hörte sie nur rufen: Claudia!

Ich sprang über Gräber und durch Hecken, ich trat auf Blumen und stieß Vasen um, endlich, nahe der Südmauer, hatte ich Helen eingeholt, sie stand auf einem frisch aufgeworfenen Grab und war völlig erschöpft, sie deutete auf die rote Ziegelmauer. Ich sah gerade noch, wie jemand über die Mauer kletterte, aber der kurze Augenblick genügte nicht, die Gestalt von hinten zu erkennen ...

Claudia trug schulterlanges Haar, die flüchtende Gestalt hatte einen Pagenschnitt.

Ich rannte zur Mauer und mühte mich, auf die Mauer zu klettern, was mir aber erst nach mehrmaligen Versuchen gelang, und als ich bäuchlings auf der Mauer lag und die Straße überblickte, sah ich keinen Passanten, nur fahrende Autos. Doch, da war etwas, da parkte ein Wagen, ein kleiner Lastwagen, und auf dem Lastwagen war eine Aufschrift: Fuhrunternehmen Balke: Nicht verzagen, Balke fragen.

Während ich überlegte, ob ich auf der anderen Seite der Mauer hinunterspringen sollte, fuhr der Lastwagen ab.

Ich kehrte um, ich wollte Helen nicht allein lassen, sie wehrte sich, als ich sie fortführen wollte.

Warum versteckt sich Claudia. Mein Gott, was haben wir ihr denn getan? Warum hat sie sich die Haare abschneiden lassen ...

Komm Helen. Claudia ist in Nizza. Deine Nerven sind überreizt, die Beerdigung, die arme Susi ...

Laß mich. Ich sag dir nur eins: So wahr ich Claudias Mutter bin, so wahr ist, daß Claudia vor einer Minute über die Mauer gesprungen ist.

Am Grab wartete nur noch Ruppert, doch als er uns kommen sah, lief er den Trauergästen hinterher zum Hauptausgang. Der Pfarrer wartete auf uns auf dem Hauptweg.

Ich kann schon allein nach Hause, bleib hier, schütt' das Grab zu, das arme Mädchen. Helen hatte wieder eine feste Stimme.

Ich bring dich nach Hause, Helen. In dem Zustand bist du nicht fahrtüchtig.

Bleib hier, Lothar, schütt' das Grab zu. Ich muß sowieso noch einmal ins Büro.

Ich war unsicher, ich sah den Pfarrer an, der nickte zustimmend. Helens Schritt war fest, jugendlich, sie drehte sich nicht einmal mehr um bis zum Tor.

Was war los, Herr Steingruber, fragte der Pfarrer.

Ihre fixe Idee, Herr Pastor, sie hat unsere Tochter gesehen. Aber ich muß Ihnen ehrlich sagen, ich war auch einen Moment unsicher. Es ist verrückt. Ich weiß.

Es war also doch jemand und kein Hirngespinst, fragte er erstaunt.

Kein Hirngespinst. Das ist es ja, was mich so durcheinanderbringt ... es war jemand, es war kein Gespenst, das über die Mauer gesprungen ist.

Und trotzdem, Herr Steingruber, es kommt einmal ein Punkt, daß man in Menschen die sieht, die man sehen will. Haben Sie noch Kaffee in Ihrer Thermosflasche?

Wir setzten uns in meinem Aufenthaltsraum auf die wackligen Stühle. Ich versuchte krampfhaft, nicht mehr an diesen Vorfall zu denken, und doch sah ich dauernd die Mauer vor mir und die weibliche Gestalt, die leicht über die Mauer setzte.

Meine Frau ist natürlich durcheinander. Die Tote war die beste Freundin meiner Tochter, sie war bei uns zu Hause wie eine Tochter, ein kluges Mädchen ... Wissen Sie, Herr Pastor, ich gehöre nicht zu denen, die gleich nach Gesetzen und Kopf ab schreien, wenn das Kind in den Brunnen gefallen ist, aber wenn ich das erlebe, wie junge Menschen kaputtgehen, dann ist bei mir der Punkt erreicht, wo ich nichts mehr verstehen kann und nichts mehr verstehen will.

Bedächtig trank der Pfarrer seinen Kaffee und sah lange auf seinen Becher, bevor er antwortete: Nicht, daß Sie jetzt denken, ich will etwas bagatellisieren, ich kann es Ihnen nachfühlen, Herr Steingruber, aber haben Sie schon mal darüber nachgedacht, wie viele an Rauschgift sterben im Jahr? Fünfzig? Es sind vierhundert. Wissen Sie, wie viele an Schlafmitteln sterben im Jahr? Vielleicht tausend. Wie viele sterben an Alkohol im Jahr? Vielleicht zehntausend. Wie viele sterben an Nikotin? ... schreit da einer auf in den Zeitungen, ist da die Presse voll, schreit da einer nach schärferen Gesetzen? Nein, warum auch, der Staat verdient doch immer mit durch indirekte Steuer, er verdient an Tabletten, am Alkohol, am Nikotin, er verdient direkt und indirekt, ganz legal durch Gesetze. Sie mögen mich jetzt für zynisch halten, aber ich finde es zynisch, wenn in der Öffentlichkeit ein Aufschrei losbricht, wie jetzt bei diesem armen Mädchen ... Gott erbarm sich seiner. Kein Geschrei, wenn Tausende an Schlaftabletten sterben und am Nikotin ... vom Alkohol ganz zu schweigen. Das ist Zynismus, das ist Heuchelei, denn der Staat bezieht ganz legal davon seine Steuern.

Und wenn der Staat auf Rauschmittel Steuern erheben würde, ganz legal, Herr Pfarrer.

Dann müßte er die Rauschmittel legalisieren, sagte er und prostete mir zu mit dem Kaffeebecher, aber das kann er natürlich nicht, die Moral. Sie verstehen schon ... alles pure Heuchelei. Wenn Sie es genau wissen wollten: Ich halte das für eine andere Art von Menschenverachtung.

Und das würden Sie begrüßen, fragte ich, völlig verwirrt. Das habe ich nicht gesagt. Herr Steingruber, Sie haben mich einmal gefragt, warum so einer wie ich Pastor geworden ist, ich hatte geantwortet, dafür gibt es viele Gründe. Einer ist sicher der, daß unser System bald so erstarrt sein wird, daß keiner mehr wagt, gegen den Stachel zu löcken, um hier mal biblisch zu sprechen, aus Angst, er könnte irgendwo anecken. Dann werden es nur noch die Pastoren sein, die sich erlauben können, nicht zu heucheln, die die einzigen sind, die noch die Wahrheit sagen, weil die anderen gebrochen sind, und weil Gottes Wort die Wahrheit ist und bleibt ... und warum sind sie gebrochen ... weil sie keinen Halt mehr haben ... und glauben Sie um Gottes willen nicht, daß die an Gott glauben, die jeden Sonntag in die Kirche laufen, die könnten ebenso in die Kneipe gehen ... man will althergebrachte Gepflogenheiten nicht aufgeben, solange man keine neuen oder bessere gefunden hat.

Ich glaube nicht an Gott, sagte ich, und ich fühle mich ganz wohl dabei, weil ich weiß, daß alles von Menschen gemacht wird. Sie dagegen, Herr Pfarrer, müssen immer prüfen, ob es von Menschen kommt oder vom lieben Gott. Sie werden zugeben müssen, Herr Pfarrer, daß ich es leichter habe, denn Ihr Gott, Herr Pfarrer, muß ein rechter Trottel sein, wenn er sich von Menschen alles in die Schuhe schieben läßt ... und jetzt müssen Sie mich entschuldigen, ich muß das Grab zuwerfen, sonst fällt mir womöglich noch eine gierige Oma rein und bricht sich das Genick.

An der Platane, an der Helen Claudia entdeckt zu haben glaubte, fand ich einen schwarzen Lederhandschuh, aber ich hätte nicht einmal zu sagen gewußt, ob Claudia je schwarze Lederhandschuhe besessen hatte.

Es ist nichts Ungewöhnliches, einen Handschuh auf einem Friedhof zu finden, und es ist nicht ungewöhnlich, draußen auf der Straße vor der Friedhofsmauer einen Lastwagen zu sehen, auch wenn er zu Balkes Fuhrpark gehört, es ist nicht ungewöhnlich, wenn ein Mensch über eine rote Backsteinmauer klettert. Und doch ist es ungewöhnlich.

Was mir als erstes auffiel in dem großen Wohnzimmer, an das sich ein Wintergarten mit vielen exotischen Pflanzen anschloß, war ein gewaltiges Bismarckbild, das fast die ganze dem Fenster gegenüberliegende Wand ausfüllte; ein breiter, goldverschnörkelter Rahmen ließ es noch wuchtiger erscheinen.

Ich blickte immer wieder zu dem schnauzbärtigen Kanzler hoch und gleichzeitig versuchte ich mir vorzustellen, wie viele Menschen daran beteiligt waren, dieses Riesenbild aufzuhängen.

Dr. Wurm war ein kleiner und quirliger Kahlkopf, Ende fünfzig, er schob mir einen Sessel zurecht, und zwar so, daß ich ständig auf den Schnauzbart blicken mußte. Aber je öfter und länger ich Bismarck anblickte, desto sympathischer wurde er mir und ich hatte den Eindruck, als zwinkerte mir der Alte kumpelhaft zu.

Ich bin nicht gekommen, Herr Doktor, um mit Ihnen Höflichkeiten auszutauschen. Sie waren der Geschichtslehrer meiner Tochter, deswegen komme ich, wie ich Ihnen am Telefon schon sagte. Sie ist verschwunden, das letzte Lebenszeichen, das einzige bis jetzt, war eine Ansichtskarte aus Nizza. Meine Frau glaubt, wir sollten nichts unversucht lassen, um die Motive zu finden, die Claudias Verschwinden klären könnten. Auch wenn Ihnen die Hinweise noch so unbedeutend vorkommen sollten.

Eine tragische Geschichte für Sie, Herr Steingruber, aber ich fürchte, ich kann Ihnen da überhaupt nicht weiterhelfen, ich wüßte nicht, wie ich Ihnen behilflich sein könnte ...

Aber Herr Doktor, ich meine, ein junger Mensch äußert sich schon mal zu etwas ernsthaft, das unsereiner, den Eltern, wenn es gesagt wird, nicht ernst nimmt.

Herr Steingruber, der Beweggrund Ihrer Tochter dürfte mir klar sein. Sie hat keinen Studienplatz bekommen, sie drehte durch. Auch wenn sie danach fröhlich war und unbeschwert, ich kenne das. Ich kann es Ihrer Tochter – übrigens, sie war eine gute Schülerin – nicht verdenken, wenn sie dieser Gesellschaft hier den Rücken kehrt. Claudia war das, was man sauber nennt. Sauber in jeder Hinsicht. – Das ist heute nicht mehr gefragt. Was soll sie also in unserer morbiden und korrupten Gesellschaft. Ich habe mich immer in meinem Unterricht bemüht, einige Geschichtsfälschungen zu korrigieren ...

Ich verstehe Sie nicht, unterbrach ich ihn.

Zum Beispiel, daß man jungen Leuten alles zu vermiesen sucht, was in jenen zwölf Jahren gewesen ist. Zumindest hatte die Jugend damals Ideale vor Augen, Vorbilder, Helden. Was hat die Jugend heute.

Krieg war ja nun wirklich kein Ideal, warf ich ungehalten ein. Dieser heute.

Krieg war ja nun wirklich kein Ideal, warf ich ungehalten ein. Dieser Wurm wurde mir allmählich unheimlich.

Aber das war doch nur ein bedauerlicher Irrtum, den niemand gewollt hat, außer den Engländern in ihrer arroganten Unersättlichkeit, in ihrem grenzenlosen Neid auf alles Deutsche, deutschen Fleiß, deutsche Erfindungsgabe, deutsche Zucht.

Das haben Sie auch alles in der Schule gesagt, fragte ich ungläubig.

Und noch ein wenig mehr, wenn Sie gestatten, Herr Steingruber. Denn wenn so viel Miesmacherei betrieben wird von oben herunter, dann muß man sich einfach zur Wehr setzen, das bin ich meinem Beruf schuldig, schließlich verkaufe ich keine Brötchen, ich bin Lehrer, habe Fakten und Inhalte zu vermitteln, Zusammenhänge aufzuzeigen. Man darf nicht zulassen, daß alles in den Dreck gezogen wird ... Waren Sie im Krieg, Herr Steingruber?

Ich war zu jung. Wissen Sie, wir sind Sozialdemokraten, auch von seiten meiner Frau. Sie können sich vorstellen, daß ...

Ich habe nichts gegen Sozialdemokraten, auch wenn es nicht meine Partei ist. Es gibt genug unter ihnen, die mittlerweile anständige Deutsche geworden sind und mit dieser dekadenten Gesellschaft aufräumen wollen, es gibt genug unter ihnen, die eingesehen haben, daß eine vernünftige Waffenpolitik immer noch das Rückgrat der Nation ist ... In meinem Unterricht habe ich mich immer bemüht, jungen Leuten Geschichte so nahezubringen, wie sie nicht in den Geschichtsbüchern steht, in den offiziellen für die Schule, meine ich. Natürlich habe ich das nicht mit dem Zaunpfahl gemacht ... aber die Intelligenten, wie etwa Ihre Tochter, haben mich sehr wohl verstanden.

Was verstanden, fragte ich und dachte, dieser Mann ist nicht von dieser Welt, das kann es doch nicht geben in Deutschland, wo kommt dieser Mann eigentlich her.

Sie sind also Sozialdemokrat ...

Ja, aber nicht mehr Parteimitglied, man hat mich rausgeworfen, verstehen Sie, Herr Doktor, das war so ...

Kommen Sie zu uns, Herr Steingruber, wir haben vor einem Jahr einen Freundeskreis gegründet, er nennt sich, vorläufig noch, Gesellschaft zur moralischen und sittlichen Erneuerung Deutschlands. Falls Sie das beruhigen sollte: Zu unseren Mitgliedern zählen auch Arbeiter, nicht viel, aber immerhin. Wir sind keine Partei, noch nicht, aber wir arbeiten trotzdem beharrlich und wir verfügen bereits über internationale Verbindungen und eines Tages steigt der Phönix aus der Asche. Vorläufig halten wir Veranstaltungen und Diskussionsabende ab, wir geben sogar einen eigenen Pressedienst heraus mit Analysen gesellschaftlicher Vorgänge in unserem Land ... Kommen Sie zu uns, Sie sind ein aufrechter Mann, solche Männer brauchen wir ...

Wissen Sie, Herr Doktor, sagte ich ...

Aber sagen Sie doch nicht immer Herr Doktor zu mir, sagen Sie einfach Wurm, meine Schüler sagen immer, der nackte Wurm, weil ich eine Glatze habe, manche sagen auch, der Bandwurm. Aber ich lach mir da eins ins Fäustchen. Man kann einen Bandwurm auch noch so stutzen, wenn der Kopf bleibt, dann bleibt auch der Wurm.

Er lachte laut und blechern.

Ich verabschiedete mich. Seine Jovialität und Aufdringlichkeit waren mir zuwider geworden, der Schnauzbart sah auf mich herab, als wollte er sich mit mir verbrüdern.

Mindestens zwei Jahre war ich nicht mehr in Helens Bücherei gewesen. Ich traf sie in der Ausleihe an einem Regal, wo sie auf einen Schüler einsprach, den sie aber sofort stehenließ, als sie mich sah.

Sie fragte mich leise und ängstlich: Du kommst hierher. Lothar, was ist passiert.

Ich war bei diesem Dr. Wurm. Ich verstehe jetzt, warum du nicht zu ihm gehen wolltest. Du hast mir einmal gesagt, ob wir mit Claudia etwas falsch gemacht haben. Ob du etwas falsch gemacht hast, das weiß ich nicht, ich habe mir aber vorzuwerfen, daß ich mich niemals um ihre Lehrer gekümmert habe.

Und ich erzählte ihr von der Begegnung mit Dr. Wurm. Helen war entsetzt.

Ich setzte mich in die Leseecke und wartete, bis die Ausleihe geschlossen wurde, ich beobachtete die Besucher. Überwiegend junge Leute suchten in den Regalen nach Büchern, einige Frauen waren hier und auch Rentner, die im Sommer in der Bücherei Kühlung suchten und im Winter Wärme. Die Rentner und Invaliden waren zu einer Plage geworden in der Bücherei, Helen unternahm aber auch dann noch nichts, als vor zwei Jahren ein Rundschreiben der Verwaltung darauf hinwies, daß die Zweigstellenleiter darauf achten sollten, Personen, die keinen Leseausweis vorzeigen konnten, aus der Ausleihe zu weisen.

Helen hatte damals gesagt: Was soll der Unsinn, ich kann doch die alten Leute nicht eigenhändig an die frische Luft setzen, die sitzen zwar rum, machen sich im Zeitungsraum breit und tun so, als ob sie Zeitungen lesen würden. Viele lesen die Zeitungen ja auch. Die meisten kommen doch nur, um sich zu unterhalten, weil es draußen zu kalt ist, die Kneipen noch nicht auf sind und ihnen in den eigenen vier Wänden die Decke auf den Kopf fällt. Außerdem können sie sich leicht einen Leseausweis besorgen, ich könnte es nicht einmal verhindern.

Seit einem halben Jahr hatte sich das Bild in der Bücherei geändert, es kamen nicht nur die Invaliden, immer mehr Arbeitslose besuchten den Zeitungsleseraum, sie griffen sich alle ausgelegten Zeitungen und schnitten die Inserate aus. Jeden Tag laufen bei Helen Beschwerden ein von Bibliotheksbenutzern, die aus beruflichen Gründen diese Zeitungen und Zeitschriften lesen mußten.

Helen ließ große Schilder anbringen und im Zeitungsraum aufhängen, daß das Ausschneiden von Inseraten verboten sei. Wer dabei ertappt würde, werde wegen mutwilligen Zerstörens von öffentlichem Eigentum zur Rechenschaft gezogen. Ein paar Wochen lang war es besser, dann trat der alte Zustand wieder ein.

Einmal hatte Helen eine Angestellte angewiesen, in dem Zeitungsraum darauf zu achten, daß keine Benutzer Inserate aus den Zeitungen herausschneiden. Zwei Stunden später beschwerte sich die Angestellte bei Helen über die anzüglichen Kommentare der jungen Männer.

Helen hatte resigniert.

Wenn es eine andere Zeit wäre, dann müßte sich unsereiner sogar freuen, daß unter den Leuten eine Lesewut ausgebrochen ist. Aber das hier ist nicht zum Freuen, das ist ein Trauerspiel, sagte sie verbittert.

Ich sah den Büchereibenutzern zu und fragte mich, was für Bücher sie entleihen und mit welchen Erwartungen sie ein Buch mit nach Hause nehmen.

Helen hatte mir einmal gesagt: Das ist schon fast ein Gesetz: Je mehr Arbeitslose es gibt, desto mehr Entleihungen gibt es. Und ich erinnerte mich an Bajazzos Worte: Je mehr Arbeitslose es gibt, desto voller wird meine Kneipe.

Zu Hause sah ich in den Briefkasten. Nichts.

Draußen fegte ein kalter und feuchter Wind durch die Straße, das Haus der Pfeifer sah bei diesem Wetter noch unzugänglicher aus als sonst.

Als ich mich an den Küchentisch setzte, sah ich zu meiner Verwunderung, daß Helen ein drittes Gedeck auf dem Platz hatte, an dem Claudia immer gesessen hatte.

Das sollte von nun an jeden Tag und zu allen Mahlzeiten so bleiben.

Ich hob das Grab aus für ein sechsjähriges Türkenkind, das gestern morgen auf dem Weg zur Schule mit seinem Fahrrad gegen eine Straßenbahn gefahren und sofort tot war. Die Eltern des Kindes hatten beschlossen, ihr Kind in Deutschland zu beerdigen, es nicht in die Türkei überführen zu lassen. Dieser Entschluß mußte ihnen schwergefallen sein.

Osman hatte mich aufgesucht und mir von dem Vorfall berichtet und mich gebeten, beim Pfarrer anzufragen, ob es möglich sei, ein Mohammedanerkind auf einem kirchlichen Friedhof zu beerdigen. Der Pfarrer hatte mir nach Absprache mit seinem Amtsbruder die Erlaubnis telefonisch durchgesagt und währenddessen saß Osman in der Küche und ließ eine Perlenkette aus Holz durch seine Finger gleiten.

Warum laßt ihr das Kind nicht nach Anatolien fliegen, fragte ich Osman, du hast doch im Lotto gewonnen, hast genug Geld, du kannst es deinen Landsleuten schenken oder leihen.

Ich schon. Aber ich bin nicht Vater von dem Kind.

Aber der Vater des toten Kindes ist auch Türke, wie du einer bist, sagte ich.

Türke schon, aber nicht mein Freund und mein Geld ist mein Geld, verstehst du, wir sind nicht große Familie.

Den ganzen Vormittag über regnete es Bindfäden und der zeitweilig aufkommende Eisregen erschwerte mir die Arbeit beim Ausheben des Kindergrabes, noch mehr die Enge der Grube, in der ich Pickel und Schaufel nur umständlich handhaben konnte: je tiefer ich grub, desto hinderlicher wurde mir mein Werkzeug. Ein Trost nur, daß der Friedhof weder felsig noch steinig war, unter dem Humus lagerte Mergel und Lößboden, den der Pickel mühelos lockerte.

Meine gelbe Gummikleidung war schmierig geworden, Schaufel- und Pickelstiel glitschig, und als ich fertig war, zog ich mir die kleine Holzleiter vom Rand und stieg aus dem Grab, das beinahe einem Loch glich.

Oben stand Bühler. Der Alte schützte sich gegen den peitschenden

Regen und böigen Wind, indem er einen großen schwarzen Regen-schirm vor sich her stemmte.

Der Friedhof bot einen trostlosen Anblick, die Bäume waren kahl geworden und die Hecken und die Sträucher standen da wie schmutzige Wände.

Du wirst dir den Tod holen, sagte ich zu Bühler, ohne ihn anzuse-hen. Ein Mann in deinem Alter sollte im Bett bleiben und nicht anderen beim Arbeiten zusehen ... hab ich es richtig gemacht.

Du machst es wie ein gelernter Totengräber, sagte Bühler gegen den Wind. Ein Maurer, der Totengräber wird, bei dem stimmen einfach die Kanten wie mit Lot und Wasserwaage ... zieh dein nasses Zeug aus, sonst landest du auch noch im Krankenhaus, unter dem Gum-mizeug schwitzt man wie eine Sau. Ich hab das Zeug nie getragen ... komm mit in deine Bude, da ist es warm.

In meinem Aufenthaltsraum glühte der Kanonenofen, den ich mit Koks heizte und den Bühler, bevor er mich am Grab aufsuchte, schon angesteckt hatte.

Bühler reichte mir seine Schnapsflasche, ich lehnte wieder ab. Ich konnte mich einfach nicht an dieses Gesöff gewöhnen; aber dem Alten schien es Bedürfnis zu sein: er trank erst einen Schluck aus der Flasche, dann kippte er ein Verschlußpinnchen voll in den schwar-zen Kaffee und schlürfte laut und genüßlich.

Er saß da, zwirbelte wohlgefällig seinen Schnurrbart und machte den Eindruck eines rundum zufriedenen Menschen.

Kurz vor Kriegsende, begann er plötzlich zu erzählen, da habe ich im Gruftenviertel drei russische Kriegsgefangene versteckt, das heißt, eigentlich hat sie mein Vater versteckt. Mein Vater war damals nebenbei Totengräber, im Krieg hat jeder alles gemacht. Die drei Russen waren ausgerückt und hatten sich auf dem Friedhof ver-steckt und mein Vater hatte sie entdeckt und ihnen eine Gruft geöff-net. Verhungerte Kerle waren das, im Gesicht nur noch Augen und Schrecken. Von der Feldarbeit sind die drei ausgerissen, das heißt, die haben auf einer Zeche gearbeitet unter Tage, aber nebenbei muß-ten die armen Schweine noch auf die Felder, mein Gott, was man mit den Menschen alles angestellt hat, ein Zirkus war das damals mit den Kerlen, die wollten nicht in eine Gruft runter, die hatten Angst vor den Särgen. Ich mußte sie mit Fressen versorgen, abends, manchmal nachts, das ist weniger aufgefallen, ich kannte mich aus auf dem Friedhof, war wie eine Wohnstube für mich, damals war ich so alt wie du jetzt bist und uk gestellt von wegen kriegswichtiger Betrieb, mein Vater hatte die Gruftabdeckungen gelockert und weggeschoben und die drei runtergelassen, das heißt, er mußte ihnen drohen, sie den deutschen Wachmannschaften auszuliefern, wenn sie nicht runtergehen. Wenn ich die Gruftabdeckungen weggeschoben habe, um ihnen etwas Essen runterzuwerfen, bin ich fast umgefallen vor Gestank, die armen Luder konnten ja nicht raus, auch nachts nicht, da hat sich viel zuviel lichtscheues Gesindel rumgetrieben, die einen waren auf der Flucht, weil sie im letzten Moment keinen Dreck an den Stecken kriegen wollten, die anderen waren auf der Flucht, weil sie genug Dreck am Stecken hatten, das war schon eine miserable Zeit damals, aber Friedhof war immer noch das sicherste Versteck, was gabs schon zu holen auf einem Friedhof. Die Deutschen würden lieber verhungern, bevor sie auf einem Friedhof Kohl und Kartoffeln anbauen würden. Der Friedhof ist ihnen heilig, eine Zeit war das, du hast ja nur noch den Schwanz mitgekriegt von damals. Kannst froh sein.

War denn das so ohne weiteres möglich, Menschen auf einem Friedhof zu verstecken, fragte ich.

Wenn der Krieg noch länger gedauert hätte, dann wäre es wahrscheinlich nicht mehr möglich gewesen.

Eine Gruft auf einem Friedhof einfach so als Versteck, fragte ich ungläubig.

Das war immer noch das sicherste. Sogar die SS hat einen Bogen drum gemacht ... wenn man heute weiß, was alles passiert ist, dann ist das zum Schreien. Leicht ist so eine Gruft nicht aufzukriegen, schwer sind die verdammten Platten schon, ich hab mir damals einen Hebel gezimmert mit Flacheisen beschlagen, den konnte ich gut verstecken.

Und dann, fragte ich gespannt.

Dann? Dann kamen die Amerikaner ... oder waren es die Engländer, ich hab das einem Offizier gesagt und hab ihn an die Gruft geführt und aufgemacht, der Offizier hat vielleicht Augen gemacht, als diese drei halbverhungerten Gestalten ans Tageslicht gestiegen sind, gestunken haben die, dann hat er sie mitgenommen und ihnen zu fressen gegeben, einer ist prompt krepiert, weil ihm wahrscheinlich der Magen geplatzt ist, ich sag dir, diese Amerikaner ... oder waren es Engländer, die waren bescheuert, wie kann man Verhungerten gleich ein halbes Schwein vorsetzen.

Und du, fragte ich, hast du dafür einen Orden bekommen? Orden? Von wem? Hast du eine Ahnung, das durften doch die Deutschen nicht wissen, daß ich die drei Russen zehn Tage lang in einer Gruft versteckt hatte, das wäre doch keine Heldentat gewesen, das wäre

Leichenschändung gewesen und ich wäre wahrscheinlich im Kittchen gelandet. Die Leute sind komisch, auf ihre Toten lassen sie nichts kommen, da muß alles seine Ordnung haben. Die Leute hätten die drei Russen lieber an die SS ausgeliefert, als sie in einer Gruft übernachten zu lassen, jaja Lothar, so ist das ... wie lange hast du es noch zur Rente ... zwanzig Jahre, na, wenn du hier bleibst, dann wirst du allerhand erleben, so ein Friedhof ist schon was Verrücktes, komische Leute kommen hierher, ganz komische ... aber Russen gibt's ja nicht mehr zu verstecken, die Zeiten sind Gott sei Dank vorbei.

Als er seinen Kaffee ausgeschlürft hatte, schob er sich ein Stück Kautabak in den Mund. Er reichte mir die Blechschachtel, in der die schwarzen Würste nebeneinander lagen wie Sardinen, ich lehnte ab, mir wurde schon beim bloßen Anblick übel.

Bühler kaute mit Wohlbehagen.

Und warum erzählst du mir das alles, fragte ich ihn und sah ihn gespannt an.

Hätte ich es nicht erzählen sollen? Wenn du meinst, dann erzähle ich dir nichts mehr.

Es war nicht so gemeint, beschwichtigte ich.

Ich wollte dir nur sagen, was damals im Krieg möglich war, das ist auch heute noch möglich, du weißt doch selber, wie leicht so ein Mausoleum zu öffnen ist, auch wenn es schwer ist, ich meine nur, daß man kann, wenn man muß oder will ... aber die Gruften werden immer weniger, die Leute lassen sich keine mehr bauen, oder selten, nicht weil sie kein Geld hätten, ach wo, aber sie sind sich doch alle so spinnefeind, daß sie nicht mal im Tod nebeneinander liegen möchten.

Wenn man will oder muß, wiederholte ich seine Worte, was willst du damit sagen, Bühler.

Was weiß ich. Ich will nichts verstecken, meine Rente wird auf die Sparkasse überwiesen. Ich meine nur, du solltest öfter in das Gruftenviertel gehen und dich dort umsehen, manchmal entdeckt man was, meistens nichts, aber ich habe heute morgen zum Beispiel einen leeren Farbeimer gefunden, nicht in einer Gruft, nur hinter einem Grabstein, jetzt fallen ja die Blätter ab, jetzt wird so allerhand sichtbar, was man im Sommer nicht gesehen hat, das meine ich ...

Der Regen hat aufgehört, dann will ich mal wieder zu meiner Holden nach Hause, heute gibt's Apfeltaschen mit Preiselbeeren, kochen kann die wie zehn Köche. Dein Kaffee ist auch gut, solltest ihn mit Schnaps trinken, dann ist er noch besser.

Ich sah noch lange auf die Tür, die Bühler mit lautem Knall hinter sich zugeschlagen hatte. War Bühler schon kindisch geworden, erzählte er als Wahrheit, was er sich einbildete. Meine Arbeit war für diesen Tag getan, ich hätte das Kindergrab noch absichern können, aber wer sollte an so einem stürmischen Tag schon den Friedhof aufsuchen.

Der Sturm nahm mir einen Teil meiner Arbeit ab, er wehte das Laub an Mauern und Hecken und ich brauchte nicht zu harken, nur mit einem Rechen an den Hecken entlang laufen und das Laub häufeln. Jede Woche einmal kommt ein städtischer Lastwagen und transportiert das von mir in große Plastiksäcke gestopfte Laub in eine Humusaufbereitungsanlage.

Der Sturm jaulte in den Bäumen. Wird der Winter schneearm, werde ich wenig zu tun bekommen, bringt er harten Frost werde ich Mühe haben beim Ausheben der Gräber. Als ich mich fertig machte, um nach Hause zu fahren, betrat der Pfarrer meinen Aufenthaltsraum.

Nanu, sagte ich, hier ist der reinste Taubenschlag. Der eine geht, der andere kommt.

Soll ich Sie nach Hause fahren, fragte er, ich habe meinen Wagen draußen auf dem Vorplatz.

Nein, mir macht es nichts aus, ich laß mich gern vom Sturm durchbeuteln, Herr Pfarrer.

Ich erzählte ihm mit knappen Worten Bühlers Geschichte. Was sollte er mit einem Orden anfangen, Herr Steingruber, ihn sich um den Hals hängen. Damals gab es noch keine Orden, und einen großdeutschen hätte man ihm wohl schwerlich an die Brust stecken können. Ja, ich habe diese Geschichte schon von seiner verstorbenen Frau gehört, da habe ich noch studiert, die hat damals für die armen Kerle Kartoffelpuffer gebacken. Kartoffeln hatte sie damals genug im Keller, die Bergmannsgärten waren durchweg Kartoffeläcker geworden.

Ich überlegte, ob ich ihn fragen sollte, und dann fragte ich doch: Glauben Sie, daß ein Friedhof, ich meine eine Gruft, auch heute noch ein gutes Versteck wäre?

Glauben? Ich halte es für möglich. Aber warum, wir leben doch in anderen Zeiten.

Draußen schlug der Sturm auf uns ein.

Frank hatte sich zur Wahl gestellt.

Frank wurde in der «Linde» mit wenigen Gegenstimmen zum Ortsvorsitzenden gewählt. Vom Abstimmungsergebnis war Frank selbst am meisten überrascht.

Bauschulte, der von jedermann Geachtete, hatte sich für Frank eingesetzt und in der Versammlung darauf verwiesen, daß es gerade in der heutigen Zeit wichtig wäre, einen Arbeiter zum Vorsitzenden zu haben, damit wieder Vertrauen an der Basis einkehrt.

Helen ergriff öffentlich für Frank Partei und lobte ihn wegen seines Fleißes und seiner Ehrlichkeit.

Lothar, die Welt ist verrückt geworden. Ich bin Vorsitzender, sagte er und hielt mir sein volles Bierglas vor die Nase.

Mach dich nicht kleiner, als du bist, Frank, antwortete ich ihm und kam mir ziemlich dumm vor, als ich ihm ganz förmlich gratulierte.

Ich schielte zu Bajazzo, der hinter dem Tresen stand und so tat, als interessierte er sich für alles, nur nicht für unser Gespräch.

Frank wurde gefeiert, auch von denen, die nicht seiner Partei angehörten. Das war am Mittwoch vor dem 1. Advent, es wurde eine lange Nacht und für Frank eine teure.

Frisch Gewählte lassen sich feiern und zahlen, sagte er.


Am 1. Advent besuchte uns Frank, er trat ein, als wollte er sagen: Was kostet die Welt, ich will sie kaufen.

Er sah uns spannungsvoll an und sagte: Wißt ihr, was ich gemacht habe? ... Ihr werdet es nicht erraten ... ich habe nein gesagt. Jawohl ... ich habe nein gesagt. Am Donnerstag, als ich noch halb blau war von unserer Feier.

Helen sah ihn verständnislos an, sie konnte nicht wissen, was Frank damit sagen wollte, ich hatte ihr von Franks Vorsatz nichts erzählt, ich fand es nicht so wichtig, mit Helen darüber einen Disput zu führen.

Und? fragte ich.

Der Boß ist mit aufgerissenem Mund vor mir stehen geblieben, dann hat er seine Kinnladen zugeklappt und mich angestrahlt wie einen Maikäfer. Aber bitte, hat er gesagt, wenn Sie keine Überstunden fahren wollen, dann fahren Sie eben nicht, warum haben Sie das nicht schon früher gesagt. Ich habe genug Arbeit für Sie, wenn Sie überhaupt nicht mehr fahren wollen. In der Expedition, in der Verladung, wo Sie wollen. Bitte.

Und? fragte ich wieder.

Natürlich fahre ich weiter, stationäre Arbeit ist mir viel zu langweilig, aber ohne Überstunden, keine einzige mehr, die sollen mich mal ... und weißt du, warum er mich nicht gefeuert hat. Lothar, denk doch mal nach, der kann doch keinen Parteivorsitzenden feuern, auch wenn er nur ein kleiner Ortsvorsitzender ist. Er hatte nämlich noch den Lokalteil der Zeitung in der Hand, wo mein Bild drin war und der Artikel, daß ich nur mit einigen Gegenstimmen gewählt worden bin. Der Kerl ist ja nicht von Dummsdorf. Verstehst du, der kann jetzt gegenüber meiner Partei auch sagen, falls einer mal gegen seine Praktiken zu motzen anfangen sollte: Was wollt ihr eigentlich, bei mir ist sogar ein Vorsitzender von euch beschäftigt.

Und Gabi? fragte ich.

Gabi ... die kann bleiben wo sie ist.

Wir tranken Kaffee und genossen Helens selbstgebackenen Kuchen. Draußen war ein klarer Tag und reines Licht, wenn auch schon Anfang Dezember, es klebten noch Blätter an den Bäumen. Am Haus entlang hatte ich Rattengift ausgelegt und Mäusefallen aufgestellt: sollte die alte Bauernregel zutreffen, würden wir einen strengen Winter zu erwarten haben, denn die Mäuse flitzten mir sowohl in meinem Garten als auch auf dem Friedhof über die Füße. Letzte Woche posierte sogar eine Feldmaus vor dem Kühlschrank in der Küche, Helens Entsetzensschrei gellte mir noch in den Ohren.

Was sollte ein Vorsitzender als erstes tun, fragte Frank. Neue Mitglieder werben, antwortete Helen und lächelte. Und natürlich die Kasse aufbessern, Frank, das macht sich immer gut, das nennt man erfolgreich sein.

Was fragst du mich, Frank, ich bin kein Mitglied mehr in deinem Haufen, sagte ich ohne Bitterkeit.

Mach dir nichts vor, Lothar, du gehörst immer noch dazu. Du wirst jetzt auch wieder an unseren Versammlungen teilnehmen, als stiller Beobachter oder einfach als Begleiter deiner Frau, wenn dir das lieber ist ... Du wirst dann anschließend sagen, was ich als Vorsitzender falsch gemacht habe ... also, mit der Geschäftsordnung stehe ich immer noch auf Kriegsfuß ... wirst einfach mein Aufpasser.

Frank, setz dich für die Nordsiedlung ein, sagte Helen. Stemm dich gegen die Stadt, stemm dich gegen deine eigenen Genossen. Auf dem Gelände der Nordsiedlung sollen Hochhäuser errichtet werden, das weißt du, das weißt du schon lange, und jetzt hast du ein kleines Stückchen Macht ... ein kleines Stückchen, aber manchmal reicht das schon aus.

Gegen die Stadt? Wie stellt ihr euch das vor, antwortete Frank abwesend.

Soll ich dich daran erinnern, was du vor der Wahl gesagt hast, Frank, und ich beugte mich zu ihm und sah ihn eindringlich an. Wenn du Furcht hast, Frank, ich könnte es anleiern und du brauchtest mich dann nur noch zu unterstützen. Ich bin jetzt Totengräber auf einem kirchlichen Friedhof, ich bin unverdächtig, ich habe jetzt Umgang mit Pastoren, auch wenn der eine einen Backenbart trägt ... ich bin unverdächtig geworden. Verstehst du.

Frank erhob sich schwerfällig und trat müde an das große Fenster, er trommelte mit allen zehn Fingern auf die Fensterbank, drehte sich um und sagte laut: Ich habe Claudia gesehen.

Und ehe wir überhaupt die Möglichkeit hatten, unsere Bestürzung zu äußern, sprudelte er los: Am Freitag war es, nachmittags, ich habe einen stabilen Karton abgeliefert in die Saarlandstraße in den vierten Stock, der Karton war nicht schwer, aber unhandlich, und Aufzug war auch keiner da, ich habe vielleicht geflucht, ich bin die Treppe hochgelaufen, ein Mädchen hat mir aufgemacht, etwa so alt wie Claudia, so um die zwanzig, nicht älter, schätze die mal heutzutage, kommst durcheinander, sie hat den Lieferschein unterschrieben, ich habe an dem Mädchen vorbeigesehen und da hat sich eine Tür zum Korridor geöffnet und ein anderes ist herausgekommen und hat gefragt: Wer hat denn geklingelt. Die Stimme hat mir einen Schlag versetzt, es war Claudia, ich wollte sagen: Guten Tag, Claudia, aber ich habe nichts gesagt, und ich bin überzeugt, daß Claudia mich erkannt hat, muß sie ja. Aber Claudia hatte eine andere Frisur, kurz, Bubikopf. Aber ich weiß nicht, ob Claudia auch wußte, daß ich sie erkannt hatte, sie ist wieder in das Zimmer zurückgegangen, ich habe den unterschriebenen Lieferschein genommen und bin die Treppe hinuntergelaufen, langsam, obwohl ich zehn Stufen auf einmal hätte nehmen wollen ... So war das also, und ich wollte euch das sagen, damit es hinterher nicht heißt, ich hätte euch etwas verschwiegen.

Helen erhob sich langsam und schlich auf Frank zu, sie faßte ihn an beiden Armen und bat ihn: Frank, Lieber, sag das noch einmal, bitte.

Frank schob Helen von sich und ging zur Tür. Im Vorbeigehen gab er mir einen Zettel: Da, ich habe die Adresse aufgeschrieben, Saarlandstraße ... Jetzt bist du dran, Lothar.

Helen sah in den Garten, sie stützte beide Arme auf die Fensterbank und atmete hörbar.

Ich legte meinen Arm um ihre Schulter: Komm, Helen, wir fahren in die Saarlandstraße, Frank hat mir die Adresse gegeben.

Helen rupfte an ihrem Taschentuch, was sie immer tut, wenn ihre innere Erregung einen Ausweg suchte.

Nein, Lothar, sagte sie bestimmt, wir fahren nicht, weil ich nicht länger hinter jemand herlaufen will, den es nicht gibt, wie damals bei Susis Beerdigung ... ich bin zwar ihre Mutter, aber das habe ich nicht verdient ... wir suchen überall und belästigen die Leute mit unseren Problemen, wir vermuten, unterstellen, verdächtigen ... warum suchen wir nicht im eigenen Haus, warum nicht in Claudias Zimmer. Wir stellen jetzt Claudias Zimmer auf den Kopf, ihr Zimmer ist doch schließlich keine verbotene Stadt ... Es ist unser Haus, und jetzt suchen wir. Komm.

Sie stürzte aus dem Zimmer, rannte nach oben und schloß Claudias Zimmertür auf. Ich folgte ihr beklommen, wir atmeten beide schwer und auf der Schwelle wagten wir nicht, uns zu bewegen. Also, auf was warten wir noch, Lothar, fangen wir an, rief Helen energisch.

Helen öffnete alle Schubläden und den Schrank. Ich stand dabei und beobachtete sie. Mir war nicht wohl dabei, ich kam mir vor wie einer, der verbotenerweise in eine Wohnung eingedrungen war, um etwas zu stehlen ...

Schließlich zog sie mit viel Mühe, auch da half ich ihr nicht, einen sperrigen Karton vom Kleiderschrank, von dem ich immer geglaubt hatte, er sei mit abgelegten Notenblättern gefüllt. Als sie ihn herunterzog und mir zurief: Nun helf mir doch!, da glitt er ihr aus den Händen und knallte am Klavier vorbei auf den Fußboden und heraus fielen Embleme, Fähnchen, Wimpel und Ehrenzeichen aus der braunen Zeit und bunter Flitter, all das, was diese braune Zeit an Eitelkeiten hervorgebracht hatte.

Der Fußboden war damit übersät.

Helen und ich knieten uns, als wir uns von unserem Schreck erholt hatten, auf den Fußboden und sahen staunend auf den ganzen Plunder, auf die Eisernen Kreuze, die Fähnchen, die Wimpel. Mein Gott, sagte Helen immer wieder, mein Gott, und das uns, Lothar, sag doch was, sag wenigstens, daß wir träumen.

Und dann war sie wieder die alte Helen, kuraschiert, energisch, sie lief die Treppe hinunter und kam nach kurzer Zeit wieder mit einem alten Zementsack, den sie aus dem Keller geholt hatte. Sie las den Flitter vom Boden auf und warf ihn in den Sack. Ich half ihr dabei. Und dafür hat sie auch noch eine Menge Geld ausgegeben, auch wenn es nur Blech ist und billiger Stoff, empörte sie sich. Lothar, mich ekelt, vor dem Zeug und vor meiner eigenen Tochter.

Als ich eine Stunde später vor dem Fernsehschirm im Wohnzimmer saß, um mir die Nachrichten anzusehen, hörte ich aus Claudias Zimmer den Staubsauger brummen.

## 2. Teil
## Wer das Feuer schürt

Die Pfeifer hatte ihre Festung verlassen.

Was um Himmels willen führte die beiden Frauen auf den Friedhof. Seit Jahr und Tag hat die Pfeifer ihr Haus, zumindest aber ihr Grundstück nicht mehr verlassen und das Grab ihres Mannes nicht mehr besucht. Warum auch: Eine rote, gewölbte Granitplatte lag auf einer weißen Graniteinfassung und trug die Inschrift: Georg Pfeifer.

Ohne Geburtsjahr, ohne Sterbejahr.

Der Regen wusch die gewölbte Platte sauber. Bühler hat sie gereinigt, sein Nachfolger und auch ich reinigte sie, wenn sie doch einmal schmutzig war.

Ich stand hinter einem hohen Grabstein und beobachtete die beiden Frauen, Gabi hatte sich bei der Pfeifer eingehakt, sie redete fortwährend auf die Alte ein.

Was suchten die beiden nur. Seit drei Wochen hatte ich das Haus der Pfeifer nicht mehr betreten und wußte nicht, was sich seither hinter diesen Mauern ereignet hatte. Die Pfeifer trug einen Kaninchenpelz, Gabi einen hellblauen Cordmantel mit einem hohen, aufgestellten Kragen.

Von dem was die beiden sprachen, verstand ich kein Wort, der Wind riß ihnen die Worte vom Mund, aber sie waren, das konnte ich deutlich erkennen, ausgelassen.

Die beiden liefen in Richtung Gruftenviertel, ich folgte ihnen unauffällig, denn ich war neugierig geworden, es kam schließlich einer Sensation gleich, daß die Pfeifer in die Öffentlichkeit gegangen war. Die Pfeifer blieb vor einer breiten und alten Gruft stehen und hielt Gabi, die weiterlaufen wollte, am Arm zurück. Plötzlich stieß die Alte Gabi aufgeregt in die Seite und wies auf das Grab. Beide standen starr.

Da schrie Gabi laut auf und rannte weg, die Pfeifer zögerte und lief dann hinterher. Ich hätte nie für möglich gehalten, daß sie noch so beweglich auf den Beinen war, sie liefen nicht zum Haupttor, sondern zur südlichen Pforte.

Die beiden sind nicht mehr richtig im Kopf, eine macht die andere verrückt, dachte ich, man dürfte sie eigentlich nicht mehr unter Menschen lassen.

Ich sah mir die Gruft an.

Sie war bemoost und der Marmor vergilbt, wie alle Steine, die um die Jahrhundertwende aufgestellt worden waren, dem mannshohen Engel vor dem breiten Stein fehlte der rechte Arm, das vierteilige Grab war mit Efeu überwachsen und um die ganze Gruft zog sich eine Buchsbaumhecke, die, wenn ich mich recht erinnerte, im Sommer von einem Gärtner gestutzt worden war.

Buchsbaum treibt den Teufel aus, schützt vor Blitzen. Bei uns zu Hause hing immer ein Büschel Buchsbaum in der Küche an der Wand hinter dem Herd, um böse Geister abzuwehren.

Ich bemerkte nichts Auffälliges an der Gruft. Aber warum waren beide Frauen fast panikartig fortgelaufen.

Die Grabinschrift, die einmal aus Gold gewesen war, verriet, daß in der Gruft vier Menschen begraben lagen, der älteste wurde 1911 bestattet, der jüngste 1958, vor fast zwanzig Jahren, drei hießen Bäumler, einer Timm.

Ich ging mehrmals um die Gruft, die von wohlhabenden Leuten gekauft worden war, ich trampelte auf die Efeuranken, sie reichten mir bis zu den Waden.

Dann bemerkte ich eine Erdnarbe, die nicht, wie es sein müßte, auf der Abdeckung lag, sondern leicht verschoben war.

Seit neunzehn Jahren pflegte niemand mehr dieses Grab, nur eben die Hecke wurde gestutzt, aus den Friedhofsbüchern wußte ich, eine entfernte Verwandte in Amerika zahlte an die Friedhofsgärtnerei jährlich eine Summe, um das Grab halbwegs in Ordnung halten zu lassen, aber da gab es nicht viel zum Ordnunghalten, etwas Stutzen war alles, wenn der Efeu über die Wege sich ausbreiten sollte.

Ich zog die lockere Erdnarbe mit der Efeuranke zu mir auf den Mittelweg: Da erst sah ich einen handbreiten Spalt.

Im Spalt klemmte ein Kantholz.

Ich wuchtete die Abdeckung etwas zurück und versuchte, das Kantholz herauszuziehen.

Ich zog eine Leiter heraus.

Die Leiter hatte vier Sprossen.

Ich sah mich genau um, aber in dieser Parzelle waren keine Besucher zu sehen. Ich richtete die Gruft so zurecht, daß niemand eine Veränderung bemerken konnte. Es kam kaum einmal vor, daß sich jemand um diese Gruften kümmerte. Sie standen unter Denkmalschutz. Es gab hier Monumente, Steine und Skulpturen, die über hundert Jahre alt waren.

Ich trug die Leiter zum Geräteschuppen. Da sah ich Bühler auf einem Stuhl in meinem Aufenthaltsraum sitzen, er rieb quietschend den Korken an seiner Flasche und grinste mich unverschämt an.

Na, Lothar, immer noch kein Schnäpschen. Manchmal tut ein Schnäpschen richtig gut, dann kriegt man wieder einen klaren Kopf.

Bühler ging mir auf die Nerven, er war immer da, wenn er nicht da sein sollte.

Hast dich quälen müssen, Lothar. Jaja, manchmal machen es einem die Toten nicht leicht.

Sag mal, Bühler, welche Gruft war das eigentlich, in der du die drei Russen versteckt hast, damals.

Die mit dem großen Christus und der Dornenkrone und der Aufschrift: O Haupt voll Blut und Wunden.

Kannst du mal mitkommen, bat ich.

In die Saukälte raus, protestierte er, aber er folgte mir willig und, wie ich nicht ohne Staunen sah, schmunzelnd.

Ich führte Bühler zu der Gruft, aus der ich die Leiter gezogen hatte.

Ich fragte: Hast du von den Leuten, die da unten liegen, jemand gekannt?

Ich kann doch nicht alle Toten kennen. Schon lange her. Letzte Bestattung achtundfünfzig, bald zwanzig Jahre her. Das Grab bringt die Gärtnerei in Ordnung, so ein Unsinn, was ist da eigentlich in Ordnung zu bringen, die schicken wahrscheinlich jedes Jahr eine große Rechnung nach Amerika . . .

Bühler, an dem Grab hat sich jemand zu schaffen gemacht, sagte ich und war gespannt auf seine Reaktion.

Trocken erwiderte er: Das wird der Gärtner gewesen sein . . . mit Gärtnern mußt du dich gut stellen, kannst dir ein Zubrot verdienen, ist auf die Dauer ganz einträglich. Mein Gott, was die Leute den Gärtnereien in den Rachen werfen, die müssen ja reich werden in Deutschland. Ich sag immer: Platte drauf, Klappe zu, Affe tot, Zirkus pleite. Ruhe hat der Tote und Ruhe hat der Hinterbliebene.

Er sah mich schief an.

Bühler, kann auf einem Friedhof eingebrochen werden? fragte ich.

Der Alte ließ sich nicht aus der Ruhe bringen, er lächelte vor sich hin und schob seinen Priem in die andere Backe. Warum denn, Lothar. Die Toten läßt man heutzutage ihren Schmuck nicht mehr mit ins Jenseits nehmen, da sorgen schon die Erben dafür, daß alles auf der Erde bleibt, die würden doch heutzutage den Toten noch die Finger abhacken, wenn der Ring nicht so runter geht. Ich kenn die Erben, erst flennen, dann um die Erbschaft rennen . . . Pack. Keinen Respekt mehr vorm Tod.

Sag mal Bühler, wenn du plötzlich entdecken würdest, eine Abdeckung wäre nicht korrekt im Falz und du würdest zu allem Überfluß noch eine Leiter aus der Gruft ziehen, was würdest du dann machen, steh nicht rum wie ein Ölgötze, sag was.

Er kaute aufreizend auf seinem Kautabak und spuckte dann den Saft zielsicher auf den Weg.

Eine Leiter? Etwa die, die du mitgebracht hast. Stümper haben die zusammengestopselt, aufgenagelte Sprossen, da kann man sich ja das Genick brechen. Ich hab keine in der Gruft gelassen, als ich die drei damals versteckt habe, weil die wahrscheinlich nachts rausgeklettert wären ... du, Lothar, wer eine Leiter in die Gruft setzt, und wenn es auch nur so eine stümperhafte ist, der will entweder was holen oder was bringen ... zu holen gibt's nichts, also bringen ...

Soso, du hast also die Leiter aus dieser Gruft gezogen, ja, dann müßte man mal nachsehen.

Runtersteigen? fragte ich.

Kannst auch mit einer Lampe runterleuchten, wenn du die Abdeckung weit genug zurückschieben kannst, sagte er brummig, und ich hatte plötzlich das Gefühl, er machte sich über mich lustig.

Heute nicht, ein anderes Mal, sagte ich.

Aufschieben ist nie gut, glaub mir, Lothar. Morgen kann das vielleicht nicht mehr da sein.

Was ist nicht mehr da, fragte ich, mir war unwohl und am liebsten hätte ich den Alten angebrüllt, so wütend war ich auf ihn.

Das da, erwiderte er ruhig und wies auf die Gruft.

Morgen, Bühler, morgen ganz bestimmt.

Lothar, was hast du denn. Mach dir nicht in die Hosen, die da unten fressen keinen mehr, die sind längst gefressen worden.

Mir ist nicht wohl dabei, sagte ich und war bedrückt.

Lothar, wer wird denn ... Angst? Das erste Mal ist es immer so ein Gefühl, schlägt sich auf den Magen, ich kenn das ...

Nein, nein, nicht so, wie du denkst, antwortete ich, ich fürchte mich vor dem, was ich vielleicht finden könnte.

Und was wird das sein? fragte er.

Genau weiß ich es nicht, Bühler.



Betroffen stand ich in Franks Küche, sie strotzte vor Dreck. Essensreste, Fett und Öl klebten an dem Küchenherd, in der Spüle türmte sich in beiden Becken das ungespülte Geschirr, es stank nach Abfall und Mief und die Fensterscheiben waren seit langem nicht mehr geputzt worden. Es roch nach kaltem Nikotin, mir drückte es den Magen zusammen.

Du kannst die Scheibengardinen ruhig abnehmen, sagte ich zu Frank, durch die Fenster kann sowieso bald keiner mehr sehen ... Such dir eine Putzfrau.

Gabi wird wieder zurückkommen, alles in Ordnung bringen, sie kommt zurück, wenn die alte Hexe ins Gras beißt, und das dauert nicht mehr lange.

Frank war guter Dinge, er sang und pfiff vor sich hin und schob mit beiden Unterarmen das schmutzige Geschirr in eine Ecke des Küchentisches und breitete vor sich einen Stadtplan aus.

Ich habe mir alles durch den Kopf gehen lassen wegen der Siedlung, ich habe alles genau bedacht ... wir werden eine Resolution einreichen – an die Stadt. Es ist wichtig und taktisch richtig, daß sich gerade unsere Ortsgruppe gegen den Abriß wehrt, denn die Siedlung gehört ja zu unserer Ortsgruppe.

Das ist das alte Lied mit dir, Frank, fremde Aufgaben packst du an, deine privaten brechen dir das Genick. Aber wer mit seinen privaten Dingen nicht fertig wird, der wird es auch nicht mit öffentlichen ... denk dran.

Er sah vom Stadtplan auf und sah mich verwundert an: Sag mal, Lothar, warum bist du eigentlich gekommen ... um mich anzumotzen, hier rumzustänkern.

Frank, hör jetzt genau zu: Hol deinen Wagen aus der Garage und fahr zum Friedhof. Ich fahr mit dem Fahrrad erst bei Bühler vorbei und komme mit dem Alten nach ... wir steigen in eine Gruft ein ... glotz nicht so, du hast richtig gehört.

Er sah mich lange stumm an, dann warf er den Stadtplan vom Tisch. Auf was wartest du noch, sagte er.

Als ich mich auf mein Fahrrad schwang und losfuhr, hörte ich Frank seinen Wagen starten.

Bühler öffnete sofort auf mein Klingeln, als hätte er hinter der Haustür auf mich gewartet, und ehe ich ein Wort sagen konnte, hatte er schon einen Anorak übergezogen und folgte mir auf seinem Fahrrad. Er stieg so in die Pedale, daß ich Mühe gegen den Wind hatte, ihm zu folgen.

An der kleinen schmiedeeisernen Pforte neben dem Haupttor stiegen wir ab und schoben unsere Räder zum Geräteschuppen. Unterwegs sagte ich zu Bühler: Frank ist auch dabei.

Der Alte antwortete: Mir tut er nicht weh. Red nicht so viel.

Es war ein naßkalter Samstagnachmittag und der Friedhof war leer.

Es tut gut, den Friedhof zu betreten in der Gewißheit, daß keine Besucher durch die Parzellen liefen. Manchmal tat es mir gut, ganz allein auf dem Friedhof zu sein, dann war mir, als gehörte mir alles: die Toten, die Steine und die Hecken und die Mauer. Ich hatte mir immer einmal vorgenommen auszurechnen, wie viele Ziegelsteine die Umfriedung faßte: damit müßte man viele Häuser bauen können. Ich trug einen Pickel und eine Brechstange und Bühler die Gaslampe, und wir drei sprachen kein Wort bis zur Gruft. Als Frank den einarmigen Engel sah, lästerte er: Wenn der Engel ein Mensch wäre, könnte man ihm den Arm wieder annähen.

Halt die Klappe, fauchte ihn Bühler an.

Bühler hatte Erfahrung, er arbeitete geschickt und lautlos. Erst löste er Buchsbaum und Efeu, dann setzte er das Brecheisen an die Nute und ich griff nur ein, wenn er mit dem Kinn winkte oder mir sonst einen stummen Hinweis gab.

Ich rastete meinen Pickel ein und begann die Abdeckung zentimeterweise abzuschieben.

Wir benötigten nur wenige Minuten die vierteilige Grabplatte so weit zu verrücken, daß ich ohne Schwierigkeiten durch die Öffnung nach unten kriechen konnte, aber als ich mich anschickte, in die Gruft zu klettern, schob mich Bühler energisch beiseite und sagte: Das ist meine Aufgabe … bring die Gaslampe und reich sie mir runter, wenn ich unten bin … und nicht hastig, alles mit Ruhe machen, bei dem Hundswetter kommt nicht mal eine verrückte Tante auf den Friedhof.

Bühler legte sich auf den Bauch, schob die Beine in die Öffnung und ließ sich langsam und ruckartig nach unten gleiten, er lehnte meine Hilfe ab.

Dann hörte ich Bühler auf die Särge treten. Es klang hohl. Ich reichte ihm die Lampe hinunter.

Siehst du was? fragte ich.

Komm runter, forderte er mich auf, ohne etwas zu erklären.

Ich ließ mich nach unten gleiten, Bühler fing mich auf und als ich auf einem Sarg stand, plagte mich Brechreiz, den ich nur mühsam hinunterwürgen konnte.

Im Lichtkegel sah ich fünf Särge in der ungewöhnlich geräumigen Gruft.

Die Leute müssen Geld gehabt haben, sagte Bühler, Zinksärge, solide Arbeit … jaja, früher wurde eben nicht gepfuscht, da hatten die Handwerker noch Ehre im Leib, heute haben sie nur noch ein Girokonto … damals wurde Qualität noch groß geschrieben.

Er faßte mich fest am Arm und wies zur gegenüberliegenden Wand.

Wieso sind fünf Särge hier, du hast doch gesagt, das ist eine vierteilige Gruft, Bühler, sagte ich immer noch würgend.

Es sind auch vier Särge, guck doch genau hin, und leer endlich mal deine Hosen aus.

Was ich als fünften Sarg angesehen hatte, das waren in Wirklichkeit kleine Kisten, hinter dem vierten Sarg an der Wand neben- und übereinander gelagert und auf den ersten Blick hatte es so ausgesehen, als wären die gestapelten Kisten ein Sarg.

Ist es das, was du gesucht hast, Lothar, fragte Bühler lauernd. Ich zählte laut bis zehn. Es waren zehn Kisten.

Ist es das, was du gesucht hast, fragte Bühler noch einmal und drängend.

Ich habe nichts gesucht, Bühler, ich habe nur etwas vermutet und weiß nicht, warum.

Wir beide standen auf dem ersten Sarg und sahen zur gegenüberliegenden Wand, eine solide, mit rotem Klinker verblendete Gruft. Es war feucht und kalt. Ich fühlte mich besser und ich kam mir nicht mehr als Eindringling vor in eine Welt, die Lebende nicht betreten dürfen, ohne Schaden zu nehmen.

Kein Zweifel, es waren die Kisten, es waren dieselben Kisten, die ich für Balke transportiert hatte.

Hast du nun gefunden, was du gesucht hast? fragte Bühler triumphierend.

Ja, es sind die Kisten, ich habe gefunden, was ich gesucht habe . . . Aber es ist trotzdem verrückt. Ich träume das. Bühler, zwick mich.

Soll ich sie aufbrechen? fragte er.

Nicht nötig, ich weiß was drin ist. Komm raus jetzt.

Mir wurde übel, ich stand auf einem Sarg, auf einem Toten, ich stand auf dem Sarg eines Menschen, der vor zwanzig oder aber vor fünfzig Jahren hier bestattet worden war.

Und dann überwand ich mich und ging über die anderen Särge zu den Kisten, leuchtete sie mit der Gaslampe ab und fand sofort die, die mir Frank vor die Füße geworfen und die ich wieder kunstgerecht zusammengeflickt hatte.

Was ich sah, was ich fand, das war alles wahr und doch war es nicht begreifbar.

Kein Zweifel, Bühler, es sind die Kisten. Ich habe sie nicht gesucht, ich habe sie gefunden.

Und was ist drin? fragte der Alte.

Ich hörte Frank von oben rufen: Da kommt jemand gerade auf uns zu. Was soll ich denn jetzt machen ... he, ihr da unten, was soll ich jetzt machen!

Guten Eindruck, rief Bühler ... Lothar, du bist dir absolut sicher ... und was ist drin in den Kisten?

Komm raus, Bühler, es wird Zeit.

Bühler half erst mir aus der Gruft; ich stieg in seine vor dem Bauch gefalteten Hände und von oben aus zog ich ihn an den Armen heraus.

Als ich Bühler auf die Beine helfen wollte, hörte ich den Pfarrer neben mir sagen: Na, Herr Steingruber, auf Schatzsuche ... haben Sie gefunden, was Sie gesucht haben?

Ich fühlte mich ausgezogen.

Ja, antwortete ich gequält. Ich schämte mich, weil ich das Vertrauen des Pfarrers mißbraucht hatte.

Bühler beachtete den Pfarrer überhaupt nicht, er begann seelenruhig die Abdeckung wieder in die Nuten zu schieben, dabei stöhnte er laut und täuschte ein Gezeter vor, als wolle er jeden Moment zusammenbrechen, ich wollte ihm helfen, aber das plötzliche und völlig unerwartete Auftauchen des Pfarrers hatte mich gelähmt. Bühler setzte die mit Efeu und Buchsbaum bewachsenen Erdnarben wieder auf das Grab.

Na, Herr Bühler, immer noch aktiv? fragte der Pfarrer.

Immer noch aktiv, Herr Pfarrer. Sie wissen doch, die Katze läßt das Mausen nicht, auch wenn sie keine Zähne mehr hat. Jaja, Herr Pfarrer, die Natur, gegen die Natur ist man machtlos.

Bühler tippte an seine Hutkrempe und ging einfach weg und ließ mich und Frank allein, als ginge ihn dieser ungewöhnliche Vorfall nichts mehr an. Er nahm Pickel und Brecheisen mit. Frank folgte ihm unschlüssig.

Da stand ich neben dem Pfarrer und wußte kein Wort der Entschuldigung, der Erklärung.

Und? fragte der Pfarrer. Wäre es nicht an der Zeit, Herr Steingruber, mich ins Vertrauen zu ziehen?

Zehn Kisten sind da unten, preßte ich heraus. Ich fror.

Vielleicht kommen sie heute abend zu mir und erzählen mir das alles, Sie sind sich doch hoffentlich klar darüber, was Sie eben gemacht haben, das könnte Sie hinter Gitter bringen ... hinter meinem Rücken, Herr Steingruber, ich finde das nicht eben fair von Ihnen. Und dann sagte er, in einem Ton, der keinen Widerspruch zuließ: Sie mögen darüber denken wie Sie wollen, aber das ist ein

Platz, an dem die Ruhe der Toten nicht gestört werden darf. Halten Sie mich für was Sie wollen, das ist meine Religion, und wenn Sie das belächeln sollten ... es hält Sie hier niemand. Ich nehme an, das ist deutlich genug.

Er ließ mich einfach stehen.

Mein Aufenthaltsraum war nicht geheizt. Der Duft des Kaffees aber umfing mich wie eine warme Welle.

Du weißt doch, Lothar, was wir gemacht haben, da steht Gefängnis drauf, sagte Bühler, als spräche er vom Wetter oder von den Lottozahlen.

Hör auf! Hör endlich auf! rief ich ungehalten. Das hat mir der Pfarrer vor ein paar Minuten auch gesagt. Hau ab, werde Prediger. Ich bin dich leid, ich will dich nicht mehr sehen.

Armer Lothar, sagte Bühler. Dann tat er, was ich bei ihm noch nie gesehen hatte: er schnupfte. Er schnupfte umständlich und ausgiebig. Dann nieste er unverschämt.

Was sagst du? Aufhören soll ich. Aber Lothar, jetzt fängt es erst richtig an ... auf mich kannst du zählen.


Nach seiner Pensionierung vor vier Jahren hatte sich Bauschulte in unserem Viertel ein Haus mit einem großen Grundstück gekauft, im Hintergarten ließ er sich ein dreißig Meter langes Glashaus bauen und züchtete darin Orchideen und seltene Blumen.

Ich erfuhr später ganz zufällig, daß er ein Experte war in einschlägigen Kreisen für die Züchtung von exotischen Pflanzen, ihm waren Kreuzungen geglückt, die von der Fachwelt für ausgeschlossen gegolten hatten.

Als ich noch in der Partei war, saß er meist neben mir und malte Männchen auf ein Stück Papier, er erklärte mir, weil ich einmal verwundert seinen Kritzeleien zusah, beim Malen könne er sich besser konzentrieren. In der «Linde» trank er niemals mehr als drei Glas Bier, auch wenn er in eine zechende Runde geriet und genötigt wurde, bis in den Morgen zu bleiben. Es gab genug, die ihn bespöttelten, es gab genug, die ihn haßten.

Sein großer hellbrauner Labrador lag vor der Treibhaustür, ich mußte über ihn hinwegsteigen, weil er sich nicht vom Fleck bewegte.

Bauschulte winkte aufgeregt, daß ich schnell die Tür hinter mir schließen sollte, er war gerade dabei, Setzlinge umzutopfen. Er rief mir zu: Schieß los! Du hast doch was auf dem Herzen, wenn du schon zu mir nach Afrika kommst.

Das würde zu lange dauern, sagte ich und setzte mich auf eine hochgestülpte Kiste.

Erzähle trotzdem, Lothar, Blumen haben Geduld.

Ich versuchte so knapp wie möglich alles von Anfang an zu erzählen. Bauschulte arbeitete dabei fast spielerisch und liebevoll mit seinen Pflanzen, ab und zu rieb er sich die Erde an seiner blauen Schürze ab, die bis zum Boden reichte.

Er trat zurück und betrachtete wohlgefällig sein Werk.

Fündig bist du geworden, Lothar, aber jetzt müssen wir beweisen. Daß du weißt, was da unten ist, das nützt uns nichts ... wenig ... übrigens, da fällt mir ein, wir haben mal einen gesucht, gejagt als Mörder, hinterher hat sich herausgestellt, daß er ein geschundener Totschläger war, das war nicht hier, das war in Herne, wir waren hinter ihm her, ganz dicht, und auf dem Friedhof war er wie vom Erdboden verschluckt, und wo haben wir ihn gefunden? Im Leichenschauhaus, in einem offenen Sarg, mit einer weißen Spitzendecke zugedeckt, nur die Füße guckten raus. Da lag er wie ein richtiger Toter ... aber dann ist mir aufgefallen, daß die Schuhe schmutzig waren. Ich bitte dich, wer legt schon einen Toten mit schmutzigen Schuhen in den Sarg ... nicht in Deutschland.

Bauschulte, erzähle jetzt nicht deine Erfolge ... du hast richtig gehört, ich bin fündig geworden, sagte ich, ich bin zu dir gekommen, weil du doch dein ganzes Leben nichts anderes gemacht hast, als Leute aufzuspüren ...

Das hast du schön gesagt: Aufspüren ... Lothar, du darfst nicht denken, daß die Polizei blind wäre, die sieht schon, in deinem Fall, meine ich, aber ohne Handhabe, ohne Beweise und auf Vermutungen ist kein Haus zu bauen, wo nichts ist, da hat der Kaiser sein Recht verloren ... aber ich stimme dir zu, das sind keine Narren ... das sind Leute, sagen wir mal ... sag mal, hast noch nichts wieder von deiner Tochter gehört ... War nur so eine Frage, hat überhaupt nichts zu bedeuten, ist mir grade so eingefallen, weil du immer so schweigsam bist, wenn es um deine Tochter geht. Bauschulte tätschelte seinen Hund, der ihm die Hand leckte. Er stopfte sich eine Pfeife, und als er sie zum Mund führen wollte, um sie anzuzünden, besann er sich und ließ sie in die große Bauchtasche seiner Schürze gleiten. Hier durfte nicht geraucht werden, die Pflanzen waren empfindlich, mehr noch, sie waren ihm heilig.

Er lehnte sich an eine Rohrstrebe und blickte zufrieden auf seine Setzlinge und dabei kraulte er den Hund, der eigenartige Laute von sich gab.

Nein, Lothar, es sind keine Verrückten und keine Abenteurer und auch keine gewöhnlichen Kriminellen, das sind Leute, die genau wissen, was sie wollen und wann sie es wollen. Nur wir wissen nicht, was sie wollen und wann sie es wollen. Gut, Lothar, ich helfe dir, das ist doch klar, das ist nicht mehr deine Sache, das ist auch die meine, ich halte die Augen offen. Ich werde mal auf den Busch klopfen ... Wenn es soweit sein wird, werden dir einige Leute nicht glauben, weil du selber die Pistolen transportiert hast, so ist das nun mal, das Einleuchtendste wird nie geglaubt ...

Aber Bauschulte, das glaubst du doch nicht im Ernst.

Ich nicht, weil ich dich kenne, Lothar, aber es gibt bei der Polizei Leute, die nicht über den Tellerrand hinaussehen, geschweige denn hinausdenken können ... Uniform ist nur ein Kostüm, kein Verstand ... ich weiß aus Erfahrung, Lothar, je uniformierter diese Schmalspurbeamten sind, desto überzeugter sind sie ... die sind immer überzeugt, egal was ist.

Ich wußte keinen Ausweg mehr, deshalb bin ich zu dir gekommen. Der Bühler ist ein alter Mann, aber kein Trottel, der Frank ...

Der Frank! Bauschulte brauste auf. Der hirnverbrannte Kerl will mit Stricknadeln gegen Bagger angehen. Er will etwas aufhalten, was gar nicht mehr aufzuhalten ist. Er bringt nur Unruhe in die eigene Partei ... dieser Narr, und so einen Narren habe ich gewählt und mich vor allen Leuten für ihn eingesetzt. Die Stadt wird das Gelände an eine private Baugesellschaft verkaufen, für gutes Geld, zugegeben, um auch jeden Geruch der Bestechlichkeit zu vermeiden, hat sie eine unabhängige Kommission eingesetzt ...

Bauschulte, wach auf, in der unabhängigen Kommission sitzt Balke und der hat sich längst bei der Baugesellschaft den dicken Fisch an Land gezogen ... Der kriegt den größten Auftrag: Er fährt die abgerissenen Häuser weg und schafft das Material für die neuen Häuser ran, und das wahrscheinlich über drei Jahre, denn so lange wird das Bauvorhaben dauern, wenn nicht länger, ein wenig versteh ich auch schon von der Bauerei.

Lothar, seid ihr denn alle hirnvernagelt, was regst du dich eigentlich auf, die Nordsiedlung ist nicht mehr zu retten, ich werde nicht, auch wenn wir Nachbarn und alte Parteifreunde sind, mit Frank an einem Strang ziehen. Glaub mir, der Frank ist ein Narr, der will etwas retten, was längst gestorben ist. Lothar, sag ihm das um Gottes willen, der wird von seiner eigenen Partei niedergerollt und bekommt dann ein Staatsbegräbnis erster Klasse, wie es eben Leuten wie ihm zusteht.

Bauschulte, ich weiß nicht ob du recht hast, aber wir sollten Frank unterstützen, als Parteifreunde und vor allem als Nachbarn, wir sollten nicht gegen ihn arbeiten.

Frank ist dein Freund, ich mag ihn auch, sonst hätte ich mich nicht öffentlich für ihn eingesetzt, aber Lothar, aus lauter Freundschaft darfst du nicht blind werden ... Will er die Leute dort retten oder will er sich ein Denkmal bauen?

Das darfst ihm nicht unterstellen, Bauschulte, das nicht.

Draußen steckte er sich dann doch seine Pfeife an. Der Hund war uns ins Freie gefolgt. Seine Frau putzte die Fenster am Wintergarten. Sie war noch zierlicher als er, sie lächelte uns zu, aber ebenso hätte sie dem Labrador zulächeln können. Lothar, damit du die Stimmung richtig erkennst: Nicht alle wollen in der Nordsiedlung bleiben, Frank will, daß alle dort bleiben, das sind zwei Paar verschiedene Schuhe ... Die Sanierung dieser Häuser kostet Millionen ... und was ist dabei gewonnen? Die Häuser haben nicht einmal Keller, das weißt du und du möchtest auch nicht in einem Haus wohnen, das keinen Keller hat, hast du mir selber einmal gesagt ... Und die meisten Arbeitslosen gibt es dort auch ... frag mal warum. Die sind doch von vornherein abgestempelt als Asoziale, nur weil sie dort wohnen, verrückt, aber wahr ...

Hör auf, Bauschulte, das weiß ich doch alles, aber das wollte ich dir schon lange erzählen ... Einen von deinem früheren Haufen, den traf ich letzthin in der Kneipe, junger Spund, der stand am Tresen und hat das große Wort geführt und weißt du was er gesagt hat: Unsere Schulen werden immer besser und die Arbeitslosen immer mehr, wenn die Schulen wieder schlechter würden, nähme die Zahl der Arbeitslosen wieder ab ... frisch von der Polizeischule ist er gekommen. Sogar Bajazzo ist das Grinsen vergangen.

Dumme wird es immer geben, sagte Bauschulte und sog nervös an seiner Pfeife.

Dumme? fragte ich. Bauschulte, steck doch den Kopf nicht in den Sand, nur weil sie aus deiner Richtung kommen ... Dumme in Uniform sind gefährlich, die anderen sind nur lästig.

Das Jahr ging zu Ende.

Zu Weihnachten schmückten wir keinen Baum, und hätte mich nicht die tägliche Arbeit auf dem Friedhof an das bevorstehende Fest erinnert, es wäre mir nicht einmal bewußtgeworden.

Das Wetter war frühlingshaft.

Erst am Vormittag des Heiligen Abend kaufte ich Helen ein Geschenk. Da sie in letzter Zeit gerne Kleider mit fransigen Schultertüchern trug, kaufte ich ihr einen großblumigen Seidenumhang und verpackte ihn in Geschenkpapier und legte ihn ihr am ersten Weihnachtstag auf den Frühstücksteller.

Als sie mein Geschenk sah, griff sie sich an die Stirn, ging nach oben und kam mit zwei Päckchen wieder. Das eine gab sie mir. Mein Geschenk war ein Buch, Brehms Reisebeschreibung durch Afrika aus dem vorigen Jahrhundert. Das andere Päckchen legte sie auf Claudias Teller, den sie noch immer zu allen Mahlzeiten auflegte.

Es wollte keine Weihnachtsstimmung aufkommen, denn wir hatten seit der Ansichtskarte aus Nizza nichts mehr von Claudia gehört, außer Franks Bericht.

Am Nachmittag des ersten Weihnachtstages spazierten Helen und ich, ohne daß wir es abgesprochen hätten, in Richtung Friedhof. Vor der schmiedeeisernen Pforte, das Haupttor blieb über die Feiertage geschlossen, kehrten wir wieder um. Und es war schön, wieder einmal mit Helen spazierenzugehen.

Auf dem Nachhauseweg steuerte ich Bajazzos Kneipe an. Nicht heute, Lothar, nicht heute. Morgen kannst du meinetwegen gehen, laß mich nicht allein heute.

Als wir von unserem ausgedehnten Spaziergang zurückkehrten, blieben wir vor dem Haus der Pfeifer stehen.

Auf einer Edeltanne, die ich vor Jahren selbst gepflanzt hatte, weil sie der Pfeifer von jemandem geschenkt worden war, brannten elektrische Weihnachtskerzen. Gabi und die Pfeifer hielten sich an der Hand und sangen vor dem erleuchteten Baum: O Tannenbaum, o Tannenbaum . . .

Helen und ich hatten Mühe, uns das Lachen zu verkneifen. Im Flur sah ich sofort das Telegramm liegen, das durch den Briefschlitz in der Haustür zu Boden gefallen war. Ich hob es auf und wog es in der Hand. Dann öffnete ich es hastig:

Frohe Feiertage. Claudia.

Das Telegramm war in Paris aufgegeben.

Helen nahm mir das Telegramm aus der Hand, und ich sagte: Es werden nicht mehr Worte, und wenn du es tausendmal liest.

Es tut sich was in unserer Stadt, sagte Frank.

Und was, fragte ich.

Der Sturm draußen riß an Dächern und Fensterläden, die Briefkastenklappe an Franks Haustür bewegte sich hörbar in den Scharnieren.

Ich war gekommen, um Frank für den Silvesterabend zu uns einzuladen, Helen und ich waren uns einig geworden, Frank nicht allein in seiner Wohnung sitzen zu lassen, in der jetzt nichts daran erinnerte, wie verschmutzt sie noch vor wenigen Tagen gewesen war: peinlich sauber war alles und aufgeräumt, in den weißen Küchenmöbeln konnte man sich spiegeln.

Hast du ein neues Verhältnis, fragte ich und wies auf die frischen Gardinen.

Es tut sich was in unserer Stadt, wiederholte Frank geheimnisvoll und blies dabei blaue Ringe aus seiner Zigarre und schielte auf die frisch gewaschenen Scheibengardinen. Er nahm aus dem Kühlschrank zwei Flaschen Bier und eine Schnapsflasche. Er öffnete die Bierflaschen und schenkte zwei Pinnchen Schnaps ein: Auf das neue Jahr, Lothar, prostete er mir zu. Wir kippten den Schnaps hinunter, ich schüttelte mich, so widerlich schmeckte er mir und wir schwiegen uns an. Nach dem dritten Schnaps sagte Frank noch einmal: Es tut sich was in unserer Stadt. Lothar, da gibt es eine Gruppe, die nennt sich Vereinigung zur sittlichen und moralischen Erneuerung Deutschlands. Schöner Titel. Aber der Verein stinkt. Hast du davon schon was gehört oder lebst du nur noch auf deinem Friedhof und bist schon begraben.

Ich weiß. Einen davon kenne ich sogar persönlich ... Und was beunruhigt dich daran? Politische Schwärmer hat es immer gegeben und wird es immer geben.

Was mich beunruhigt? Es beunruhigt mich dabei, Lothar, daß du zum Beispiel fragst: was beunruhigt dich dabei. Das sagen nämlich meine Genossen auch, wenn ich mit ihnen rede, die sagen dann einfach, über Narren darf man sich nicht aufregen.

Kommst du heute abend, fragte ich und stand auf.

Du brauchst keine Angst zu haben, daß ich besoffen komme, ich bleibe nüchtern, sag das Helen.

An der Haustür hielt er mich noch einmal zurück: Lothar, ich habe einen Plan, wenn der gelingt, dann ist die Nordsiedlung gerettet. Ich erzähle dir noch davon, wenn ich mehr weiß, jetzt weiß ich noch wenig und was ich weiß, sind hauptsächlich Vermutungen.

Auf der Straße schob mich der Wind. Ich wäre gerne zur Pfeifer gegangen, um auch Gabi für heute abend einzuladen, vielleicht könnten sie sich wieder versöhnen, denn Feiertage stimmen friedlich.

Die Edeltanne war seit Heiligabend Tag und Nacht beleuchtet, erstaunlich genug, wenn man um den sprichwörtlichen Geiz der Alten wußte.

Wie versprochen erschien Frank nüchtern. Mit einer leichten Verbeugung überreichte er Helen einen Strauß weißer Nelken. Wir tranken Erdbeerbowle, die ich schon am Nachmittag angesetzt hatte, folgten im Fernsehen gelangweilt einer Revue, bis Helen aufstand und den Apparat abschaltete: Was die einem heutzutage zumuten. Die denken, weil sie Analphabeten sind, müßten es die Fernsehzuschauer auch sein.

Der Sturm war so plötzlich verebbt, wie er gekommen war.

Um Mitternacht färbte sich über unserer Siedlung der Himmel bunt, Raketen schossen in den Himmel und trudelten als bunte Christbäume auf die Erde zurück.

Wie im Krieg, sagte Frank, bloß nicht so feierlich, und lachte. Das Läuten an der Haustür schreckte uns auf. Helen öffnete und gleich darauf standen Gabi und die Pfeifer im Wohnzimmer. Sie trugen Papierschlangen um den Hals und Konfetti in den Haaren, das jetzt auf unseren Teppich rieselte.

Die beiden Frauen waren angetrunken.

Gabi umarmte Frank und wünschte ihm alles Gute zum neuen Jahr und Helen kam nicht umhin, den beiden ein Glas Bowle anzubieten. Die Alte trug ein Kleid aus blauer Seide, das schon bessere Zeiten gesehen hatte, Gabi einen Schottenrock, dazu einen grasgrünen Pullover. Beide setzten sich wie selbstverständlich auf die Couch.

Gabi erhob sich sofort wieder und schöpfte sich selbst ein Glas Bowle voll. Frank stand auf und nahm es ihr aus der Hand und sagte: Benimm dich, du bist betrunken.

Gabi war beleidigt. Sie versuchte, die Pfeifer von der Couch hochzuziehen, was ihr erst nach mehrmaligen Versuchen gelang. Helen sah mich besorgt an, denn sie befürchtete einen Auftritt. Die beiden Frauen verließen unser Haus, singend und lachend wie sie gekommen waren. Nur das Konfetti auf dem Teppich erinnerte noch an sie.

Draußen schossen noch immer Raketen zum Himmel und fielen als bunte Büschel zur Erde herab.

Ein schönes Zuhause habt ihr beiden, sagte Frank unvermittelt.

Du wirfst dein Zuhause ja immer weg, erwiderte Helen nicht ohne
Schärfe.

Zwei Stunden nach Mitternacht begleitete ich Frank in den Vorgarten, wir waren beide nicht mehr nüchtern.

Als Helen und ich uns im Schlafzimmer auszogen, erzählte ich ihr
endlich von den Kisten, von Anfang an. Und als ich mit meiner
Geschichte zu Ende war, setzte sich Helen im Bett auf und fragte
besorgt: Lothar, um Himmels willen, was willst du jetzt mit deiner
Entdeckung anfangen?

Warten, Helen, warten.

Auf was warten, auf wen warten, Lothar, alles wird dir über dem
Kopf zusammenschlagen.

Beruhige dich Helen, es wird mich nicht erschlagen.

Im Bett umarmten wir uns fest, als wollte einer beim andern Schutz
suchen.


Frank hatte seine Arbeit als Ausfahrer in der Spedition gekündigt
und sich Hals über Kopf entschlossen, sein Haus in unserer Siedlung aufzugeben und demonstrativ in die Nordsiedlung zu ziehen.
Helen und ich waren sprachlos. Und dann machte ich ihm Vorwürfe. Frank, sei nicht kindisch, du kannst doch nicht einfach dein
Häuschen aufgeben, du hast wie ich an jedem Stein deine Hände
blutig geschrammt. So was gibt man nicht auf. Das ist doch mehr
als nur ein Eigentum, das ist deine Heimat, das ist dein Leben...

Hör auf, Lothar. Mit meinem Leben habe ich mein Häuschen
nicht gebaut, ich habe nur gebaut, weil andere auch gebaut haben,
weil ich nicht zurückstehen wollte, weil es sich eben so gehörte,
und ich wußte von Anfang an, daß ich es erst dann abbezahlt haben werde, bevor ich sterbe... Hör mal, Lothar, ich kann mein
Haus allemal vermieten. Für dreihundertfünfzig im Monat nimmt
es jeder mit Kußhand. Ich ziehe in die Nordsiedlung. Und weißt
du warum? Ich sitze mitten drin, ich, der Ortsvorsitzende der Partei, die den Abbruch beschließen will, dann kriegen die Leute dort
Vertrauen zu mir und halten zusammen, dann kann die Stadt nicht
mehr über die Siedlung verfügen wie ein Bauer über sein Vieh:
Melken oder schlachten.

Frank, du hast Illusionen.

Die habe ich nie gehabt. Aber Hoffnung. Ich gehe mal den umge-
kehrten Weg. Andere ziehen gewöhnlich aus solchen Siedlungen
aus, wenn sie nur das Gerücht hören, daß sich da in absehbarer Zeit
ein Sanierungsgebiet auftut, nach dem Motto, die Ratten verlassen
das sinkende Schiff.

Ich lief neben Frank durch die Nordsiedlung, manchmal blieben wir
stehen und betrachteten uns eingehend ein Haus, das von liebevol-
len Händen renoviert worden war, grüne Fensterläden mit roten
Herzchen, im Hinterhof ein Nebengebäude mit Taubenschlägen
unter dem Dach, im Vorgarten neue Staketenzäune und Rosenstök-
ke mit Plastiksäcken umwickelt zum Schutz gegen den Frost, in den
Hintergärten gut ausgeschnittene Obstbäume.

Und das alles wollen diese Betonideologen abreißen. Dagegen muß
man einfach was tun, Lothar. Das nenne ich Menschenverachtung,
und Menschenverachtung ist Terror, Terror im Mantel des Gesetzes
... verstehst du, was ich meine.

Ich verstehe dich sehr gut, Frank, aber allein bist du machtlos, jeder
denkt doch nur an sich oder an seinen Profit.

Ich folgte Frank zu einem Haus, zu dem ein kleiner Garten gehörte,
es war leer und abgewohnt. Er deutete darauf und sagte: Da werde
ich einziehen. In einem Vierteljahr wirst du das Haus nicht mehr
wiedererkennen. Und du hilfst mir dabei. Zwei Maurer wie wir,
wäre doch gelacht.

Und wer gibt dir die Genehmigung zum Einzug? fragte ich.

Ich habe sie mir gegeben. Aber Spaß beiseite. Ich habe im Stadthaus
einen an der Hand, der hat das schon geregelt, auf eigene Gefahr.

Wir gingen um das Haus, aus dem vor Tagen eine türkische Familie
ausgezogen war. Im Haus roch es nach Anatolien. Im verwilderten
Garten waren die Obstbäume umgesägt und wahrscheinlich ver-
heizt worden, denn kein Haus hatte Zentralheizung; der Staketen-
zaun war umgetreten und die Latten waren teilweise morsch.

Ich helfe dir dabei, nach Feierabend und samstags, sagte ich zu
Frank.

Und Sonntag, wir arbeiten innen, dann kann sich keiner aufregen,
daß wir den Feiertag schänden. Und jetzt weißt du auch, warum ich
meine Arbeit hingeschmissen habe in der Spedition, ich habe einen
Job als Maurer gekriegt, und das im Winter. Jetzt komme ich kostenlos an Material ran, die Renovierung kostet mich keine müde
Mark. Jeden Tag etwas mit nach Hause im Kofferraum, so baut man
billig.

Wir beide sind ja in dem Geschäft Spezialisten.

Ich fuhr mit Frank zurück in den Marienkäferweg und ging mit in seine Wohnung. Sie bot wieder ein chaotisches Bild: Die Küche quoll über von ungespültem Geschirr, es stank wieder nach Abfall, feuchter Mief erschwerte das Atmen.

Ich riß das Fenster auf, der einstürmende Wind wirbelte den Staub auf und durch die Wohnung.

Daß du in dem Dreck leben kannst, empörte ich mich.

Was regst du dich auf, wird schon wieder eine kommen und alles saubermachen, der tu ich dann auch was Gutes dafür. Wenn hier Mieter einziehen, dann können sie die Möbel gleich behalten, in meiner neuen Wohnung mach ich es wie die Orientalen, ich sitze auf dem Fußboden, die Deutschen haben sowieso zu viel in ihren Wohnungen stehen, das sie nie brauchen.

Na dann, Frank, viel Glück, ich muß nach Hause.

Gabi putzte Fenster in dieser Kälte, ich hob die Hand zum Gruß und ging zu ihr in den Vorgarten.

Hast du vielleicht eine Nachricht für mich, fragte sie erregt. Ich kam mir wie ein Verräter vor, aber Gabi war immer noch Franks Frau, sie hatte ein Recht darauf zu erfahren, was Frank mit dem Haus und mit dem Inventar vorhatte.

Frank zieht aus. Er will sich ein abgewirtschaftetes Haus in der Nordsiedlung mieten, er will euer Haus für dreihundertfünfzig im Monat vermieten.

Frank hat das Sichere immer verlacht. Das war mit Gegenständen immer so und mit Frauen. Ich danke dir, Lothar, daß du es mir gesagt hast.

Diese Sonntage sind eine zermürbende Reihung von Sekunden. Meine Träume sind Phantasien. Ich träume wach am Tage und nachts knirsche ich mit den Zähnen und oft so laut, daß Helen mich empört weckt, weil sie durch das Knirschen aufgewacht ist und nicht wieder einschlafen kann. Einmal wollte sie sogar in Claudias Zimmer umziehen, war aber umgehend wieder in das Schlafzimmer zurückgekehrt, als wollte sie das Zimmer ihrer Tochter nicht entweihen.

Ich träume von blühenden Friedhöfen und sehe doch hohle Schädel in den Blumen liegen, sehe Büsche sich im Wind bewegen und an den Ästen schaukelnde Gerippe; es sind tiefe Träume, ich erwache schweißgebadet oder werde von Helen geweckt, damit ich meinen naßgeschwitzten Schlafanzug wechsle. Zweimal in der Woche überzieht sie dann die Betten neu, weil mein Schweiß einen säuerlichen Geruch in die Laken frißt.

Träume können furchtbar sein, an manchen Abenden habe ich sogar Angst, schlafen zu gehen, ich habe Angst vor meinen Träumen. Ich sehe über dem Friedhof rote Tauben kreisen, und gelingt es mir schließlich, eine Taube zu fangen, und will ich sie streicheln, entpuppt sie sich als eine um sich hackende Krähe; ich sehe weißgekleidete junge Mädchen mit Kränzen im Haar über den Friedhof schweben, nicht um jemanden zu bestatten, nein, um jemanden auszugraben; schaurig schön ist ihr Flug. Dann laufe ich, um den Zug der schwebenden Mädchen einzuholen, um sie zu fragen, warum sie ausgraben und nicht eingraben. Und dann finde ich nur verwelkte Kränze auf dem Weg und der alte Bühler steht breitbeinig vor mir und lacht mich aus und spuckt seinen Priemsaft auf die welken Kränze und sagt, daß Friedhofswärter in der Regel erst nach zwanzig Jahren stumm werden, weil dann die Toten nicht mehr antworten. Lothar, geistere hier nicht herum wie eine Hummel auf der Wiese. Tote sind tot, da helfen keine Gebete, keine Tränen, kein kalter Stein.

Manchmal höre ich im Traum Claudia Klavier spielen, auf einem schwarzen Flügel spielt sie, der Flügel steht auf einem Grab und ist mit Girlanden verziert. Sie spielt, ohne daß ihre Finger die Tasten berühren, ich setze mich zu ihren Füßen und ist die Musik vorbei, dann ist nur noch das hämische Lachen des alten Bühler zu hören, der ungerührt seinen Kautabak im Mund herumschiebt und den Priemsaft über die Gräber spuckt, und dort, wo sein Seiber hinfällt, wachsen Sonnenblumen aus dem Boden und die großen Blüten schlagen über dem Alten zusammen und verschlingen ihn.

Ich finde mich dann in einer Grube wieder, aus der ich mit bloßen Händen Erde kratze und über die Brüstung werfe, und wenn ich aus der Grube sehe, fliegt über mir Frank, der ein Haus auf seinen Händen wegträgt.

Wenn ich beim Frühstück diese Träume abgeschüttelt habe, setze ich mich widerwillig auf mein Fahrrad und fahre zum Friedhof. Frei erst fühle ich mich dann, wenn ich den Becher von der Thermosflasche abschraube und der starke Duft des Kaffees den Raum ausfüllt.

Nach einer durchschwitzten Nacht hatte Helen einmal zu mir gesagt: Es ist nicht gut, wenn Menschen in deinem Alter nur mit Toten Umgang haben. Da muß man ja die wildesten Träume haben. Du solltest dir wieder eine Arbeit auf dem Bau suchen, wo du mit Menschen Umgang hast.

Frank, den ich am andern Tag fragte, ob er eine Möglichkeit sehe, mich in seinen Bautrupp einzuschleusen, winkte ab: Ich bin reingerutscht, wahrscheinlich nur, weil ich was in der Partei bin. Und wenn du auch nur ein kleiner Furz bist, aber es hilft. Lothar, Tausende würden sich nach deiner Arbeit die Finger schlecken. Denk dran, gestorben wird immer.

Mitte Februar zog Frank in sein Haus in der Nordsiedlung.

Ich half ihm auch beim Umzug.

Gabi und die Pfeifer sahen uns vom gegenüberliegenden Bürgersteig aus zu, wie wir einige wenige Möbel und Kisten in einen selbstgemieteten Möbelwagen luden.

Auf einmal rannte Gabi über die Straße und entriß Frank einen grünen, verwetzten Lodenmantel: Den kriegst du nicht, das war Eberhardchen seiner, der gehört mir.

Frank ließ ihn sich willig entreißen.

Am nächsten Tag schon zog in Franks Haus eine fünfköpfige Familie ein. Die Nachbarn rümpften die Nase über sie und verwünschten Frank, der ihnen das angetan hatte, denn die drei halbwüchsigen Kinder sahen aus, als wären sie soeben einem Schlammbad entstiegen.

Wahnsinn ist das, empörte sich Helen über Franks Umzug ... Lothar, denk an mich, die Raupen werden ihn überrollen. Was will er sich gegen einen Berg stemmen: Wenn die Stadt beschließt, die Siedlung abzureißen, dann reißt sie auch ab, eine Verwaltung geht über Leichen. Lothar, das wissen wir doch und Frank müßte es ebenso wissen, der Narr.

Helen, auch ich habe Frank nicht begriffen, aber jetzt begreife ich: Man darf sich nicht alles bieten lassen, wir sind schließlich keine Schafe, und sogar die wehren sich, wenn sie geschoren werden.


Ich behielt täglich, soweit das überhaupt möglich war, die Gruft im Auge und besonders die Menschen, die vor ihr stehenblieben.

Der Friedhof war eine Winterlandschaft geworden, ich schaufelte nur die Hauptwege vom frisch gefallenen Schnee frei, die Pfade zu den einzelnen Parzellen traten die Besucher selbst, auf Grabsteinen, Engeln, Christus- und Marienstatuen lagen weiße Hauben.

Der Schnee dämpfte sogar die Stille.

Ich wartete, der Friedhof lehrt Geduld, denn einmal mußte sich jemand an meiner Gruft verdächtig machen, aber wie lange wird das dauern.

Frank hatte sich in seinem Haus eingerichtet, er saß inmitten der Nordsiedlung wie eine Spinne im Netz. Bewohner der Siedlung luden bei ihm Beschwerden und Wünsche ab, und weil die Februartage sehr kalt waren und an manchen Tagen eisiger Sturm durch die Straßen fegte, renovierte Frank erst einmal innen sein Haus zu Ende. Ich half ihm nur noch selten.

An der Giebelspitze hatte Frank eine drei Meter lange Fahnenstange angebracht: Kam er nach Hause, zog er eine blaue Fahne auf, verließ er das Haus, holte er sie wieder ein.

Ich traf Frank immer ausgeglichen, zuversichtlich und selten allein. Immer waren Besucher da, sie saßen in dem kahlen Wohnzimmer auf dem Fußboden, auf dem Bretterboden lagen auch Teppiche, die er von Türken für billiges Geld erhandelt hatte.

Je mehr ich mich für Franks Leben und für seine Pläne interessierte, desto weniger behagte mir auf einmal meine Arbeit, mir war manchmal, als versäumte ich etwas, als wäre ich zu kurz gekommen, als hätte man mir etwas vorenthalten.

Ich ertappte mich dabei, daß ich Kelle und Wasserwaage in meinem Arbeitsbeutel mit auf den Friedhof nahm, obwohl ich beides nicht benötigte.

Da traf ich Balke auf dem Friedhof. Es war das erste Mal. Ich hatte bemerkt, daß er mir auszuweichen versuchte, und als das nicht mehr möglich war, ohne daß er durch den hohen Schnee hätte stapfen müssen, kam er mir mit ausgestreckten Armen entgegengelaufen: Prima Job hast du hier gekriegt, da kannst du hundert Jahre alt werden, immer in frischer Luft. Ich sags ja immer, manche Menschen sind wie Katzen, die fallen immer auf die Pfoten.

Verschluck dich nicht, Balke. Suchst du was Bestimmtes, kann ich dir helfen?

Meine Mutter hat heute Geburtstag. Ich hab ihr Blumen aufs Grab gelegt. Weißt ja wie die Weiber sind, meine Frau meinte, das gehört sich so. Auch wenn ein halber Meter Schnee liegt, ich hab ihr gesagt, Schnee ist immer noch der beste Schmuck. Aber was willst machen, man will seine Ruhe zu Hause haben.

Ich hab gehört, Balke, du bist jetzt ein großes Tier geworden, sagte ich und beobachtete ihn verstohlen.

Was heißt geworden, Lothar, ich bin schon immer ein großes Tier gewesen, vergiß das nicht.

Bist jetzt im Ausschuß für die Sanierung der Nordsiedlung, habe ich in der Zeitung gelesen.

Halb so wichtig. Manchen Aufgaben darf man sich als Geschäftsmann nicht entziehen, auch wenn man von vornherein weiß, daß sie Ärger bringen werden.

Weiß Gott nicht, Balke, noch dazu, wenn man dabei kräftig mitverdienen kann.

Nur kein Neid, Lothar, ich bin Geschäftsmann, ich kann mir meine Kunden nicht aussuchen. Du bringst deine Toten unter die Erde und ich bring mein Geld unter die Leute, so läuft die Wirtschaft ... ganz einfach.

Sag mal Balke, und ich beobachtete scharf sein Gesicht, wo sind eigentlich die Kisten abgeblieben, die du damals von einem jungen Mann bei mir hast abholen lassen ...

Wie gesagt, Lothar, wenn du mal einen Wunsch nach Veränderung hast, ich bin immer für dich da ... Nicht verzagen, Balke fragen.

Vor sich hinpfeifend ging er weg.

Ich ging zur Nordecke und suchte das Grab von Balkes Mutter. Im Schnee lag langstieliger blauer Flieder. Der mußte teuer gewesen sein, dabei ist er morgen schon verwelkt und erfroren. Eine Krähe auf dem Ast einer Ulme sah mich großäugig an. Ich jagte sie mit einem Schneeball fort.

Warum jagst du den Vogel weg, er hat dir doch nichts getan, sagte Bühler.

Sag mal, Alter, hast du Schwierigkeiten zu Hause mit deiner Witwe, weil du jeden Tag hier antanzt, noch dazu bei dem Wetter.

Schon möglich, Lothar. Frauen werden sauer, wenn man nachts nicht nach Hause kommt.

Aber Bühler, ein Mann in deinem Alter ... schäm dich.

In meinem Aufenthaltsraum betrachtete Bühler eingehend die Tafel, die ich noch heute am Haupteingang anzubringen hatte, es war eine geänderte Friedhofsordnung, schwarze Schrift auf gelbem Grund.

Stimmt was nicht, fragte ich mißtrauisch.

Hast du es genau gelesen, Lothar, da steht unter Paragraph zwölf, Strich eins: Die Ruhe der Toten darf grundsätzlich nicht gestört werden.

Und was stört dich daran, fragte ich verständnislos.

Weil das Unsinn ist. Die Toten können doch nicht mehr hören. Hast du schon mal eine Verordnung gelesen, auf der draufsteht, die Ruhe der Lebenden darf nicht gestört werden. Das hat mich dreißig Jahre

aufgeregt. Zu den Toten ist man menschlicher als zu den Lebenden
... komm, bring die Tafel an, ich helfe dir dabei.

Bühler half mir, die Tafel am linken Pfeiler des Haupttores anzubringen. Er sagte: Lothar, ich weiß nicht, ob du es schon gemerkt
hast, aber ich schlafe jede Nacht in deiner Bude hier auf dem Friedhof, deshalb ist doch meine Alte so sauer.

Mir wäre fast der Hammer aus der Hand gefallen.

Komm, Lothar, erhol dich wieder. Wir haben in der Engelsgruft
was gefunden. Was nützt uns das, wenn wir nicht wissen, wem es
gehört.

Bühler, du bist verrückt, du bringst mich in die größten Schwierigkeiten. Ich verliere meinen Job, wenn das rauskommt. Ich habe vom
Pfarrer sowieso schon eine erste Verwarnung gekriegt ...

Ich will dir doch nur helfen, Lothar. Begreif doch. Sie werden kommen und das Zeug holen, so wahr ich Bühler heiße ... Lothar, man
versteckt nicht Sachen, weil man sie loshaben will, sondern weil
man sie eines Tages braucht.

Und wer wird sie holen, weißt du das auch, du Schlaumeier, fragte
ich, immer noch erbost über die Eigenmächtigkeit des Alten.

Balke wird dabei sein, da bin ich sicher, Lothar.

Unsinn, Balke ist viel zu sehr Geschäftsmann, um sich auf so was
einzulassen.

Er selber natürlich nicht. Aber Geschäftsleute haben ihre Kreaturen. Und die holen das Zeug ab. Balke macht sich seine Finger mit so
was nicht schmutzig.

Bühler, und warum willst du es wissen?

Warum? Ist doch ganz einfach ... weil ich hier mein halbes Leben
zugebracht habe.

Dann ging er.

Ich besuchte den jungen Pfarrer in seinem Arbeitszimmer. Die Regale an den Wänden reichten bis zur Decke und waren mit Büchern
gefüllt, an der Wand zwischen zwei Fenstern hing ein Lutherbild,
auf dem Schreibtisch lag ein geschliffener Basalt als Briefbeschwe-
rer. Ich überlegte, ob ich ihm von Bühlers Übernachtungen erzählen sollte, aber er wußte es schon, er sprach eindringlich auf mich
ein: Herr Steingruber, ich habe bis jetzt zu allem geschwiegen, ich
hätte diesen Fund meiner vorgesetzten Behörde melden müssen, ich
habe es nicht getan, das nennt man gröblichste Pflichtverletzung,
aber weil ich weiß, daß Sie mit drinhängen und ich auch weiß, daß
Sie nichts mit dem Inhalt der Kisten zu tun haben. Aber Sie müssen
mir jetzt klipp und klar sagen, wie das weiterlaufen soll, denn wenn

das herauskommt und man erfährt, daß ich alles gewußt habe, bin ich die längste Zeit Pfarrer gewesen. Warum haben Sie Scheu oder Furcht das mit mir der Polizei anzuzeigen, ist da noch etwas, das Sie mir nicht gesagt haben. Was geht hier vor, wenn der alte Bühler jetzt schon nachts in Ihrem Aufenthaltsraum übernachtet. Herr Steingruber, ich versuche Sie zu verstehen. Aber es kommt einmal ein Punkt, wo man nichts mehr allein lösen kann. Haben Sie kein Vertrauen zu mir? ... Und vor was haben Sie Angst. Weil Sie einige der Kisten transportiert haben und man Ihnen vielleicht nicht glauben würde, daß Sie vom Inhalt der Kisten nichts wußten.

Vielleicht ... ich meine, Herr Pfarrer, da ist noch etwas, aber ich weiß nicht, was es ist, und weil ich es nicht weiß, kann ich es Ihnen nicht sagen.

Denken Sie dabei an Ihre Tochter? fragte er.

In seinem Büro wurde es auf einmal unheimlich still und ich lauschte meinem Atem nach. Wie kann dieser Pfarrer so gelassen aussprechen, wovor ich mich fürchte.

Ich muß gehen, Herr Pfarrer, sagte ich.

Ist es so schwer, Herr Steingruber. Ich werde noch etwas warten, aber von nun an darf ich erwarten, daß Sie mir nichts mehr verschweigen, ich muß in alles eingeweiht sein, wenn ich etwas decke ... sagen Sie mal, weiß Ihre Tochter eigentlich, daß Sie Friedhofswärter sind?

Woher soll sie es wissen. Sie ist ein Dreivierteljahr fort, wir konnten ihr nicht schreiben, weil wir ihre Anschrift nicht kennen.

Der Kirchenvorstand ist übrigens mit Ihrer Arbeit sehr zufrieden, bei der letzten Presbytersitzung wurde das ausdrücklich noch einmal hervorgehoben, auch mein Amtsbruder, wenn Sie es auch mit ihm nicht besonders können ... sagen Sie bitte Bühler mit aller Entschiedenheit, Übernachten auf dem Friedhof, das geht nicht.


Ich fuhr bei Frank vorbei, weil Helen heute später nach Hause kommen würde.

Die blaue Fahne war aufgezogen, er war zu Hause. Frank saß auf dem Fußboden des kahlen Wohnzimmers im Schneidersitz und hielt ein bedrucktes, hektografiertes Blatt Papier in der Hand.

Schließt du nie die Tür ab, fragte ich.

Warum. Bei mir gibts nichts zu klauen.

Und er reichte mir das Blatt Papier: Das hat mir einer aufgesetzt, die Zahlen habe ich durch eine undichte Stelle. Ich werde es veröffentlichen lassen, das heißt, erst mal vervielfältigen, und ich dringe darauf, daß es jeder von meinen Genossen unterschreibt. Ich las: Wie mir bekannt geworden ist, beabsichtigt der Rat der Stadt, die Nordsiedlung, die jetzt noch zu hundert Prozent einschließlich Grund und Boden kommunales Eigentum ist, aus reinem Profitdenken an ein privates Konsortium abzustoßen, angeblich, weil die Stadt die Unterhaltskosten nicht mehr tragen könne. Würde man aber die Einfamilienhäuser an die derzeitigen Mieter verkaufen und die Kaufsumme auf längere Zeit verteilt von den Mietern abzahlen lassen, beließe man den Menschen ihre Heimat und wiese gleichzeitig Spekulanten die Tür. Würden die Mieter für zwanzig Jahre einhundertfünfzig Mark monatlich aufbringen, was jedem möglich wäre, auch den Alten und Invaliden, brächte das der Stadt eine Einnahme von acht Millionen und etwa zweitausend Menschen Eigentum und Sicherheit, würde die Siedlung aber abgerissen und an derselben Stelle Hochhäuser errichtet mit einer monatlichen Mietbelastung von durchschnittlich sechshundert Mark pro Wohnung, so hätte die private Gesellschaft eine jährliche Rendite von vier Millionen Mark. Man sollte doch nicht immer von sozial reden, sondern auch sozial handeln, zudem wären die Menschen in der Nordsiedlung seit Generationen traditionelle SPD-Wähler, der Abriß ihrer Wohnungen würde sie nicht nur ihrer Partei entfremden, sondern höchstwahrscheinlich auch in das andere politische Lager treiben. Kann sich unsere Partei das leisten? Nein! ...

Frank nahm mir das Blatt aus der Hand: Das wird jetzt vervielfältigt und fliegt in jeden Briefschlitz und jeder in meiner Ortsgruppe muß das persönlich unterschreiben, mit seinem ehrlichen Namen, die müssen begreifen, daß unsere Partei sich das gar nicht leisten kann, wo die anderen schon siegessicher den Hals recken.

Du hast dir viel vorgenommen, sagte ich zweifelnd.

Unterbezirk und Ratsfraktion finden meine Villa hier skandalös, aber sie können nichts machen, ich habe sie gemietet und ein Beschluß zum Abriß ist noch nicht getroffen worden. Am meisten ärgert sie die blaue Fahne ... wenn sie wenigstens rot wäre, dann könnte man etwas dagegen unternehmen, aber gegen blau ...

Beschwere dich nicht, Frank, du hast es so gewollt und du hättest es voraussehen müssen, du hast sie bewußt provoziert ...

Mensch, Lothar, spiel hier nicht den heiligen Florian ... oder willst du etwa meine Partei in Schutz nehmen ... ausgerechnet du.

Ich nehme dich in Schutz, Frank ... Hoffentlich danken dir die Leute das mal. Du weißt doch selber, nichts bringt mehr Undankbarkeit, als wenn man sich für die Leute einsetzt.

Hat deine Mutter immer gesagt ... ich weiß, laß mich in Ruhe, ich weiß, was ich will, und das werde ich auch durchsetzen, so oder so, wäre doch gelacht.

Draußen wehte die blaue Fahne steif im Wind.

Die drei Kilometer von der Nordsiedlung zur «Linde» fielen mir auf dem Fahrrad und bei verharschtem Schnee schwer. Ich fuhr noch zu Bajazzo. Bühler saß allein an einem Tisch und las Zeitung, ich setzte mich zu ihm.

Drei sind heute gestorben, sagte er, steht in der Zeitung, und er schob mir den Lokalteil zu.

Ja und? fragte ich und verstand nicht.

Sag mal, liest du eigentlich keine Todesanzeigen, fragte er ehrlich verwundert. Schöner Totengräber bist du, Mensch, die Todesanzeigen sind doch deine Börsenberichte, das ist doch das erste, was du morgens lesen mußt ... die drei, und er deutete auf drei Todesanzeigen, kommen alle auf deinen Friedhof. Wirst viel zu tun haben. Ich helf dir dabei, allein schaffst du das nicht, das ist eine Mordsarbeit.

Ich wehrte ab.

Keine Angst Lothar, du brauchst mich nicht zu bezahlen, ich tue das freiwillig ... wenn du willst, aus reiner Anhänglichkeit.

Also gut Bühler, wir fangen morgen mit dem Ausheben an. Aber noch was: Schlaf ab heute nacht wieder in deinem Bett. Der Pfarrer weiß davon ... nein, er wußte es schon, ich habe nichts erzählt ... der Pfarrer hat es verboten, und du bringst mich in die größten Schwierigkeiten ... Und das willst du doch nicht, oder.

Als ich zu Hause das Fahrrad in die Garage geschoben und das Schwingtor herabgezogen hatte, verabschiedete Helen an der Haustür einen Mann, der gleich darauf, ohne mich zu beachten, mit einem Mofa abfuhr.

Wer war das? fragte ich Helen.

Er hat für uns eine Einladung gebracht. Für Sonntag, zu einer Veranstaltung.

Ich nahm den Umschlag und öffnete ihn. Es war eine Einladung der Gesellschaft zur moralischen und sittlichen Erneuerung Deutschlands. Unterschrieben: Dr. Wurm.

Als wir beim Essen saßen, sagte Helen mit vollem Mund: Ich kann mir nicht helfen, Lothar, aber du riechst nach Tod.

Ich war darüber so bestürzt, daß ich das Besteck weglegte.

Sie faßte schnell meine Hand: Ich habe es nicht so gemeint, aber ich kann mir nicht helfen, manchmal riechst du wirklich wie Friedhof, ist wahrscheinlich auch nicht verwunderlich, jeder Beruf hat seinen Geruch.

Ich schob ihr die Einladung über den Tisch und sagte: Ich werde auf jeden Fall hingehen.

Sie las die Einladung genau und erwiderte: Wir werden hingehen. Und das sagte sie nachdrücklich ... übrigens, die alte Pfeifer ist krank, die Gabi war hier und hat es mir gesagt. Gabi ist ernstlich besorgt.

Mach dir dann keine Sorgen, die Gabi wird sie schon wieder gesundpflegen, mit Dachsfett, das ist ihr Geheimrezept.

Lothar, es ist nicht schön von dir, dich über Gabi lustig zu machen, sie hat es nicht verdient.

Ich weiß Helen, aber deswegen muß ich sie auch nicht anbeten.

Wir hatten geglaubt, eine mäßig besetzte Halle würde uns angähnen, aber sie war brechend gefüllt.

In einer Nische neben dem Notausgang fanden Frank, Helen und ich einen Platz. Ein junger Mann in einem verschlissenen Parka bot Helen seinen Sitzplatz an, Frank und ich lehnten uns an die Wand. Hinter Helen bemerkte ich plötzlich Bauschulte, dem ich von dieser Einladung nichts erzählt hatte. Obwohl Frank und ich ihm zuwinkten, erwiderte er unseren Gruß nicht, entweder er hatte uns nicht bemerkt oder er war eingeschnappt, weil wir ihm nicht gesagt hatten, daß wir auch zu dieser Versammlung gehen würden.

Auf dem noch leeren Podium stand ein langer, weiß gedeckter Tisch, dahinter fünf Stühle. Von der Stirnwand hing ein breites, grünes Transparent mit weißer Schrift: «Der Erzfeind Deutschlands lebt in Deutschland – die Roten sind unser Unglück.» Und in kleiner Schrift darunter: «Stoppt den wirtschaftlichen und politischen Ausverkauf unseres Vaterlandes.»

Frank und ich machten uns gegenseitig auf dieses Transparent aufmerksam, Frank tippte sich an die Stirn. Helen saß steif aufgerichtet auf ihrem Stuhl und hatte ihre Hände zwischen die Knie geklemmt. Bauschulte tippte ihr auf die Schulter, um auf sich aufmerksam zu machen, sie schrak zusammen, und als sie ihn erkannte, lächelte sie gelöst.

Auf dem Podium neben einer Seitentür stand ein schwarzer Flügel und auf dem Flügel eine bauchige Vase, in der langstieliger roter Flieder leuchtete. Ein ungewöhnlich schöner Strauß.

Die Seitentür auf dem Podium öffnete sich und im Gänsemarsch traten zwanzig einheitlich gekleidete Mädchen heraus: sie trugen weiße Spitzenblusen und schwarze Cordröcke und gruppierten sich, als wäre es einstudiert, in einem Halbkreis um den Flügel.

Es gab Beifall.

Als der Beifall verebbt war, trat durch dieselbe Seitentür eine junge Frau mit einem Pagenkopf.

Es war Claudia.

Sie trug um die weiße Spitzenbluse ein schwarzes Schultertuch, sie setzte sich an den Flügel auf einen Drehstuhl, schlug ein paar Takte an und der Mädchenchor sang: «Kein schöner Land in dieser Zeit ...» Die Mädchen sangen schön und die Mädchen anzuschauen war ein Genuß.

Ich schrie nicht einmal auf, das Dach der kleinen Westfalenhalle stürzte auch nicht ein, die Wände blieben senkrecht und die Decke waagrecht, die Menschen waren Menschen und die Stimmen waren Stimmen, aber ich fühlte Franks Blicke auf meinem Gesicht brennen. Helens steife Haltung hatte sich nicht verändert, aber dann erhob sie sich doch, müde, kam zu mir und lehnte sich schwer an mich. Sie zitterte nicht, nur ihre Lippen bewegten sich unaufhörlich und sie sprach ohne Worte.

Lieber Gott, dachte ich, es muß doch jetzt was passieren, das kann doch nicht wahr sein, jetzt muß doch irgendwo ein Stück von der Weltkugel abbrechen.

Endlich hörte ich Helen sagen: Lothar, sie ist also doch in der Stadt ... Sie ist immer in der Stadt gewesen.

Ja, ergänzte Frank, sie ist immer in der Stadt gewesen, nur du und Lothar habt es nicht glauben wollen, meine Geschichte von der Saarlandstraße. Ich bin damals ziemlich böse auf euch gewesen, weil Ihr mir nicht geglaubt habt ... sie ist immer in der Stadt gewesen ... Helen. Wach auf, dort sitzt sie und spielt.

Als der Chor zu Ende gesungen hatte, betraten vier Männer und eine Frau durch die Seitentür das Podium, sie setzten sich, ohne einen Blick ins Publikum zu werfen, an den langen weißgedeckten Tisch, nur Dr. Wurm trat sogleich an das Rednerpult vor das Mikrofon.

Mit einem Schlag war es still.

Dr. Wurm ordnete Blätter in seiner Hand und begann langsam und ruhig in das Mikrofon zu sprechen:

Meine sehr verehrten Damen und Herren, liebe Jugend hier im Saal, wir danken Ihnen für Ihr Kommen. Die bis auf den letzten Platz – ich sehe da, es müssen sogar noch viele stehen – gefüllte Halle ist uns ein Beweis dafür, daß Interesse besteht und auch ein Bedürfnis vorhanden ist, der herrschenden Politik etwas entgegenzusetzen. Eine Alternative tut not. Wobei ich betonen möchte, wenn ich von der herrschenden Politik spreche, daß ich nicht allein die meine, die in der Regierung sitzen, sondern auch jene mit einbeziehe, die, wie man so schön sagt, die Oppositionsbänke drücken und die sich gleichermaßen schuldig machen am moralischen, sittlichen und nationalen Verfall unseres Staates, unseres Vaterlandes und damit unseres Volkes ...

Spärlicher Beifall.

... Wir wenden uns gegen materielle und geistige Korruption, Heuchelei und gegen jene politischen Scheingefechte, wie sie täglich in Bonn ausgetragen werden und die den Bürger glauben machen sollen, dort finde eine echte politische und gesellschaftliche Auseinandersetzung statt. Diese politischen Scheingefechte sind so durchschaubar wie dumm, die Vorsitzenden der führenden Parteien sind austauschbar, ihre Programme erst recht, um was sie sich in Wirklichkeit streiten, ist die Interpunktion. Der amtierende Kanzler könnte Kanzler jeder Partei sein, er könnte Oppositionsführer jeder Partei sein, denn in Bonn sitzen nämlich Politiker, für die das Wort Scheibenwischer paßt ...

Gesteigerter Beifall.

... Verehrte Mitbürger, was sich dort auf der politischen Bühne abspielt, das ist ein vorher abgesprochenes Kasperltheater, wir sind die unmündigen Zuschauer, denen Zwischenrufe erlaubt sind, die Zwischenrufe nennt man dann die Freiheit des Bürgers, in Wort, Schrift und Ton alles zu sagen, was er sagen möchte, in Wahrheit aber sind wir für diese Herren nichts weiter als Schießbudenfiguren, auf die allemal geballert werden darf ...

Starker Beifall.

... Sagen Sie jetzt nicht, wir wären nur eine Handvoll Irrer hier auf dem Podium. Wer keine Argumente hat, sagt zum anderen immer, daß er ein Narr sei, ein Irrer. Die Geschichte lehrt uns, daß in München eine große völkische Bewegung einsetzte, die auch nur mit sieben Leutchen begann ...

Brausender Beifall, vereinzelte laute Buhrufe.

... Schluß mit den Experimenten an unseren Hochschulen. Die Universitäten müssen wieder Horte freier und wertfreier Forschung und Lehre werden und nicht Manöverfeld politischer Ratten, die nicht grau, sondern rot sind . . .

Starker Beifall. Vereinzelte Lacher.

. . . Alle Studenten, die sich politisch betätigen, müssen von der Hochschule verwiesen werden, jeder Lehrer, der seinen Kindern Zweifel predigt, muß von der Schule verwiesen werden, ein freiwilliger Arbeitsdienst könnte dieser Jugend nicht schaden, wenn man weiß, daß jeder dritte Jugendliche unsportlich ist und an Haltungsschäden leidet . . . und jetzt, einige mögen darüber lächeln, aber die alte Wahrheit, die eigentlich eine alte Weisheit ist, gilt noch immer, ich spreche von der Wirtschaft: Wenn es dem Fürsten gut geht, geht es auch den Untertanen gut, oder sagen wir besser: Landeskindern. Glauben Sie ja nicht, wir wären eine Handvoll unbelehrbarer und abgetakelter Zukurzgekommener, unsere Ideen gehören der Jugend, also der Zukunft . . . eine schöne Zukunft!

Dr. Wurm wies auf den Chor am Flügel.

Starker Beifall. Pfiffe, die Bewunderung ausdrückten.

Die Mädchen verneigten sich vor dem Publikum und auch Claudia war kurz von ihrem Drehstuhl aufgestanden und deutete eine Verbeugung an.

Kennst du die Leute an dem Tisch da vorn, fragte mich Helen und sie war erstaunlich ruhig dabei.

Nur zwei. Der eine heißt Obermann aus Unna. Du müßtest ihn eigentlich als Schützenkönig kennen, er hat dir Kußhändchen zugeworfen, der andere heißt Weißmann und wohnt in Werl, er hat einen Getränkevertrieb, auf seinen Lieferwagen steht: Mensch sei schlau, trink bei gelb und blau. Die anderen kenne ich nicht . . . den Dr. Wurm kennst du ja selber zur Genüge.

Ich hörte nicht mehr aufmerksam zu, die Worte vom Podium waren für mich nur noch Töne ohne Bedeutung, trotzdem verfolgte ich mit den Augen das Geschehen auf dem Podium.

Ich stieß Frank an: Du, Frank, das ist also das andere Deutschland.

Nein, Lothar, das andere ist im Osten.

Und was ist das da vorne für ein Deutschland.

Das ist das alte Deutschland, warf Helen ein.

Oder schon wieder das neue Deutschland, sagte Frank. Dem neuen Deutschland gehört die Zukunft . . . Deine eigene Tochter spielt die Musik dazu.

Für diese Worte hätte ich Frank schlagen mögen.

Hör auf, Frank, bat Helen, mir dreht es den Magen um wenn ich daran denke. Ich brauch nicht einmal daran zu denken, ich brauche nur genau hinzugucken.

Ich sah in den Saal. In der Halle saßen ebenso viele junge wie ältere Menschen, die Jungen eingehüllt in Parkas, als würden sie frieren, die meisten amüsierten sich und brüllten amüsiert Beifall, die Mehrheit der älteren aber hörte ernsthaft zu, was ihnen dieser Dr. Wurm verkündete.

Da vorn saß Obermann aus Unna, dem ich Kisten geliefert hatte und da saß auch Weißmann aus Werl, dem ich Kisten geliefert hatte, sie saßen da vorn, lächelnd, selbstgefällig.

Balke betrat durch den Seiteneingang den Saal und lehnte sich an die Wand neben der Tür. Er lauschte aufmerksam den Worten, die durch das Mikrofon laut und deutlich auf uns einstürzten. Sein Gesicht verriet nichts.

Mein Gott, Frank, was sind das nur für Menschen, sagte Helen. Ob die glauben, was sie sagen.

Das ist doch unwichtig, Helen, wichtig ist, ob die Leute hier im Saal das glauben, was die da vorne sagen ...

Da rief Dr. Wurm durch das Mikrofon: Schluß mit den maßlosen Forderungen der Gewerkschaften, Schluß mit diesem Staat im Staate, denn ihre Strategie hat doch erst dieses Ausmaß an Arbeitslosigkeit herbeigeführt, diese Clique ohne gesellschaftliche Verantwortung denkt einzig und allein an ihre Pfründe ...

Lauter Beifall, aber auch die Mißfallensäußerungen verstärkten sich. Ich hörte vor mir ein paar junge Leute brüllen: Schwätzer! Hetzer! Gewerkschaftsfeind!

Als es wieder ruhiger geworden war, hob Dr. Wurm beschwörend beide Arme und sprach beherrscht ins Mikrofon: Daß ich die Wahrheit spreche, sehe ich aus ihrem Beifall, daß ich die Wahrheit spreche, sehe ich aber auch an den Mißfallensäußerungen von ein paar Leuten hier im Saal, aber das macht uns nichts aus, immer noch gilt der Satz, getretene Hunde beißen ... aus Angst natürlich ... meine Freunde, so darf ich Sie doch nennen, ohne allzu vertraulich zu werden, damit kein Zweifel aufkommt: Wir sind eine friedfertige Veranstaltung, wir wollen nichts anderes als den moralischen und sittlichen Verfall in unserem Lande stoppen, wozu sich die großen Parteien nicht mehr in der Lage fühlen oder es gar nicht mehr wollen, wir wollen das nationale Bewußtsein unseres Volkes stärken, das Leben sicherer machen, wir wollen Argumente gegen Ideologien setzen, wir wollen überzeugen und nicht den Gegner niederbrüllen ...

Und wozu brauchen die dann Pistolen auf dem Friedhof, sagte Frank zu mir.

Ich schrak zusammen, mir war, als hätte Frank das laut in den Saal geschrien.

Wir wissen, daß sie Pistolen haben, sagte Helen.

Und Frank erwiderte darauf: Und wir können ihnen nicht einmal etwas nachweisen. Geh rauf aufs Podium, Lothar, und schrei das ins Mikrofon, die Leute werden dich auslachen ... jawohl, auslachen werden sie dich.

Kommt raus hier, sagte ich. Ich bekomme keine Luft mehr. Solche Veranstaltungen müßten verboten werden.

Am Seitenausgang, durch den wir die Halle verlassen wollten, lehnte immer noch Balke. Er nickte uns freundlich zu und fragte: Auch da? Jaja, man muß alles mal mitgemacht haben, sonst kann man nicht mitreden.

Ich wollte ihm antworten, aber Frank schob mich durch die Tür und im Gang prallte ich mit dem jungen Schwinghammer zusammen.

Ruppert, rief Helen, wo kommen Sie denn her?

Ich wollte mir das mal anhören, weil ich so etwas vor drei Wochen in Berlin erlebt habe, da gab es allerdings eine Schlägerei, ich bin ein paar Tage zu Hause. Mein Vater hat gesagt, ich solle hierherfahren, er hat auch eine Einladung bekommen.

Und warum kommt Ihr Vater nicht selber? fragte ich.

Das kann sich mein Vater nicht leisten, Herr Steingruber.

Und Claudia? fragte Helen.

Frau Steingruber, ich hatte keine Ahnung, daß ich sie hier treffen würde, ich war entsetzt, als ich sie auf dem Podium sah, ja, ich war entsetzt ...

Die Tür zum Saal wurde geöffnet und ich hörte Dr. Wurm durch das Mikrofon schreien: Darum verehrte Freunde, haben wir uns erstmals an die Öffentlichkeit gewandt ... gewagt, ja, ich sage bewußt: gewagt, weil man nämlich heute für vaterländisches Denken bedroht und beschimpft wird ... Freunde, es muß Schluß sein mit der anonymen Unzufriedenheit der schweigenden Masse, die Zeit ist gekommen, daß wir aufstehen und uns zeigen und nicht mehr anonym bleiben, wir werden uns zeigen und bekennen, in einer Zeit, wo der Feind im Osten bis an die Zähne bewaffnet steht und nur darauf wartet, hier einzufallen ... Und unsere Freunde im Westen? Sind es überhaupt Freunde? Sie sind für uns ein Feind anderer Qualität, denn für die sind wir lediglich ein vorgeschobener

Posten, ein Schützengraben, in dem wir geopfert werden sollen, damit es denen drüben überm großen Teich besser geht und sie ihre Coca-Cola- und Kaugummikultur besser genießen können, die wollen uns vorschreiben, was wir zu tun und zu lassen haben, dabei können die nicht mal mit Messer und Gabel essen ...

Beifall und Gelächter.

... Schluß mit dem Ausverkauf nationaler Interessen. Wir stemmen uns gegen den Osten, aber auch gegen das Satellitendasein, das uns unsere westlichen Freunde zugedacht haben. Deutschland erwache!

Die Tür fiel wieder zu. Und Ruppert sagte: Ich mache Ihnen einen Vorschlag. Ich werde nach der Veranstaltung hingehen und mit Claudia sprechen.

Lassen Sie das, erwiderte Helen heftig.

Mir war in diesem Moment, als sei ich von meiner eigenen Tochter geschlagen worden, gedemütigt worden, es schmerzte mich wie sie da oben am Flügel saß mit ihrem Pagenkopf, adrett und doch so fremd.

Auf dem Vorplatz zur Halle parkten zwei Polizeiautos, ein Kleinbus und ein VW. Im VW saßen zwei Polizisten und rauchten.

Wir fuhren mit Frank zurück, in dessen Wagen wir auch gekommen waren. Frank hißte seine Fahne und Helen und ich gingen zu Fuß nach Hause, weil wir noch etwas frische Luft schnappen wollten und die Füße vertreten.

Als Helen die Haustür aufschloß, sah ich den Pfarrer aus dem Haus der Pfeifer kommen. Ich wartete auf ihn und als er vor mir stand, sagte er: Die alte Frau liegt im Sterben. Ich bat den Pfarrer ins Haus und erzählte ihm sofort, woher wir gekommen waren. Er wußte von dieser Veranstaltung, denn eines seiner Gemeindemitglieder, das ebenfalls eine Einladung erhalten hatte, hatte ihm davon erzählt.

Herr Steingruber, nach allem, was ich jetzt von Ihnen gehört habe und nachdem ich jetzt die Zusammenhänge mit den Kisten durchschaue, bleibt uns jetzt keine andere Wahl mehr, als das alles der Polizei zu melden ...

Nein, Herr Pfarrer, wir müssen erst wissen, ob unsere Tochter mit drinhängt und wie sie drinhängt, so lange bleibt die Polizei aus dem Spiel. Mein Gott, meine Frau und ich dürfen nicht daran denken, und dabei haben wir immer geglaubt, wir hätten unsere Tochter so erzogen, daß sie gegen so etwas immun ist ... das bißchen Flitter um den Hals und die Embleme auf dem Mofa, das haben wir nicht tragisch genommen. Und sie war damit ja nicht die einzige in ihrer Schule. Aber das ...

Aber mit dem Flitter fängt es an, unterbrach mich der Pfarrer. Ich muß jetzt gehen, ein Hausbesuch wartet noch auf mich.

Ich begleitete ihn zur Haustür und deutete auf das Haus der Pfeifer: Steht es wirklich so schlimm. Wird sie sich kirchlich beerdigen lassen.

Ich war drüben, antwortete er, das Haus ist so groß, daß drei Familien drin wohnen könnten, ohne sich auf die Nerven zu fallen.

Wissen Sie, Herr Pfarrer, als Kind habe ich mir immer gewünscht, in einem Schloß zu wohnen. Mit meinen Eltern war ich einmal an einem Sonntag auf Schloß Nordkirchen. Seit der Zeit wollte ich in einem Schloß wohnen, um das Schloß ein breiter Wassergraben, auf dem Wasser schwarze Schwäne und über den Wassergraben eine Zugbrücke in das Wasserschloß. Und ein Diener, der, immer wenn er mich sieht, Täterä bläst.

Das ist ein schöner Traum, sagte er. Und mit kräftigen Schritten entfernte er sich. Ich sah ihm lange nach, bis er nicht mehr zu sehen war.

Kaum war ich im Haus, wurde ich wieder herausgeklingelt. Gabi sagte ganz gefaßt: Jetzt ist der Pfarrer fort und jetzt stirbt sie.

Ich nahm Gabi am Arm und überquerte mit ihr die Straße. Nach vielen Wochen betrat ich erstmals wieder dieses Haus. Ich fühlte mich beklommen und unsicher.

Die Alte lag im Wohnzimmer auf der zu einem Bett hergerichteten Couch und ich konnte mein Erschrecken nicht verbergen. Der Anblick traf mich hart.

Da lag sie mit einer zu Pergament gegerbten Haut, die nur noch Knochen zusammenhielt, da waren zwei Augen in tiefen Höhlen und doch hell, da war eine spitze Nase und ihre sonst zu einem Knoten gesteckten weißen Haare lagen aufgelöst auf dem blaukarierten Kissen.

Nur nicht alt werden, hatte Bühler gesagt, bloß jung sterben.

Die Pfeifer versuchte mir zu winken. Gabi rückte einen Stuhl zur Couch, aber ich zögerte, mich direkt neben die Alte zu setzen, ich war hilflos wie nie.

Gabi drückte mich energisch auf den Stuhl nieder.

Ich mach uns beiden einen starken Kaffee, sagte sie, und gleich darauf hörte ich sie in der Küche hantieren.

Es war kaum möglich, die Pfeifer zu verstehen; aus ihrem zahnlosen Mund krochen langsam und mühsam Laute, die ich mir in Worte übersetzen mußte, mir war unheimlich geworden, und doch beugte ich mich zu ihrem Mund, um wenigstens etwas zu verstehen.

Die Angst vor dem Tod lähmte mich, der ich täglich mit dem Tod umzugehen hatte.

Die Pfeifer hob den Arm, er fiel kraftlos auf die Daunendecke. Sie müssen sich um sie kümmern, hörte ich sie hauchen, sie ist ein gutes Kind.

Sie schnaufte und röchelte und mir fiel ein, wie sie sich über Eberhards Tod gefreut hatte; nun lag sie ausgemergelt vor mir.

Die Vorstellung, ich müßte eines Tages auch so liegen, bereitete mir solche Übelkeit, daß sich mein Magen zusammenzog und heftig schmerzte. Ja, Bühler hatte recht, der Tod ist häßlich.

Es ist alles geregelt, hauchte die Alte.

Warum hast du mir nicht früher Bescheid gesagt, wie ernst es mit ihr ist, fragte ich Gabi, als sie mit dem Kaffee aus der Küche zurückkehrte.

Sie wollte nicht, daß jemand etwas erfährt, auch du nicht. Gabi setzte sich auf den Couchrand, nahm die Hand der Alten und streichelte sie.

Der Eberhard wird sich aber freuen, daß ich meine Verabredung so schnell eingelöst habe, hauchte die Alte mühsam.

Der Arzt hat gesagt, es geht zu Ende, sie soll in ihrem Haus sterben, sonst stirbt sie auf dem Transport ins Krankenhaus. Es ist alles geregelt, Lothar, vorige Woche war der Notar hier, ich durfte auch nicht dabei sein, ich durfte nicht einmal bei dir telefonieren, ich mußte in eine Telefonzelle gehen, um den Notar anzurufen, aber das Pfeiferchen hat mir gesagt, als der Notar gegangen war, daß jetzt alles geregelt und für mich gesorgt ist.

Es ist alles geregelt, hörte ich die Alte aus ihrem Kissenberg.

Sie hat mich zur Universalerbin eingesetzt, sagte Gabi zu mir und sie sagte es ungeniert vor der Sterbenden und es kam mir ungeheuerlich vor.

Es ist alles geregelt, hörte ich die Alte wieder aus ihrem Kissenberg, aber das war schon keine Stimme mehr.

Als der Notar bei ihr war, da war sie wie immer, wie wir sie gekannt haben, alt aber lebendig, und als der Notar weg war, da ging es mit ihr rapide bergab.

Du mußt ihren ältesten Sohn benachrichtigen, sagte ich.

Ich weiß, die Adressen sind alle in dem Buch dort auf dem Tisch. Ich schicke an alle Telegramme, auch an die Enkel, aber erst, wenn sie gestorben ist ... sie will verbrannt werden.

Lothar, rechne mir bitte aus, was das alles kostet. In der obersten Schublade der Kommode liegt das Geld, ich habe es noch nicht einmal gezählt, davon soll ich die Kosten bestreiten, die Einäscherung und alles andere.

Ich muß das zu Hause in Ruhe ausrechnen, Gabi, da habe ich die Unterlagen für die Gebühren.

Nach der Trauerfeier soll ich die Leute ins Café einladen. Das ist so besprochen. Ich darf für jeden zwanzig Mark ausgeben, hat sie gesagt. Fünfzig Leute, hat sie gesagt, und keinen mehr. Aber so viele werden nicht kommen.

Ich muß dich jetzt allein lassen, Gabi, Helen weiß nicht einmal, wo ich bin.

Geh nur, Lothar, ich ruf dich, wenn es soweit ist.

Bleiben Sie hier, sagte die Alte mit fester Stimme.

Ich blieb sitzen, weil ich nicht wagte, wegzugehen.

Ich saß da und wartete und vermied es, die Sterbende anzusehen. Im Wohnzimmer war es kalt.

Ich gehe jetzt auf mein Zimmer und ziehe mir was Schwarzes an, das Pfeiferchen hat mir letzte Woche erlaubt, daß ich mir ein teures Kostüm kaufe ... Sie ist tot.

Gabi schloß ihr die Lider in den Höhlen, sie ließ beide Daumen ein paar Sekunden darauf ruhen.

Wenn ich mich umgezogen habe, rufe ich den Arzt von eurem Telefon aus an und gebe die Telegramme auf. Und ein Beerdigungsinstitut muß ich anrufen ...

Ich erledige das für dich, Gabi.

Ich zahle dir alles zurück, wenn du die Telefonrechnung kriegst und weißt, was das Telefonieren und die Telegramme gekostet haben.

Helen fragte, als ich in die Küche trat: Ist sie tot?

Ja, antwortete ich und ich hatte das Gefühl, als wäre von mir eine Last genommen.

War es schlimm? fragte sie wieder.

Es ist wahr, Helen, die Zeit kann angehalten werden.

Und Gabi? fragte sie.

Ruhig. Wir müssen für sie alles erledigen, telefonieren und was so ansteht, wir können sie nicht allein lassen, es wird eine Zeit dauern, bis einer von der Verwandtschaft der Alten hier aufkreuzt ... Ihr letzter Wille ist, daß sie eingeäschert wird.

Eingeäschert? Wo sie doch immer Angst vorm Feuer hatte ... wie man doch seine Meinung ändern kann auf dem Sterbebett ... übrigens, was ich dir sagen wollte, Lothar, das Telefon hat dreimal geklingelt, und immer, wenn ich mich gemeldet habe, hat der Teilnehmer ohne ein Wort aufgelegt.

Das kommt vor, sagte ich.

Aber seltsam ist es doch ... Ich nähe mir in meinen schwarzen Rock einen neuen Reißverschluß, dann brauche ich mir nichts Neues für die Trauerfeier zu kaufen.

Ich rief den Arzt und das Beerdigungsinstitut an und begann, die Telegramme aufzugeben an die Adressen, die mir Gabi in dem Adreßbuch angekreuzt hatte.

Als ich damit fertig war, klingelte Gabi.

In einer Stunde kommen die Leute vom Beerdigungsinstitut, der Arzt in einer halben Stunde, sagte ich ihr.

Du, Lothar, rechne mir bitte jetzt aus, was das alles kostet, damit ich nicht übers Ohr gehauen werde.

Gabi machte sich am Küchentisch breit und sah Helen bei der Näharbeit zu. Sie schrieb sich dann die Zahlen auf einen Block, die ich ihr aus der Tarif- und Gebührenordnung diktierte:

Aufbewahrung der Leiche bis zur Einäscherung DM 100,00

Gestellung von sechs Trägern DM 165,00

Gestellung der Streublumen DM 40,00

Für die Kremation der Leiche DM 100,00

Urnenbeisetzung DM 350,00

Trauerhallenbenutzung DM 50,00

Harmoniumspiel DM 20,00, du mußt da noch etliche Kleinigkeiten dazu rechnen ... ich würde sagen, mit Einladung der Trauergäste zum Leichenschmaus, auch wenn es nur Kaffee und Kuchen ist, mußt du gut und gern zweitausend Mark rechnen.

Gabi zählte die Zahlen zusammen: Teuer ist das schon, Lothar, ist das normal oder hast du mir einen Sonderpreis gerechnet.

Für Tote gibt es keine Sonderpreise ... wenn sie auf einem Urnenfriedhof beigesetzt wird, auf meinem zum Beispiel, und ich nehme an, das willst du, dann mußt du die Grabstätte und den Blumenschmuck noch dazurechnen ... du willst bestimmt eine Urne aus Granit mit ihrem Namen eingraviert, in Gold, oder? Eigentlich müßte sich um diese Dinge die Verwandtschaft kümmern.

Hoffentlich hat sie mir so viel Bargeld hinterlassen, ich habe noch nicht nachgezählt, wie viele blaue Scheine in dem Bündel sind, an das Geld auf der Bank komme ich doch erst ran, wenn das Testament eröffnet ist, ich habe keine Vollmacht, ich kann keinen Scheck unterschreiben ... sag mal, können die das Testament anfechten?

Verwandte fechten immer an, warf Helen ein, nach dem Motto, wenn wir nicht haben, dann sollen die anderen auch nichts haben.

Aber ich habe sie doch gepflegt, ich habe sie gebadet, ich habe sie an-

und ausgezogen, die Finger- und Zehennägel geschnitten, das Gebiß gereinigt, ich habe sie gefüttert, sogar auf der Toilette mußte ich ihr helfen ...

Was glaubst du, was Verwandte das kümmert, die interessiert nur das Geld, erwiderte Helen ungeduldig.

Und was wird mit dem Haus, fragte Gabi fast weinerlich.

Was willst du denn mit dem Palast. Du mußt es verkaufen, schließlich mußt du den Pflichtanteil ausbezahlen, da kommst du nicht drum rum, auch wenn du Universalerbin bist, aber der Notar ...

Erst einmal abwarten, was in dem Testament steht, sagte Helen.

Jetzt gehe ich, sonst steht der Arzt noch vor der Tür und kann nicht rein.

Gabi stand hilflos in der Küche, wollte gehen und blieb doch stehen und sah abwesend Helen bei der Näharbeit zu. Du kannst heute nacht hierbleiben, bei uns im Wohnzimmer auf der Couch schlafen, sagte Helen.

Nein, ich geh schon, ich kann die Pfeifer doch nicht in ihrer letzten Nacht allein lassen ... Vielleicht ziehe ich wieder zu Frank, aber das sagte sie schon im Fortgehen.

Ich beobachtete sie vom Küchenfenster aus, wie sie müde über die Straße schlurfte.

Ich bin wirklich gespannt, was in dem Testament steht, sagte Helen und legte ihren Rock beiseite.

Was zerbrechen wir uns den Kopf, Helen, wir erben nichts ...

Und die Gabi weiß natürlich nicht, was sie, wenn es zutreffen sollte, mit dem Erbe anfangen soll.

Das Telefon schrillte. Helen sprang auf und rannte in den Flur und ich hörte sie mehrmals Hallo rufen und sie kam enttäuscht zurück: Lothar, das war jetzt das vierte Mal. Wenn ich mich melde, dann legt der andere auf.

Woher weißt du, daß es ein Er ist, fragte ich.

Habe ich Er gesagt, fragte Helen erstaunt.

Das Telefon schlug wieder an.

Jetzt gehst du dran, sagte sie angstvoll.

Laß es klingeln, Helen, vielleicht ist die Leitung gestört, das hatten wir doch schon mal, daß es den ganzen Tag geklingelt hat.

Aber wenige Minuten später klingelte es wieder. Helen sah mich bittend an. Mir war nicht wohl, als ich im Flur den Hörer abhob: Hallo, wer ist da?

Ich hörte Claudia sagen: Vater, ich muß dich sprechen. Allein. Morgen abend um sechs beim Bajazzo.

Sie hängte auf.

Ich rief noch mehrmals Hallo, Hallo.

Hat der andere wieder aufgelegt? fragte Helen und sah mich mit großen Augen an.

Ja, es muß wohl eine Störung in der Leitung sein, antwortete ich ihr.


Ich glaubte erst, ich hätte mich in der Tür geirrt.

Die Kneipe war leer, nicht einmal am Tresen lehnte ein Gast. Ich zögerte, die Tür hinter mir zuzuziehen, da hörte ich Bajazzo rufen: Kannst ruhig hierbleiben, Lothar, ein Gast ist besser als gar keiner.

Bajazzo zapfte mir ein Bier, ohne mich vorher zu fragen, was ich trinken wollte. Ich musterte ihn von der Seite: er war ernst, beinahe traurig. Kein eingefrorenes Grinsen mehr.

Von draußen drang durch die getönten Scheiben das Licht der Peitschenleuchte, draußen war ein trüber Tag und in der Kneipe brannte nur eine Neonröhre über der Theke mit der Aufschrift: Ein fröhlicher Gast ist niemals Last. Über dem Gläserregal hinter dem Tresen hing immer noch das Holztäfelchen mit dem eingebrannten Spruch: Hast du Kummer mit den deinen, trink dich einen, ist der Kummer dann vorbei, trink dich zwei.

Heute war mir nicht danach, über dieses Ruhrdeutsch zu lächeln. Bajazzos Niedergeschlagenheit steckte mich an und mir wurde kalt bei dem Gedanken, daß mir Claudia in wenigen Minuten gegenübertreten würde.

Ja, Lothar, so ist das. Auf einmal steht man allein in der Kneipe ... hier, dein Bier. Wohl bekomms.

Was ist denn los heute, fragte ich, das Wetter ist doch auch kein Kneipenausfeger.

Heute? Du bist gut. Das geht schon Wochen so. Du merkst es bloß nicht, weil du dich jetzt mehr auf deinem Friedhof rumtreibst als in der Kneipe. Ich sag dir, Lothar, wenn das so weitergeht, dann lohnt es bald nicht mehr, ein Faß anzustecken.

Kein Geld unter den Leuten, Bajazzo.

Kein Geld? Das halte ich für ein Gerücht. Saufen will keiner mehr, und meine Essen sind auch um die Hälfte zurückgegangen, die Leute geben jetzt ihr Geld für was anderes aus, nach Australien fliegen, nach Japan, nach Florida.

Es muß schlimmer sein auf Gäste zu warten als irgendwo um Arbeit anzustehen, dachte ich.

Und ausgerechnet jetzt hat die Brauerei die Miete erhöht. Von heute auf morgen. Um hundertfünfzig Mark im Monat. Wo sie doch wissen müßten, daß bei allen der Umsatz zurückgegangen ist. Aber die sitzen am längeren Hebel, die spielen einen Wirt gegen den andern aus, und damit machen sie die Hälfte der Wirte kaputt, dreinschlagen, da hilft nur dreinschlagen ... jaja, Lothar, wir gehen lausigen Zeiten entgegen ... meine Frau hockt in der Küche und wartet darauf, daß Gäste zum Essen kommen, sie starrt die eingefrorenen Schnitzel an.

Wir schwiegen uns an, ich starrte auf mein verschalendes Bier, das mir nicht schmecken wollte. Immer wenn Bajazzo draußen ein Auto fahren hörte, streckte er sich, fuhr es vorbei, sackte er enttäuscht auf seinem Barhocker zusammen.

Hast viel zu tun jetzt, Lothar, jaja, im Februar sterben die meisten Leute ... ich habs immer gesagt, Tote ernähren ihren Mann, das war klug von dir, daß du die Arbeit auf dem Friedhof angenommen hast.

Drei junge Männer betraten die Kneipe und gingen geradewegs zum Flipper. Am siebenmaligen Knacken erkannte ich, daß sie ein Zweimarkstück in den Schlitz geworfen hatten.

Drei Cola, rief einer von ihnen.

Mißmutig zapfte Bajazzo drei Gläser voll.

Die drei bleiben jetzt eine Stunde am Flipper, jeder nur mit einer Cola, davon sollst reich werden, erklärte Bajazzo mürrisch.

Sei doch froh, daß überhaupt einer kommt, sagte ich.

Auf solche kann ich verzichten. Guck sie dir doch mal an. Das wird mal unsere Zukunft. Aus der Schule kommen, rumlungern, frech werden, ihren Alten auf der Tasche liegen und irgendwann knacken sie Autos und später eine Bank ...

Irgendwas müssen sie ja mal irgendwann tun, versuchte ich alles ins Lächerliche zu ziehen und konnte selbst nicht darüber lachen. Auch Bajazzo blieb ernst, er blieb niedergeschlagen und beobachtete die drei jungen Männer, als wartete er darauf, daß sie hier etwas stehlen würden.

Das Klacken hinter mir machte mich mißmutig, denn vorher war es in der Kneipe so angenehm still gewesen. Werf doch den Flipper raus, dann bist du die drei los, sagte ich.

Hab noch für ein Jahr einen Vertrag mit dem Automatenaufsteller. Und dann, ein bißchen Geld bringt er mir ja auch ein. Dreißig Prozent kriege ich. Spatz in der Hand ist immer noch besser als die Taube auf dem Dach.

Ich drehte mich zu den drei jungen Männern um, sie waren mit Jeanshosen bekleidet und mit schwarzen Kunstlederjacken und machten einen ungepflegten Eindruck, ihr Schweißgeruch drang bis zu mir herüber an die Theke. Ich beobachtete sie eine Weile, wie sie mit Eifer die Kugel abschossen und selbstvergessen ihren Lauf verfolgten.

Drei korpulente, gutgekleidete ältere Männer betraten die Kneipe und grüßten stumm und ließen sich an dem großen Eichentisch in der Ecke nieder.

Bajazzos Gesicht hellte sich ein wenig auf. Er zapfte drei Pils und bediente sie höflich. Ich hörte, wie sie Essen bestellten. Bajazzo rief durch die Schiebetür seiner Frau in der Küche die Bestellung zu.

Komm, Lothar, ich geb einen aus, siehst ja, das Geschäft geht wieder besser und er deutete auf die drei Gäste. Das müßte doch schön sein, und wieder wies er auf die Gäste, die auf ihr Essen warteten, auf die Welt kommen und ins gemachte Bett fallen und gleich in seidne Windeln scheißen.

Das muß aber langweilig sein, antwortete ich.

Hast du eine Ahnung, ich wüßte schon, was ich dann machte, wenn ich Erbe von ... meinetwegen von einem Bischof ...

Aber Bajazzo, Bischöfe zeugen keine Kinder, was hast du bloß für eine schmutzige Phantasie.

Keine Kinder? Nun endlich grinste er wieder. Haben die denn keinen zwischen den Beinen.

Doch, genau wie wir, aber der ist außer Betrieb, stillgelegt, sagte ich und mußte lachen.

Stillgelegt? fragte Bajazzo und ging auf mein Spiel ein, so wie eine Zeche?

Ja, nur nicht mit so viel Wasser zum Absaufen, antwortete ich und hörte auf die drei jungen Männer, die sich inzwischen um irgend etwas zu streiten begannen. Ihr Streit wurde lauter und einer vom Eichentisch rief ihnen zu: Geht das nicht ein wenig leiser. Ihr macht ja einen Krach wie auf einer Kirmes.

Einer der Jungen, der gerade die Kugel abschoß, antwortete: Reg dich wieder ab Onkel, wir beschweren uns ja auch nicht, weil ihr so still in der Ecke sitzt.

Ich war besorgt, daß es zu einer Auseinandersetzung kommen könnte. Bajazzo schneuzte sich in sein Tempotaschentuch und sah zur Decke. Einer vom Tisch stand gewichtig auf und ging zu den jungen Männern am Flipper: Sagt mal, habt Ihr nichts anderes zu tun als am heiligen Sonntag hier Krawall zu schlagen.

Und Sie, antwortete der spielende junge Mann, ohne sich ablenken zu lassen, haben Sie nichts anderes zu tun, als am heiligen Sonntag hier keinen Krawall zu schlagen.

Kopfschüttelnd setzte sich der beleibte Mann wieder an seinen Tisch. Die Colagläser der Jungen waren noch zur Hälfte gefüllt.

Wer sind denn die drei Dicken, fragte ich Bajazzo.

Von der Brauerei, die fahren rum und schnüffeln, ob die Proteste der Wirte auch gerechtfertigt sind ... die geben dann Meldung ab ...

Da stand Claudia neben mir.

Ich fror. Tag, Vater, sagte sie freundlich. Wollen wir uns nicht setzen, ich steh nicht gern am Tresen.

Wir setzten uns in die hinterste Ecke. Bajazzos Hals wurde noch einmal so lang.

Als wir saßen, sagte sie: Komm Vater, sag was. Du hast doch gewußt, daß ich eines Tages wiederkomme.

Ja. Aber nicht so, Claudia.

Ich war beunruhigt über ihr Aussehen. Sie sah weit älter aus, das bunte Kopftuch, das sie unter ihrem Kinn verknotet hatte, machte ihr Gesicht streng und schmal. Sie wirkte müde und gehetzt, ihre Augen waren trüb und immer in Bewegung.

Warum kommst du hierher, fragte ich. Geh zu deiner Mutter, sie wartet auf dich, sagte ich und wunderte mich über meinen harten Ton, den ich ihr gegenüber anschlug.

Vater, werde jetzt bloß nicht pathetisch.

Ich sah Bühler durch die Tür treten. Er stellte sich an den Tresen, ohne mich zu bemerken.

Ich brauche deine Hilfe, Vater.

Wo wohnst du überhaupt, Claudia.

Überall. Ich brauche dich, Vater, deine Hilfe.

Aber Claudia, ich verstehe nicht, du hast es doch so gewollt, wie es jetzt ist ... und was soll ich für dich tun, fragte ich und hatte plötzlich Angst vor ihrer Antwort.

Nicht viel. Du sollst das Transportierte noch einmal transportieren. Hast du mich verstanden, Vater.

Und wohin bitte, Claudia.

Wir werden dir das sagen. Du wirst dafür gut bezahlt. Tust du mir den Gefallen? fragte sie hastig ... aufgeregt.

Wer ist wir, Claudia.

Claudia hatte mich die ganze Zeit über nicht angesehen und nur auf die holzgetäfelte Wand gestarrt.

Claudia sprach so leise, als hätte sie Angst, gehört zu werden: Wirst du es tun? Für mich? Wirst du mir helfen? Bitte, Vater, es ist für mich lebenswichtig.

Ich sah ihr direkt in die Augen. Vor mir saß ein Mensch, der auf der Flucht war, das spürte ich.

Lebenswichtig? Ich verstehe überhaupt nichts, erwiderte ich.

Claudia zündete sich eine Zigarette an, sie rauchte hastig in kurzen Zügen.

Der alte Bühler hatte mich bemerkt. Er wollte an meinen Tisch kommen, als er aber Claudia sah, zögerte er und kehrte wieder um und blieb am Tresen stehen.

Wirst du für dein Klavierspiel bezahlt von den Leuten, von diesen Leuten, fragte ich und wunderte mich, wie leicht mir diese sarkastischen Worte von den Lippen kamen.

Diese Leute leben von Spenden, nicht von Beiträgen. Ich weiß, du und Mutter, ihr seid in der Halle gewesen.

Ja, eingeladen, schriftlich und persönlich dazu.

Ich brauche Geld, Vater, sagte Claudia plötzlich, und zögernd fügte sie hinzu: zehntausend Mark.

Es dauerte eine Weile bis ich begriff, was sie eigentlich gesagt hatte, ich hörte ihren Worten nach, die so fremd waren, als hätten sie mir nicht gegolten.

Zehntausend Mark, fragte ich gedehnt. Das ist eine Menge Geld für einen Friedhofswärter ... Claudia, du kennst unsere finanzielle Lage, ich war lange arbeitslos, die Hypothek auf dem Haus ...

Hypothek, ich brauche zehntausend Mark, Vater, wenn ich sie nicht dringend brauchte, würde ich dich nicht darum bitten ... du könntest zusätzlich eine Hypothek auf das Haus aufnehmen. Jede Bank gibt dir das Geld, wenn du sagst, daß du umbauen oder vergrößern willst.

War das noch meine Claudia, die ich kannte. Sachlich und kaufmännisch hatte sie es ausgesprochen.

Du hast ständig auf das Haus geschimpft, Claudia, für das deine Mutter und ich uns abgeschuftet haben. Wir haben es auch für dich gebaut, nicht nur für uns, wie du immer behauptet hast, für deine spätere Sicherheit. Ich habe nicht geahnt, wie schnell der Tag kommen könnte, wo du diese Sicherheit beleihen willst ...

Beleihen muß, Vater.

Ich würde dir das Geld sofort geben. Aber das Sparbuch läuft auf den Namen deiner Mutter, ich habe zwar Vollmacht, aber du weißt, daß ich von dieser Vollmacht nie Gebrauch machen würde.

Du würdest mich also lieber ins Kittchen schicken als mir helfen oder von deinen hohen moralischen Grundsätzen abzugehen ...

Vater, ich brauche das Geld.

Und auf einmal hatte ich Mitleid mit meiner Tochter. Aber ich zwang mich, hart zu bleiben, und sagte ihr: Du hast uns nicht gefragt, als du weggegangen bist, du hast eine Karte aus Nizza geschrieben und ein Telegramm aus Paris geschickt, von Orten, in denen du nie gewesen bist ...

War ich, das zur Klarstellung, warf sie entschieden ein.

Du hast geschrieben, es geht dir gut. Ich bin dein Vater, ich will und muß wissen, warum sich meine Tochter von diesen Leuten mißbrauchen läßt.

Mich mißbraucht niemand, sagte sie heftig.

Um so schlimmer, Claudia.

Ich fühlte meine Geduld schwinden, ich fühlte den Punkt nahen, wo ich meine Wut und meinen Schmerz hinausschreien mußte.

Claudia, wo ist deine Vernunft geblieben, du rennst in dein Verderben, wenn du nicht schon drin bist.

Claudia erhob sich mühsam und die Enttäuschung war ihr anzusehen. Am liebsten wäre ich aufgesprungen und hätte sie umarmt.

Sie sagte langsam: Du willst für meine Lage kein Verständnis aufbringen, Vater.

Dann mußt du mich aber erst einmal über deine Lage aufklären, sagte ich und blieb sitzen.

Claudia zögerte, sah sich in der Gaststätte suchend um und sagte dann langsam und betont: dann kann ich dich nicht mehr schonen, Vater.

Schonen? fragte ich. Sag mal, willst du mir drohen? Ich habe keinen umgebracht.

Nein, Vater, warnen.

Ich erhob mich und drückte sie auf ihren Stuhl zurück und versuchte, meine Fassung zu behalten, als ich ihr ins Gewissen redete: Claudia, wenn ich dir das Geld nun geben würde, angenommen, wer garantiert mir, daß es nicht dir, sondern diesen Leuten in die Tasche fließt. Du hast doch selbst gesagt, sie sind auf Spenden angewiesen ... und jetzt drohe ich dir, Claudia, ich weiß nämlich, worauf du hinaus willst: Sie haben dich geschickt oder vielleicht bist du auch von selbst gekommen. Sie konnten ja nicht ahnen, daß ich die Gruft, das beste Versteck in der Stadt entdecken würde, nachdem ich zuvor schon den Inhalt der Kisten entdeckt hatte. Ich bin dein Vater. Solange ich auf dem Friedhof etwas zu sagen habe, solange bleiben die Dinge wie sie sind und wo sie sind ... Bis ich herausgefunden habe, was es mit den Kisten für eine Bewandtnis hat.

Mit unsteten Augen hatte sie mir zugehört.

Sie flüsterte und ich spürte ihre Angst: Du könntest mir helfen, nur du, sonst niemand.

Claudia, bat ich, sprech dich aus, erzähle alles von vorn, dann kann ich dir helfen ... so aber, helfe ich nicht dir, ich helfe einer Bande ...

Dann sprang Claudia auf und lief aus der Gaststube, die sich inzwischen, ohne daß ich es wahrgenommen hatte, gefüllt hatte. Ich blieb sitzen. Ich konnte ihr nicht nachlaufen, es war alles gesagt worden.

Bühler, der vom Tresen aus zu mir herübersah, hob fragend die Arme, ich winkte ihm, ich wollte nicht allein sein und ich wollte auch nicht nach Hause gehen.

Bühler setzte sich zu mir: Ich will ja nicht indiskret sein, Lothar, aber war das eben nicht deine Tochter.

Bühler, du hast doch Kinder.

Eine Tochter und zwei Enkelkinder. Der Schwiegersohn liegt auf dem Friedhof, aber das weißt du ja.

Eine Tochter ... was hat die eigentlich gemacht, früher meine ich, wie war das, ich möchte das gerne wissen.

Meine Tochter ... also, das war so ... als sie neunzehn war, hat sie geheiratet, gegen den Rat meiner Frau, ich habe mich nicht eingemischt, das ist Frauensache. Dann hat sie zwei Kinder innerhalb von zwei Jahren gekriegt. Dann kam sie mit ihren Bälgern jeden Sonntag zu uns und hat sich sattgefressen und nach dem Fressen hat sie uns die Ohren vollgesungen, weil ihr lieber Egon, ja, er hieß wirklich Egon, entweder jeden Sonntag auf dem Fußballplatz brüllte oder in der Kneipe die Gäste anstänkerte, der halbe Verdienst floß ihm durch die Gurgel. Als die Kinder sieben und sechs Jahre alt waren, ist der liebe Egon aus dem Zug gefallen, kein Mensch weiß, wie das passiert ist, aber ich weiß, wie es passiert ist. Er ist nämlich an einem Samstag von einem Auswärtsspiel seiner geliebten Borussia zurückgekommen, im Zug natürlich gesoffen und dann war er besoffen wie ein Schwein, und statt die Toilettentür aufzumachen, hat er in seinem besoffenen Kopf die Wagentür aufgemacht. Das soll vorkommen, sogar in nüchternem Zustand. Ein Liebespärchen hat ihn zwei Tage später an einem Bahndamm gefunden. Jaja, Lothar, es bleibt einem nichts erspart.

Es war meine Tochter, sagte ich. Aber du hast recht, es bleibt einem nichts erspart.

Ich kanns dir nachfühlen, Lothar, diese jungen Leute heutzutage: die einen kommen auf die verrücktesten Gedanken, weil sie keine Arbeit haben und die anderen, weil es ihnen zu gut geht.

Bühler, ich frag mich immer wieder, was meine Frau und ich verkehrt gemacht haben.

Zerbrich dir doch nicht den Kopf. Ich habe das mitgemacht, in den Zwanzigern, vier Jahre war ich arbeitslos mit achtundzwanzig Jahren, bin fast geplatzt vor Kraft und Saft ... ich sag dir, ich brauchte ein Weib nur anzusehen, dann platzte es schon ... ich kann die jungen Leute verstehen ... Du, Lothar, es geht mich ja nichts an, aber vielleicht doch ... Geht es um die Kisten ... Hat deine Tochter etwas damit zu tun.

Ich glaube ja, Bühler, das ist es ja ...

Deine Tochter ... Mensch, Lothar, was willst du jetzt machen. Verdammt, das haut den stärksten Gaul um.

Polizei, sagte ich, ohne davon überzeugt zu sein.

Polizei? Quatsch. Wir haben das früher nach dem Krieg immer ohne Polizei erledigt, und die Zeiten damals waren weiß Gott lausiger als heute, und ein bißchen schlauer als heute war die Polizei auch noch.

Bühler, hör auf, wir leben nicht mehr in der Nachkriegszeit, hast du das noch nicht gemerkt.

Nicht? fragte er ehrlich verwundert. Ja aber, Lothar, wo leben wir denn dann ... Lothar, es geht mich ja nichts an, ich bin ein alter Mann, so alt wie das Jahrhundert, und doch geht es mich was an. Sie werden bald kommen, und hast du dir schon mal überlegt, wenn deine Tochter dabei ist ... Was dann?

Hör auf. Ich darf nicht dran denken, Bühler.

Warum hast du sie nur laufen lassen ... Warum hast du nicht mehr Geduld mit ihr gehabt. Sie hätte dir bestimmt alles erzählt. Glaub einem alten Mann.

Helen lief aufgeregt und suchend über den Friedhof.

Ich war gerade dabei, ein Grab auszuheben und stand schon bis zum Bauch in der Grube. Ich ließ die Schaufel fallen, sprang aus dem halbfertigen Grab und lief ihr ein paar Schritte entgegen.

Komm mit nach Hause, Lothar, rief sie außer Atem.

Um Gottes willen, Helen, was ist denn passiert. Du bist ja ganz aufgelöst.

Komm, Lothar, Gabi hat sich verbarrikadiert ... komm, auf dich hört sie.

Ich ließ alles liegen und folgte ihr in meiner dreckigen Arbeitskleidung. Auf dem Vorplatz stand unser Auto mit offener Tür und laufendem Motor.

Das ist aber leichtsinnig, Helen, machte ich ihr Vorwürfe.

Als wir einstiegen, sagte Helen, und ihr war die Empörung anzuhören: Nicht einen Nagel hat sie geerbt ... Wie kann ein Mensch nur so bösartig sein.

Da erst fiel mir wieder ein, daß heute beim Notar Testamentseröffnung gewesen war, ich hatte es vergessen, obwohl ich heute morgen Gabi angeboten hatte, sie in die Stadt zu fahren, aber sie hatte von unserem Telefon aus ein Taxi gerufen.

Helen erzählte mir unterwegs: Alles hat ihr ältester Sohn geerbt, aber auch alles. Gabi ist um die Mittagszeit in meine Bücherei gekommen, sie war ganz ruhig, aber ich habe ihr sofort angesehen, daß etwas nicht in Ordnung war, dann hat sie es mir erzählt. Sie war nicht wütend und hat auch nicht geweint. Eine halbe Stunde hat sie in meinem Büro gesessen, dann ist sie gegangen und hat zu mir gesagt: Aber die werden noch was erleben. Nach einer Stunde bin ich unruhig geworden. Ich habe mich in den Wagen gesetzt und bin nach Hause gefahren. Du wirst es ja gleich selber sehen.

Bei der Einäscherung in der Trauerhalle des Krematoriums hatte ich den Sohn der Pfeifer, der um die Sechzig war, nach vielen Jahren zum erstenmal wiedergesehen. Er hatte weder mir noch Helen die Hand gegeben, obwohl er doch wissen mußte, daß ich all die Jahre über das Haus und den Garten seiner Mutter in Ordnung gehalten hatte.

Der Mann war ein Hüne und nun lief er mir entgegen, als mich Helen vor dem Haus der Pfeifer absetzte.

Das ist vielleicht ein Weib, läßt uns einfach nicht rein. Hat alles abgeschlossen ... Also ein Weib ist das. Dabei rieb er sich die Hände, als amüsierte ihn das ganz besonders.

Auf der Straße standen Nachbarn und im Vorgarten stand die Verwandtschaft, seine empörte Frau, zwei gleichgültige jüngere Männer, so um die Dreißig, mit ihren Frauen und fünf neugierig und aufgeregt herumlaufende Kinder, die zwischen sieben und zehn Jahre alt sein mochten.

Alle sahen sie zum ersten Stock hinauf, wo alle Fenster geöffnet waren und von wo aus ich Gabis Stimme hörte: Haut ab. Los, haut ab, ihr Erbschleicher!

Ein Weib ist das, sagte der Pfeifer und rieb sich wieder die Hände, wie Dynamit, so was muß man erlebt haben.

Ich rief: Gabi, komm runter. Es hat doch keinen Zweck, Gabi, komm runter, ich bitte dich.

Ich ging um das Haus, um einen Einstieg zu suchen und sah einige Küchengeräte auf der Erde liegen, die Gabi aus dem Fenster geworfen hatte, auch eine Daunendecke fand ich.

Ich prüfte, ob vielleicht ein Kellerfenster offen stünde, aber alles war dicht, auch die Kellertür zum Garten verschlossen. Ich überlegte, ob ich vielleicht an der Dachrinne zu einem geöffneten Fenster hochsteigen könnte. Dann entdeckte ich das kleine, nur angelehnte Fenster zur Speisekammer, aber durch das hätte sich nur ein Kind hindurchzwängen können.

Tu was, Lothar, flehte Helen, die mir gefolgt war.

Gabi, rief ich, komm ans Fenster.

Ein Temperament hat die Frau, alles was recht ist, sagte der Pfeifer und rieb sich wieder dabei die Hände.

Seien Sie bitte still, fuhr ich ihn an.

Gabis Gesicht erschien plötzlich am Fenster: Lothar, rief sie, halte dich da raus, das ist meine Angelegenheit, enterbt hat sie mich, enterbt, den Hintern habe ich ihr ausgeputzt, rief Gabi empört.

Gabi, komm runter, mach die Tür auf, das ist nicht dein Haus, komm runter, sonst komme ich rauf und hole dich. Neben mir sagte Pfeifer: Ich mache Ihnen einen Vorschlag, Herr Steingruber. Wir lassen sie einfach austoben, wir haben sowieso im Römischen Kaiser Zimmer, es ist uns egal, ob wir heute in das Haus kommen oder erst morgen. Als ich wieder um das Haus gehen wollte, um vielleicht doch durch das Fenster zur Speisekammer in das Haus zu gelangen, öffnete sich auf einmal die Haustür und Gabi trat ins Freie. Sie weinte, sie weinte so, daß sich alles an ihr bewegte. Ich nahm sie an der Hand und führte sie zu Helen, die mit ihr über die Straße in unser Haus ging.

Kaum waren die beiden in unserem Haus verschwunden, da löste sich die Starre von der Verwandtschaft und sie stürmten ins Haus.

Ja, das war's wohl, sagte der Pfeifer. Ich danke Ihnen auch, ich werde mich selbstverständlich erkenntlich zeigen ... sagen Sie mal, was mich interessieren würde, hat diese Frau wirklich geglaubt, daß sie Universalerbin wird.

Ich weiß nur, daß Ihre Mutter es ihr gesagt hat. Aber können Sie mir, Herr Pfeifer, sagen, warum sie zur Testamentseröffnung kommen mußte, wenn ihr überhaupt nichts vererbt worden ist.

Natürlich kann ich Ihnen das sagen, meine Mutter hat im Testament einen Passus eingefügt, wo ihr bei der Testamentseröffnung Dank und Anerkennung ausgesprochen wird, und das muß ihr, wenn es juristisch einwandfrei sein soll, so glaube ich, vom Notar persönlich vorgelesen werden.

Das war aber sehr großzügig von Ihrer Mutter, daß sie diesen Passus eingefügt hat. Ich ließ ihn stehen.

Im Wohnzimmer saß Gabi mit tränenverschmiertem Gesicht auf der Couch, und sie heulte immer noch.

Sie hat mir nichts vererbt. Nichts ... Dreißigtausend Mark bar und Pfandbriefe ... ich habe gar nicht mehr zugehört.

An der Haustür klingelte es. Pfeifer füllte die Tür aus: Entschuldigen Sie, ich weiß nun nicht, was der lieben Frau gehört an persönlichen Dingen, sie müßte das schon selber holen kommen ... Sie verstehen, wenn wir allein im Haus sind, Sie verstehen ...

Ich verstehe, sagte ich, ich werde die Sachen holen unter ihrer Aufsicht, es ist nicht viel.

Das wäre mir sehr lieb, danke ... ja, was ich noch sagen wollte, die liebe Frau kann auch in dem Haus wohnen bleiben, bis ich es verkauft habe, was soll ich mit dem Haus, da müßte zu viel umgebaut werden, wenn es unseren heutigen Ansprüchen genügen soll, ich habe ein Haus, meine Kinder auch, ich werde mir einen Makler suchen, der das für mich erledigt ... wie gesagt, sie kann bis dahin wohnen bleiben.

Ich werde es ihr ausrichten, sagte ich und kehrte in das Haus zurück. Gabi saß immer noch in der Couchecke und knüllte ihr Taschentuch von einer Hand in die andere.

Bitte, gib mir einen Schnaps, Helen.

Wir haben keinen im Haus, Gabi.

Dann macht es auch nichts ... wenn sie mir wenigstens Wohnrecht eingeräumt hätte ...

Sei froh, daß sie es nicht gemacht hat, erwiderte Helen, du hättest da drin nur die Hölle gehabt, bei der Verwandtschaft.

Da zog ich Gabi von der Couch und rief: Los, Gabi, komm mit.

Ich zog sie durch die Wohnung und durch den Garten und drängte sie in das Auto und fuhr ab.

Gabi ließ widerstandslos alles mit sich geschehen.

Als ich in die Nordsiedlung einfuhr, rief sie: Nein, Lothar, das kannst du nicht machen. Nein.

Frank war zu Hause. Die Fahne flatterte im Wind.

Gabi folgte mir wieder ohne Widerstand. Frank hatte uns vom Fenster aus gesehen, er kam uns entgegengelaufen und fragte: Was ist denn los, Lothar.

Ich schob ihn energisch beiseite und trat mit Gabi in das kahle Wohnzimmer. Frank stand unter der Tür und sah uns ratlos an. Ich trat dicht vor ihn hin und herrschte ihn an: Frank, hier ist die Gabi. Und sie bleibt hier. Und wage noch einmal, sie rauszuwerfen, dann poliere ich dir die Visage.

Wütend ging ich. Im Flur hörte ich Gabi sagen: Frank, wo ist denn hier die Küche ... Ich mach uns jetzt erst mal einen starken Kaffee.

Zu Hause reichte mir Helen wortlos einen Barscheck über fünftausend Mark. Er war auf Gabis Namen ausgeschrieben, ich sah Helen fragend an.

Den hat Pfeifer gebracht, als du weg warst.

Und du hast ihn angenommen? War das klug?

Sollte ich ihn zerreißen? Besser das, als gar nichts ... und dann hat er gesagt, wir sollen seiner Familie nichts davon sagen.

Dann muß er ja genug von dem Zeug haben, sagte ich und steckte den Scheck in meine Brieftasche.


Die warmen Tage weckten meinen Garten wach. Die Knospen wurden prall, auf dem Rasen schimmerte ein taufrischer Film und das Unkraut mahnte zur Arbeit im Garten.

Im Vorgarten lockerte ich die Erde unter den Sträuchern. Ich hatte wieder Freude an meinem Garten gefunden und auch Freude an meiner Arbeit, die ich in der Zeit der Arbeitslosigkeit verloren hatte. Meine Hände rochen nach Dung und Erde.

An einem einzigen Tag war das Haus der Pfeifer zur Renovierung rundum eingerüstet worden, ein Rechtsanwalt und Wirtschaftsberater, der in der Innenstadt eine Praxis betrieb, hatte es für vierhunderttausend Mark erstanden.

Aus der Zeitung und nicht von Frank erfuhr ich, daß der Rat der

*Von dreißigtausend Mark bar ...*

... und von Pfandbriefen war eben die Rede.

Erlauben Sie, verehrte Leser, uns den Hinweis, daß die Umstände, die zu Gesprächen über Pfandbriefe führen, gewöhnlich sehr viel erfreulicher sind.

# Pfandbrief und Kommunalobligation

**Meistgekaufte deutsche Wertpapiere - hoher Zinsertrag - schon ab 100 DM bei allen Banken und Sparkassen**

Stadt über das Schicksal der Nordsiedlung endgültig entschieden hatte, gestützt auf Gutachten, die vom Rat der Stadt in Auftrag gegeben worden waren. Herkömmliche Sanierungsmaßnahmen rentierten sich nicht mehr, deshalb sei ein totaler Abriß notwendig.

Das Konsortium Nordsiedlung sei beauftragt, aufbauend auf den bereits vorliegenden Vorarbeiten nun endgültige Maßnahmen für Abriß und Neuplanung zu treffen.

Ernst Balke, parteilos, sei zum neutralen Vorsitzenden des Konsortiums gewählt und den Mietern gehe vorsorglich schon jetzt die Aufkündigung ihres Mietverhältnisses zum Jahresende zu.

Es gab Aufsehen, als ein Lokalreporter über das von Frank bewohnte Haus berichtete. Ein Foto zeigte ihn mit Gabi beim Fahnenhissen. Der Reporter hatte gefragt, ob es für Partei und Ratsfraktion tragbar wäre, einem wenn auch kleinen Ortsvorsitzenden diese Provokation zu gestatten. Wer hat diesem Mann, der sich bewußt gegen die Beschlüsse seiner Partei auflehnte und andere gegen die Stadt aufhetzte, eigentlich einen Mietvertrag gegeben, da müsse es doch Stellen in der Verwaltung geben, die es mit dem Treueverhältnis eines Beamten nicht so genau nähmen.

Und das hat auch noch einer geschrieben, der in meiner Partei ist, ein Kopfnicker ... von denen wagt doch keiner, gegen Beschlüsse der Stadt zu schreiben. Gekaufte Kreaturen sind das, manchmal wissen sie gar nicht, wie korrumpiert sie sind, sagte Frank erbost.

Weß Brot ich eß, deß Lied ich sing, antwortete ich ihm.

Ich werde hier nicht weichen, Lothar, oder aber der Kran hebt mich mitsamt dem Haus vom Fleck, sagte Frank und lachte dabei, als sei das hier alles nur ein Scherz.

Und wie ist die Stimmung deiner Genossen in der Ortsgruppe, Frank, bleiben die eigentlich bei der Stange.

Du weißt doch, Angsthasen gibt es überall ... und die Parteidisziplin, der opfern sie auch noch ihre Großmutter. Aber ich hoffe, daß noch mehr den Protest unterschreiben ... Helen kann dir die Einzelheiten besser erzählen. Komm doch zu uns. Als Zuhörer, da kann keiner was dagegen haben.

Nein, Frank, sie haben mich rausgeschmissen ... das vergißt man nicht. Aber Frank, so wie du dir das vorstellst, geht das nicht, du kannst gegen einen Ratsbeschluß nicht anstinken, oder du fliegst raus wie ich. Parteischädigendes Verhalten nennt man das heute. Wie früher das Ehrengericht bei der preußischen Armee. Mein Gott, wo sind die Zeiten geblieben, wo unser Vorsitzender in Bonn gefordert hatte: Mehr Demokratie.

Mal abwarten. Aber wenn es so nicht geht, dann müssen wir Balke erpressen ... schmutzig, aber wirksam.

Erpressen, fragte ich verständnislos.

Lothar, Balke hat Dreck am Stecken. Wir müssen ihn unter Druck setzen ... wir beide wissen, daß Balke mit dem Inhalt der Kisten zu tun hat. Und da müssen wir ansetzen ... das ist ein Weg.

Ich holte Helen von der Bücherei ab, sie hatte in Köln zu tun gehabt und mir den Wagen gelassen, weil sie mit dem Zug gefahren war.

Es war soweit. Ich konnte es nicht mehr vor mir herschieben. Ich erzählte von meiner Begegnung mit Claudia bei Bajazzo und ich betonte besonders ihre nicht geringe Geldforderung, verschwieg allerdings, in welchem Ton Claudia mit mir gesprochen hatte, ich verschwieg ihr auch, wie mitgenommen Claudia ausgesehen hatte. Helen hörte mich ruhig an, ohne mich ein einziges Mal zu unterbrechen. Und dann sagte sie plötzlich: Wir werden das Klavier verkaufen. Wir werden ein Inserat aufgeben ... sei still Lothar ... ich weiß, was du sagen willst, aber wenn man mit etwas fertig werden will, dann muß man nicht warten, bis andere einem etwas aufzwingen ... und dann, du mußt mir jetzt immer gleich alles erzählen, du brauchst mich nicht mehr zu schonen. Ich bin drüber weg ... Was werden wir wohl für das Klavier noch bekommen ... was meinst du. Ach, ist ja auch egal.

Ich wollte allein sein und ging nach oben und fand mich zu meinem Erstaunen in Claudias Zimmer wieder. Ich strich über das Klavier und setzte das Metronom in Gang und hörte dem Klack-Klack zu, ich setzte mich auf den Drehstuhl und strich mit der Hand über das schwarze, glatte polierte Holz. Ich stand auf und hielt das Metronom an, und weil ich immer noch unruhig war, ging ich die Treppe hinunter und aus dem Haus und sagte zu Helen: Ich gehe zum Kiosk, Zigaretten holen.

Auf dem Weg zum Kiosk mußte ich an der Telefonzelle vorbei. Sie lag an einem Platz, der in der letzten Zeit zu einem Treffpunkt von Arbeitslosen geworden war. Als ich die fünf, sechs herumlungernden Gestalten sah, fiel mir auf, daß ich meine acht Monate schon vergessen hatte.

Ausgelassen, nicht mehr nüchtern tanzten sie um zwei Kästen Bier und jeder schwang eine geöffnete Flasche Bier in der Hand. Der Mann am Kiosk, der mir Zigaretten verkaufte, empörte sich: Arbeitslos ist schon schlimm, aber arbeitslos und besoffen, das ist der Gipfel. Man müßte die Polizei rufen, jawohl, da hilft nur Polizei gegen das Gesindel.

Nun lassen Sie doch den Leuten ihren Spaß ... Sie verkaufen ihnen doch das Bier, warum regen Sie sich dann auf.

Zu Hause saß der Pfarrer.

Er bemerkte mein Erstaunen, er stand auf: Ich habe mal vorbeigesehen. Lag an meinem Weg. Ich habe mich gut mit Ihrer Frau unterhalten. Er verabschiedete sich und ich begleitete ihn in den Vorgarten, ich suchte nach Worten, ich war plötzlich verlegen.

Ich holte mir einen Spaten aus der Garage und lockerte das Erdreich unter den Sträuchern auf. Eine Stunde später rief mich Helen zum Essen.

Der Pfarrer ist kein Umgang für dich.

Kein Umgang? Weißt du, von ihm erfahre ich manchmal etwas, das nicht in der Zeitung steht. Als der Mord in Karlsruhe auf offener Straße passierte, da hab ich zu ihm gesagt: Mörder. Und weißt du, was er mir geantwortet hat: War es Ihr Mann, Herr Steingruber, hat er Ihre Gesetze vertreten. Auch ich balle manchmal die Faust in der Tasche und am nächsten Tag stehe ich wieder auf der Kanzel und muß von Glaube, Liebe, Hoffnung predigen. Meine Gewalt ist das Wort, Gott sei Dank, nur das Wort.

Helen sah mich mit großen Augen und offenem Mund an: Das hat er wirklich gesagt ... Lothar, jetzt erst recht, der Pfarrer ist kein Umgang für dich. Er kann viele Dinge sagen, die du nicht sagen kannst. Immerhin hat er einen gewissen Schutz, den du nicht hast.

Sag mal, Helen, nur eine Frage, weil wir darüber nie gesprochen haben und weil du das jetzt gesagt hast, mit dem gewissen Schutz, sag mal, wenn es bei uns eines Tages so weit kommen sollte, daß du die Bücher, die du gerne ausleihen möchtest, nicht mehr öffentlich ausleihen darfst, was würdest du dann tun?

Helen schwieg, sie sah mich nur erschreckt an.

Vor dem linken Pfeiler des Haupttores standen einige Leute vor der Friedhofsordnung. Ich ahnte nichts Gutes, an ihren heftigen Gesten schon war abzulesen, daß sie sich über etwas empörten.

Als ich auf meinem Fahrrad bei der Gruppe angekommen war, drehte sich eine ältere Frau um und zischte mir zu: Und so etwas muß man sich heutzutage bieten lassen, mein Robert dreht sich im Grab um.

Hier war auf der gelben Tafel ein Wort mit einem weißen Zettel überklebt, aber sehr augenfällig: Das Wort «Toten» war überklebt durch das Wort «Lebenden».

Ein Witzbold, dachte ich, aber den Empörten gegenüber gab ich mich ebenfalls empört. Ein älterer Mann im Lodenmantel forderte mich auf, das aufgeklebte Wort sofort zu entfernen. Ich bat um Geduld, denn ich mußte erst warmes Wasser und ein Lösemittel holen, um den Kleister aufzuweichen.

Unerhört, was man sich von dem jungen Pack heute gefallen lassen muß, nichts ist ihnen mehr heilig, hörte ich jemanden hinter mir schimpfen.

Ich ging zu meinem Aufenthaltsraum und ließ mir Zeit dabei. Ich mußte wohl oder übel meinen Pflichten nachkommen, auch wenn ich das aufgeklebte Wort am liebsten gelassen hätte wo es war.

Drinnen stand Bühler am Fenster und feixte: Na, regen sich die alten Schachteln auf. Wußte ich doch.

Einen Moment war ich sprachlos. Nie wäre ich auf Bühler verfallen. Ich stellte mich zu ihm an das Fenster und mußte unwillkürlich mit ihm mitlachen.

Aber Lothar, rief er mit gespieltem Ernst, Leute auslachen. Wie man sich in einem Menschen täuschen kann.

Sag mal, Bühler, was hast du dir eigentlich dabei gedacht. Eines Tages verliere ich wegen dir noch meine Arbeit. Auch ich sagte es mit gespieltem Ernst und tat furchtbar empört.

Lothar, ich wollte doch nur mal wissen, ob die sich Gedanken machen. Aber die machen sich keine, die gehen auf den Friedhof wie Ochsen im Geschirr.

Bühler, sei nicht ungerecht. Hast du dir früher Gedanken gemacht, bist du nicht auch wie der Ochs im Geschirr gegangen.

Mich hat keiner auf Gedanken gebracht, bis ich krumm geworden bin von der Arbeit ... Ich hab dir zehn Mark auf den Tisch gelegt, für Kaffee, sonst sagst du noch, ich bin ein Nepper.

Wurde auch höchste Zeit, du Schnorrer. Hoffentlich war das dein letzter Blödsinn ... Im Ernst, Bühler, ich krieg Ärger.

Ärger? Lothar, du sitzt hier fest drin. Ein Späßchen hätte ich allerdings noch auf Lager ...

Hör bloß auf!

Ein kleines Späßchen noch. Ich sag meiner Alten, sie soll eine schöne Fahne nähen ... eine Hakenkreuzfahne.

Ich blieb ganz ruhig und fragte: Kann sie denn überhaupt nähen, deine Alte.

Natürlich. Es ist mein Ernst. Die Fahne legen wir dann unten in die Gruft auf die Kistchen. Die Gesichter möchte ich mal sehen, wenn sie das Zeug rausholen. Das wird ein Spaß ... wie Kino.

Bühler, sagte ich und mußte mich beherrschen, paß mal auf. Ich habe hier sozusagen stellvertretend das Hausrecht. Wenn du das machst, dann werfe ich dich eigenhändig über die Friedhofsmauer, hast du das jetzt auch verstanden.

Lothar, du verstehst überhaupt keinen Spaß, dabei ist das mein voller Ernst.

Ich sah mir aufmerksam den Alten von der Seite an. Verdammt, Bühler hatte mich auf eine Idee gebracht ... auf eine total verrückte Idee.

Deine Idee ist gut, sagte ich. Sag deiner Frau, sie soll die Fahne nähen, und eine Standarte ... nein, sie soll zwei Fahnen nähen und zwei Standarten, ich geb dir die Maße ... Kann sie mit der Maschine nähen?

Für den Hausgebrauch langts, geradeaus allemal, wenn es aber um Kurven geht, dann werden es meistens Ecken.

Ich besorge dir die Muster und die Maße, sie soll den Stoff kaufen, sie bekommt das Geld von mir zurück.

Bühler hatte mir erstaunt zugehört, er sah mich groß an und stotterte: Lothar, ich habe wirklich nur einen Spaß gemacht ... du bist noch klar im Kopf ... dir fehlt wirklich nichts, fragte er, echt besorgt.

Ich war noch nie so klar im Kopf, Bühler. Deine Idee ist gut, Alter, jetzt müssen wir aus der Idee nur was machen.

Komm, Lothar, ich helfe dir das Grab ausschaufeln, ich schaufle die Erde von der Brüstung, dann brauchst du nicht so weit zu werfen.

Zuerst aber nahm ich einen nassen Schwamm und rieb Bühlers Kinderei von der Tafel, der Alte stand dabei und sah unbeteiligt zu.

Bühler konnte noch mit Kraft die Schaufel führen, er hätte gut und gern noch einem Jungen etwas vorgemacht. Früher war es mir unangenehm gewesen, wenn er mir bei der Arbeit half. Ich hatte angenommen, er würde es mir zuliebe tun, doch dann mußte ich einsehen, daß es ihm ein Bedürfnis war, noch mit Pickel und Schaufel zu arbeiten. Er ging nie mit seinen Invalidenkollegen spazieren, er sagte, die kauen doch nur die alten Zeiten durch, und die alten Zeiten waren für sie ein Himmelreich. Und seine Altersgenossen starben auch langsam weg, bald werde er allein übrigbleiben und das Jahr Zweitausend erleben, das sei wohl nicht zuviel verlangt. Bühler war für mich ein Stück Geschichte dieser Stadt geworden, Geschichte, die nicht niedergeschrieben, sondern die erzählt wurde. Aber Menschen wie Bühler schreiben keine Bücher. Leider.

Wir kriegen Besuch, sagte der Alte und wies mit dem Kopf hinter mich. Ich sah aus dem halbtiefen Grab. Balke schritt auf uns zu, ja, er schritt, und am Rand des Grabes lächelte er auf mich hinunter. Er war wieder elegant gekleidet, er trug wieder zweifarbige Schuhe und einen Flanellanzug.

Wenn du auf mich hören würdest, brauchtest du keine Gräber auszuschaufeln ... Könntest jetzt Vorarbeiter werden bei mir, ich erweitere mein Geschäft.

Hast wieder Blumen auf das Grab deiner Mutter legen müssen, fragte ich. Bringst in letzter Zeit aber oft Blumen ... Hast wohl große Sehnsucht nach deiner Mutter, fragte Bühler hinterhältig.

Irgendwann muß man sich ja mit dem alten Drachen aussöhnen, antwortete er, Bühler, das solltest du doch wissen.

Balke, mich brauchst nicht so abschätzend anzugucken, ich komme für den Vorarbeiterposten sowieso nicht mehr in Frage, sagte Bühler und grinste Balke an.

So ist's richtig, Bühler, nur nicht unterkriegen lassen.

Sag mal, Balke, fragte Bühler, hast du eigentlich dein Geschäft verpachtet, weil du so rumstehst am schönsten Vormittag ... hast noch kein Grab gesehen, guck runter, schöner Mergel, den würdest du glatt noch als Zement verkaufen ... da guck nur, da kommst du auch mal hin, auch wenn du es später mit Klinker ausmauern solltest ... weißt du was, laß dich später einfrieren, das gibt es jetzt in Amerika, hab ich in der Zeitung gelesen, und nach hundert Jahren wirst du wieder aufgetaut und bist ein reicher Mann ... jaja, was es heutzutage nicht alles gibt.

Ich merkte Balke an, daß er mit mir sprechen wollte, offenbar störte ihn der Alte. Bühler aber stellte sich dumm, er dachte überhaupt nicht daran, uns allein zu lassen.

Ist noch was, Balke, fragte ich.

Steingruber, kannst ja mal bei mir vorbeikommen, in den nächsten Tagen.

Ich bin nicht scharf drauf, erwiderte ich, du hast ja selber gesagt, hier kann ich hundert Jahre alt werden.

Er tippte an seine Hutkrempe und ging weg.

Bühler zwinkerte mir zu, als Balke gegangen war: Lothar, hast du gemerkt, der hat Bauchschmerzen, ganz böse Blähungen, wenn du reinstichst, dann zischt es ... Bauchschmerzen sind was Furchtbares, ich kenn das ... Grab seiner Mutter ...

Grab seiner Mutter, Bühler, für wie blöd hält er uns eigentlich, der Balke, sagte ich.

Aber ein Drachen war sie trotzdem. Aber du siehst ja, Lothar, er hat es geschafft, er hat ihr nach und nach das Geld abgelockt, er hat sie soweit gebracht, ein Feld und eine Wiese nach der anderen zu verkaufen, und dafür hat er Lastwagen gekauft. Wiese tausche ich für Diesel. Na, dann hat er auf seine Wagen pinseln lassen: Nicht verzagen, Balke fragen, und war ein gemachter Mann ... Mein Gott, hat Balke ein Glück, daß seine Mutter hier begraben liegt ...


Als ich am Samstag Frank besuchte, fand ich ihn mit einer Grippe im Bett; Gabi hatte ihn so eingemummelt, daß nur noch Nase und Augen aus den Kissen heraussahen.

Gabi hätte Pflegerin werden sollen, dachte ich.

Ich setzte mich auf den einzigen Stuhl, den es gab, erhob mich aber sofort wieder, weil mir ein kleines Bild an der Wand auffiel, das ich zum erstenmal sah.

Es war der Scheck über fünftausend Mark, den Pfeifer mir für Gabi gegeben hatte.

Ich habe ihn rahmen lassen, sagte Gabi, als handelte es sich um eine wertlose Fotografie.

Ich sah aus dem Fenster. Auf der Straße sprachen drei Männer lebhaft miteinander, sie liefen ein paar Schritte weiter, blieben stehen und redeten wieder lebhaft aufeinander ein.

Einer von ihnen war Balke.

Was tun die hier, fragte ich Gabi, die drei Männer da draußen, meine ich.

Die laufen hier schon zwei Tage rum, die teilen die Siedlung in Parzellen auf ... bald kommen die Bagger, vielleicht Bomben, was ist da schon für ein Unterschied.

Frank setzte sich in seinem Bett auf und sagte leise: Hör auf, du mit deinem Bombenfimmel.

Bomben, hast du selber gesagt, die wären billiger als Bagger und Raupen, erwiderte Gabi sanft.

Du mit deinem Bombenfimmel. Lothar, hör nicht auf sie ... Balke, der sitzt jetzt wie die Made im Speck. Erst wird er mit seinen Lastwagen alles wegschaffen, das Zeug von hundert Jahren, und dann wird er mit seinen Lastwagen wieder alles ranschaffen. Wenn das hier erst mal losgeht ... der hat für die nächsten Jahre ausgesorgt.

Frank hatte sich in seine Kissen zurückgelegt und atmete keuchend, es ging ihm wirklich schlecht.

Gabi faßte mich an den Schultern und drückte sie leicht: Kannst du Frank nicht bewegen, daß wir hier wegziehen und wieder in unser Haus in den Marienkäferweg.

Einen Dreck werden wir tun! rief Frank.

Weißt du, Lothar, ich möchte wieder in unser altes Haus. Du hast auch mit dran gebaut, und ich habe euch immer das Essen gekocht, Erbsensuppe mit Rauchfleisch ... Hier werden sowieso bald die Bagger anrollen. Sprich doch mal mit den Leuten in unserem Haus, vielleicht ziehen sie freiwillig aus und wir müssen ihnen keine Kündigung schicken.

Frank hatte sich aufgerichtet, um aus dem Bett zu steigen. Aber Gabi wickelte Frank wieder in die Decken ein, ohne daß er Widerspruch leistete.

Lothar, die Leute werden bestimmt ausziehen, wenn du ihnen gut zuredest, die sind zwar schmutzig und ordinär, aber man kann mit ihnen reden. Das hier, und sie machte eine abfällige Handbewegung, das ist doch nur, weil Frank gedacht hat, hier könnte er sich mit einem neuen Flittchen ein Nest bauen ... und jetzt hat er sich ein neues Auto bestellt, einen Audi mit vier Türen, aber mein Geld will er nicht annehmen, und sie wies auf den gerahmten Scheck an der Wand ... Aber weißt du, lieber ein neues Auto als ein neues Flittchen.

Ich hätte gerne meine Hand auf ihren Kinderkopf gelegt, aber draußen lief wieder Balke mit den zwei Männern vorbei und einer deutete auf die blaue Fahne auf dem Dach und lachte.

Dann fuhr ich zu Bauschulte.

Ich holte ihn aus seinem Gewächshaus und sagte: Komm mit, ich zeig dir was.

Ich schloß die Tür zu meinem Aufenthaltsraum auf und Bauschulte prallte zurück.

An der Wand gegenüber hing eine von der Decke bis zum Fußboden reichende Fahne, eine Hakenkreuzfahne. Sie leuchtete in frischen Farben.

Ist das nicht eine schöne Dekoration, hörten wir Bühler hinter uns fragen ... Ist das nicht ein Meisterwerk.

Er ging an uns vorbei an die Wand, nahm den Fahnenstoff in die Hand und sagte stolz: Das war eine Arbeit. Und ich mußte mithelfen an der Maschine, immer den Stoff schön gerade halten. Meine Holde hat vielleicht geflucht, sie hat gesagt, ich gehöre ins Irrenhaus. Wo sie doch nur geradeaus nähen kann ... genau hingucken darf man nicht, aber die Arbeit soll ja auch nicht prämiert werden auf einer Ausstellung.

Er ließ den Stoff durch die Finger gleiten, als wollte er ihn auf seine Qualität prüfen. Und es klang gar nicht mehr stolz, als er fortfuhr: Es war gar nicht einfach, die Stoffe in den drei Farben zu kriegen. Das Zuschneiden ist eine Sauarbeit. Und erklärt mal so etwas einem Weib, ohne etwas zu verraten, wenn es bald vor Neugierde platzt. Sie wollte einfach streiken, aber ich habe ihr gedroht: wenn sie nicht näht, dann esse ich jeden Tag auswärts. Das hat gewirkt.

Bauschulte hatte sich auf einen Stuhl hingesetzt und starrte unentwegt auf die Fahne und schüttelte mehrmals kaum merklich den Kopf.

Könnt ihr mir bitte sagen, was der Zirkus hier soll, fragte er und sah von Bühler zu mir, von mir zu Bühler.

Frag ihn, sagte Bühler und wies auf mich, er hat mir den Auftrag gegeben und ich habe ihn nicht gefragt.

Ich habe einen Plan, Bauschulte. Wir machen einen Umzug, und zwar so, daß die Leute kopfstehen werden. Und dann müssen die Ratten aus ihren Löchern kommen. Und dazu brauche ich deine Hilfe. Und weil ich deine Hilfe brauche, brauchst du deine alten Verbindungen, und jetzt fahren wir in dein Gewächshaus und ich erzähle dir, was ich für einen Plan habe.

Wo sind meine Träume geblieben.

Mit wem habe ich mich in meinem Leben verbündet, auf was habe ich gehofft. Zappelnd habe ich von einem Bein auf das andere tretend, das Butterbrot erwartet, das mir meine Mutter schmierte, als ich gerade mit der Nase über den Tisch reichte, ich wünschte mir die Butter zentimeterdick auf das Brot, aber sie strich immer nur die Poren zu, und als ich es mir leisten konnte, die Butter dick aufzutragen, wechselte Helen auf Margarine.

Frank hatte ich zum erstenmal in der «Linde» getroffen. Er war mir sofort sympathisch, weil er mir, dem völlig Fremden, zuprostete und dabei auf die Männer am Tresen deutete und zurief: Wenn ich hier den Haufen am Tresen sehe, dann möchte ich kotzen. Aber meine Kotze ist mir für die zu schade.

Wir zechten bis zur Polizeistunde und um ein Uhr sangen wir gemeinsam mit Bajazzo: Steh ich in finstrer Mitternacht ... Vor der Kneipe umarmte mich Frank und wir gelobten uns lallend unverbrüchliche Treue.

Am nächsten Abend holte mich Frank ab und wir begaben uns auf eine Kneipentour: Wir gingen zu Fuß von der Innenstadt nach Norden und ließen auf diesem sechs Kilometer langen Weg keine Kneipe aus, und in jeder Kneipe, die am Weg lag, tranken wir nur ein Bier.

Am übernächsten Tag begann ich bei seiner Baufirma, aber mein Leben hatte sich nicht geändert, ich hatte nur die Firma gewechselt. Ich arbeitete, was ich vorher in anderen Baugeschäften auch schon gemacht hatte: wir mörtelten uns durch die Jahre und vermauerten unsere Zukunft. Aber immer in der Hoffnung, daß es einmal anders werden würde.

Wenn wir auf die Arbeit schimpften, hatte Frank seinen Spruch: Ruhig, Kinder, es kann nur besser werden.

Im Grunde genommen sind die Würfel vom ersten Tage an gefallen. Schon am ersten Arbeitstag wird vorgesorgt für das Leben als Invalide. Da wird für Rente geklebt in einem Alter, wo man an seiner eigenen Kraft Freude hat, da wird für Krankheiten gezahlt, die man nicht hat und nicht bekommen wird, da werden Versicherungen abgeschlossen, ein eigenes Haus wird geplant und dann auch gebaut, nur aus der Sorge für morgen und aus Angst, das zu verlieren, was man niemals besessen hat und auch nie besitzen wird, Sicherheit beherrscht unser Denken, weggeschoben und vor sich her geschoben wird die Lust am Abenteuer, die Freiheit wird mit Füßen getreten, auf denen wir kaum zu laufen gelernt haben, der Wunsch nach Sicherheit verdrängt die Sehnsucht nach Veränderung, und die Sicherheit wird wie ein Heubündel vor unsere Augen gehängt und wir traben ihm hinterher wie jener Esel, der ihm nachläuft und es nie erreicht, weil es zu weit vor seinem Maul angebracht ist, so läuft er und läuft und landet im Sumpf, weil er nicht mehr auf den Weg achtet, nur auf das Heu.

Als Helen angefangen hatte, mir Bücher aus der Bücherei mitzubringen, waren es Reiseberichte, Entdeckungsfahrten, Beschreibungen anderer Länder und Menschen, ich lebte in den Büchern so, als wäre ich leibhaftig an den geschilderten Orten. Mit jedem Buch wuchs meine Sehnsucht und ich schloß die Augen und träumte, ich sah die Länder und die Menschen faßbar vor mir, ich roch ihre Speisen und ihren Schweiß, den Duft der Blüten und der Ernte, und ich schwitzte und fror mit dem Klima ihrer Länder. Und dann flogen wir für drei Wochen nach Mallorca und ich vergaß, meine Träume wieder mit nach Hause zu nehmen, und zu Hause sagte ich mir: Das kann doch nicht das Ende meiner Sehnsucht gewesen sein.

Aber bald kehrte sie zurück. Als ich begann, Eberhard von Mallorca zu erzählen und Island meinte, wo ich nie gewesen bin und nie hinkommen würde, das ich aber rieche, und wenn ich mir die Bilder ansehe, finde ich mich auf einem Berg und unter mir braune und graue Lava, kahl und schneebedeckt, kein Baum, kein Gras, kein Vogel, nur der eigene Atem stört die Stille, dann gehe ich hinunter ins Tal und sehe den Lachsen im klaren Wasser zu. Dort, so glaubte ich, nur dort ist das Ziel aller Wünsche. Dort gibt es wirkliche Kälte und wirklichen Sturm.

Das waren schöne Stunden für mich, als ich Franks Vater von Mallorca erzählte und Island meinte.

Ich bin noch nicht zu alt, ich könnte alles hinwerfen und nach Island trampen, durch Länder und über Wasser, ich könnte mich als Küchenjunge anheuern lassen auf einem Schiff und mich von rohen Fischen ernähren, um dann endlich zu wissen, wie Freiheit schmeckt.

Warum breche ich nicht aus. Ist das Heubündel vor meiner Nase schon zur Religion geworden, bete ich es an und bringe ihm schon Opfer. Aber was soll man machen, wenn man von klein auf gelernt hat, nur in sicheren Bahnen zu denken und zu leben. Ich begann, die jungen Leute zu beneiden, die auf dem Alten Markt an warmen Tagen ihre nackten Füße in das Wasser des Bläserbrunnens steckten und die Zukunft verlachten, die sich einen Dreck um Krankenkasse und Rente scherten. Sie reißen das Heubündel, das ihnen vorgehalten wird, aus der Raufe und breiten es aus und schlafen darauf. Sie sehen nicht nach der Uhr. Meine Sympathie für sie war groß. Einmal hatten wir einen von denen auf der Baustelle, er sang während der Arbeit und als ihm der Polier zu singen verbot, schmiß er ihm die Schubkarre mitsamt dem angerührten Mörtel vor die Füße, tippte an seine speckige Mütze und ging. Er ging einfach. Er machte kein Theater, brüllte nicht zurück und beschimpfte den Polier nicht, er lachte nur und wir hörten ihn beim Verlassen der Baustelle singen, er sang noch, als er den staubigen Weg zur Straße lief. Er blieb stehen und winkte uns mit seiner Mütze zu, wir standen auf dem Gerüst und ich sah ihm neidvoll nach, am liebsten wäre ich mit ihm mitgegangen. Aber ich blieb auf dem Gerüst und mörtelte weiter.

Wenn Sehnsucht und Sicherheit streiten, dann siegt immer die Feigheit.

Und dann hatten wir wieder einmal einen auf der Baustelle, dem befahl der Polier, die Gerüststangen aus Leichtmetallrohren zum Einrüsten an ein anderes Haus zu tragen. Das war morgens. Zur Mittagspause sahen wir dann, was er angerichtet hatte: Mit den Rohren hatte er sich ein Zelt gebaut, leere Zementsäcke dienten ihm als Plane, er stand vor dem Eingang und lud uns zum Essen ein. Es war sein Palast.

Ihm habe ich nicht mehr nachgestarrt, weil ich nicht mehr über mich selbst enttäuscht sein wollte. Abends pflanzte ich in meinem Garten Jasminsträucher, die Frank und ich auf der Baustelle ausgerissen hatten, um für Kies und Sand Platz zu schaffen. Ich suchte immer Ersatz für das, was ich gerne getan hätte, aber nicht tun konnte. Von da an blieb mein Garten das Land meiner Sehnsucht. In der Partei glaubte ich ein Ziel gefunden zu haben, doch das dauerte nur kurze Zeit, denn die überwiegende Mehrheit derer, die dort saßen und den Arm hoben, um für oder gegen etwas zu stimmen, hatten längst ihr Ziel erreicht, einen Stuhl nämlich, auf dem sie sitzen konnten. Sie waren zufrieden, aber wer lange zufrieden ist, der ist satt.

Und wenn einer aufstand und Argumente gegen ihren Schlaf vorbrachte, dann wachten sie auf und schrien: Das darfst du nicht sagen, das darfst du nicht tun, sonst reiben sich die von der anderen Seite die Hände.

Sie verordnen sich Disziplin und rennen mit ihren Köpfen gegen Mauern und schlagen sie sich blutig, und beschweren sich über ihre blutigen Köpfe, anstatt die Mauern einzureißen.

Als ich nach zwanzig Jahren Schweigen meinen Arm gehoben hatte, um gegen ihre Disziplin zu stimmen, da wachte einer neben mir auf und hat gefragt: Wer bist du denn, dich habe ich doch hier noch nie gesehen.

Die anderen haben mich rausgeschmissen.

Als ich im Flur den Hörer abhob und Claudias aufgeregte Stimme hörte, wußte ich, auf was ich all die Wochen gewartet und wovor ich mich gefürchtet hatte.

Komm bitte morgen um zehn Uhr morgens zur Möhnetalsperre. Ich warte auf dich am Kiosk an der Staumauer. Sag bitte Mutter nichts. Ehe ich ein Wort der Erwiderung fand, hatte sie aufgelegt. Verwirrt hielt ich noch ein paar Sekunden den Hörer in der Hand und hörte in das Nichts.

War das Claudia? fragte Helen, als ich in die Küche trat. Ja, aber es ging so schnell, daß ich nicht mehr fragen konnte. Ich soll zur Möhnetalsperre kommen. Allein.

Lothar, verheimlichst du mir etwas.

Nein, du hast selbst gesagt, ich brauche dich nicht mehr zu schonen. Aber sie hat gesagt, daß ich dir nichts davon sagen soll.

Lothar. Bring sie mit.

Ich werde es jedenfalls versuchen.

Ich schlief schlecht in dieser Nacht, in meinen halbwachen Träumen sah ich die bombardierte Staumauer, wie englische Bomber 1943 die Mauer zerfetzten und das Wasser durch das Tal jagte und alles mit sich riß, ich sah auf den Fluten Claudias Klavier schwimmen, das wir an eine Familie für dreitausend Mark verkauften, deren sechsjähriger Sohn einmal ein großer Pianist werden sollte und der das Klavier furchtsam angesehen hatte, als er mit seinen Eltern zu uns gekommen war, um es zu besichtigen.

Auf dem Parkplatz unterhalb der Staumauer wartete ich in meinem Wagen, weil es noch nicht zehn Uhr war. Da klopfte Claudia an das Seitenfenster.

Wir sprachen kein Wort, als wir über die Staumauer zur gegenüberliegenden Seite des Sees liefen und in einen Waldweg einbogen. Ich hatte nicht gefragt, ich war Claudia einfach gefolgt.

Claudia trug Jeans und Sandalen, eine flauschige Jacke und eine Umhängetasche aus Drillich.

Laufen wir noch weit? fragte ich, es sieht nach Regen aus. Hinter der Biegung ist eine Bank.

Claudia nahm aus ihrer Tasche Butterbrote und begann zu essen, als wir auf der Bank Platz genommen hatten.

Ich habe noch nichts im Magen, ich bin heute morgen sehr früh weg, erklärte sie.

Wo weg? fragte ich.

Ich arbeite in Werl. Beim Weißmann ... Und was ich dir jetzt erzähle, Vater, sind keine Hirngespinste. Es ist jedes Wort wahr, so wahr wie die Fichte dort steht. Ich habe dich hierhergeführt, weil wir hier ungestört sind ... ich kannte die beiden Mädchen schon länger, du hast sie ganz kurz gesehen in Köln, und ich erzähle dir deshalb die Geschichte, weil Luigi tot ist, seit vorgestern, Luigi war mein Freund ... hast du es in der Zeitung gelesen ... aber gleich vorweg: In der Nacht zum ersten Mai holen sie die Kisten vom Friedhof.

Wer holt die Kisten, fragte ich.

Ich weiß nicht, wer kommen wird ... aber sie werden kommen ... ich habe es zufällig erfahren, weil ich an einem anderen Telefon mitgehört habe ...

Und warum erzählst du mir das? fragte ich verwundert.

Weil Luigi tot ist, deshalb.

Claudia erzählte mir ihre Geschichte, ihre ganze Geschichte, und ich ließ sie reden, ohne sie ein einziges Mal zu unterbrechen:

Alice habe ich in Köln kennengelernt, durch die beiden, mit denen ich auf dem Platz vor dem Dom gespielt habe, natürlich war ich nicht in Nizza und auch nicht in Paris, ich habe geschrieben und andere haben abgeschickt, das ist doch heute alles leicht ... ich mußte schreiben, weil sie es besser fanden, euch ein Lebenszeichen zu geben, das wecke keinen Argwohn, ich bin das ganze Jahr aus Dortmund nicht hinausgekommen, manchmal war ich in Werl, einmal im Teutoburger Wald, aber das zählt nicht ... Ich habe mit zwei anderen zusammengewohnt und wir haben in diesem Jahr fünfmal die Wohnung gewechselt, der Wohnungswechsel war immer vorbereitet, einmal wurde ich selbst gezwungen, die Wohnung zu wechseln, denn dein Kumpel Frank hatte mich gesehen und ich wußte, daß er mich erkannt hatte und es dir auch sagen würde ... ja, wie hat es eigentlich angefangen, es hat angefangen, daß wir mit Soldaten vor der Kaserne flirteten, erst mit Belgiern in Köln, dann auch mit Bundeswehrlern im Bergischen Land, und dann halfen uns die Soldaten in der Nacht über die Zäune zu klettern und einen Tag später wußten wir schon, wo die Depots liegen und was in den Depots ist und wie man hineinkommt ... ich habe immer gedacht, alles wird hundertprozentig bewacht, aber nichts wird bewacht ... ich habe aus Abenteuerlust mitgemacht, aber ich wußte zu der Zeit noch nicht, daß Alice von ihrem Vater auf mich angesetzt worden war wie auf andere auch, Alice ist die Tochter des Mannes, von dem du zum erstenmal Kisten in Köln-Lindenthal abgeholt hast ... ich habe einfach mitgemacht, ich wollte etwas erleben, egal was, ohne zu denken, und als ich dann wußte, was wirklich los ist, hätte ich nein sagen können, aber ich habe nicht nein gesagt, ich war einen Moment darüber erschrocken, aber ich habe mir gesagt, es ist so viel faul in diesem Land, warum soll ich da nicht mitmachen ... du hast mich einmal angebrüllt, als ich mir ein Eisernes Kreuz um den Hals gehängt habe und amerikanische Armeeabzeichen auf meine Bluse nähte, dabei war es nur Mode, und du hast mir vorgehalten, daß gerade ich das tun würde, bei eurer politischen Einstellung, und jeden Tag bekam ich zu hören, daß deine Partei recht hat und da bekam ich einen Haß auf deine Partei ... ich wurde auf einem Bauernhof im Teutoburger Wald geschult und wurde hier in Dortmund einer Zelle zugeteilt, die gerade aufgebaut werden sollte ... Anlaufstelle war Dr. Wurm ... übrigens, ich wußte schon eine Stunde später, daß du bei ihm gewesen bist und wurde auch über das Gespräch informiert ... Wurm glaubte wirklich, dich rüberzuziehen, dann hat er später über dich geäußert, mit Landstreichern kann man sich nicht über Pariser Mode unterhalten ... meine Arbeit hat mir Freude gemacht, nur manchmal fragte ich mich, wozu die Waffen ... es waren ja nicht nur Pistolen ... was haben sie damit vor ... es tat mir gut, daß ich gebraucht wurde, wir hatten eine gute Kameradschaft ... einer war für den andern da und einer war ganz selbstverständlich für den anderen da ... ich hatte keinen festen Freund, bis Luigi kam ... mit Ruppert hatte ich nichts, er ist mir immer auf die Nerven gegangen, in seinem Zimmer in der Villa hängt ein Bild von Engels und darunter hat er geschrieben: auch ein Unternehmersohn ... ich konnte nicht und die anderen auch nicht ahnen, daß du auf diesem Friedhof landen würdest ... Wurm hat ihn ausgesucht ... er kennt ihn noch von seiner Kriegszeit her ... und alles wäre gut gelaufen, wenn nicht einer aus lauter Eile vergessen hätte, die Abdeckung zu schließen ... und du hast das entdeckt ... Luigi kam aus Catania, was er vorher gemacht hat, weiß ich nicht, als ich ihn kennengelernt habe, war er Getränkeausfahrer bei Weißmann in Werl, und dort hat er über dem Lager ein Zimmer gehabt ... er hat auch Kisten gefahren, so wie du, und eines Tages hat er auch den Inhalt der Kisten entdeckt, so wie du, und dann hat er den Weißmann zur Rede gestellt und ihm gedroht, er werde zur Polizei gehen, das war nicht einfach, denn Luigi war polizeilich nicht gemeldet ... du hast es bestimmt in der Zeitung gelesen, daß vorgestern eine Leiche aus der Ruhr gefischt worden ist, auf dem rechten Arm trug die Leiche eine Tätowierung ... in der Zeitung stand, der Mann habe erst einen tödlichen Schlag auf den Kopf bekommen und dann erst ist er ins Wasser geworfen worden, denn in den Lungen war kein Wasser

... Luigi hatte keine Freunde, außer mir ... wer fragt danach, es kommen und gehen viele Italiener, die nie gemeldet waren ... und als ich das gelesen habe in der Zeitung, da bekam ich Angst ... ich ging zu Weißmann und sagte ihm, ich steige aus ... er hat nur gesagt, ich könne hingehen wo ich wolle, wenn ich meinen Vertrag erfüllt hätte ... ich wußte nichts von einem Vertrag, aber er legte ihn mir auf den Tisch mit meiner Unterschrift, und sie war nicht gefälscht ... in dem Vertrag hieß es, ich hätte zehntausend Mark Ausbildungsbeihilfe bekommen vom Verein für gegenseitige Lebenshilfe ... ich habe ihm gesagt, das Papier ist nichts wert, da brachte er ein anderes Papier und da stand wieder meine Unterschrift drauf ... es war eine Selbstanzeige, auf der haargenau festgehalten war, wo und wie wir Waffen beschafft hatten ... ich habe ihm gesagt: damit könnte er mir nicht drohen, denn wenn ich mich selbst anzeige, dann fliege auch die ganze Organisation auf ... er aber hat nur gelacht und mir ins Gesicht gesagt, ganz so einfach wie ich glaube sei das nicht, in Deutschland werde ehrbaren Geschäftsleuten immer noch mehr geglaubt als arbeitslosen Jugendlichen, die von zu Hause ausgerissen sind ... also, entweder zehntausend Mark oder der Wisch geht ab und diese Selbstanzeige wird geglaubt, das ist meine Alternative ... unter dem Betonboden des Getränkelagers in Werl ist das eigentliche Waffenlager, das hat Luigi entdeckt, er hat es mir kurz vor seinem Tode gesagt ... und wenn du mich jetzt fragst, warum ich das alles mitgemacht habe, dann muß ich antworten, ich hätte alles gemacht nach der Pleite in Köln ... und noch was, es sind mehr als du denkst, Vater, und sie sind gefährlicher als du denkst ... hier in der Stadt nennen sie sich Verein oder Gesellschaft zur sittlichen und moralischen Erneuerung Deutschlands, in anderen Städten heißen sie anders, aber es sind immer dieselben ... die tarnen sich manchmal als caritative Organisationen ... der wirkliche Verteiler ist Balke, er hat überall seine Finger drin, für ihn ist es leicht, er hat ein Fuhrgeschäft, er ist unverdächtig ... und wenn du mich fragst, was sie mit den Waffen machen werden, dann sage ich dir, es sind Leute, die nicht wie andere von Revolution reden, sie werden sie eines Tages machen, so unwahrscheinlich das heute klingt ... und wenn du die jungen Männer erst einmal kennengelernt hast, dann vergeht dir das Lachen, die sind cool, die machen alles, was man ihnen anschafft, die denunzieren ihre eigenen Eltern ... diese Leute leben nicht versteckt im Untergrund, es sind alles brave Bürger, denen wir jeden Tag begegnen, so unwahrscheinlich das klingt und weil es unwahrscheinlich klingt, werden sie nicht ernst genommen, und das ist ihr Vorsprung ... Vater, beleihe dein Haus, damit ich rauskomme ... wenn es nicht schon zu spät ist für mich, ich habe Angst ... ich muß abspringen ... Luigi steht Tag und Nacht vor mir ...

Es war kalt geworden auf der Bank, ich nahm Claudia bei der Hand und wir liefen aus dem Wald über die Staumauer zum Parkplatz zurück. Claudia sah sich mehrmals unsicher um.

Auf der Staumauer standen viele Ausflügler und sahen zum Kraftwerk in die Tiefe hinunter.

Ein friedliches Bild.

Als Claudia in meinen Wagen einstieg, hat sie nicht gefragt, wohin ich fahre, und ich habe ihr nicht gesagt, daß wir nach Hause fahren.

Es war früher Nachmittag geworden und ich war nicht überrascht, Helen zu Hause zu finden. Sie sah uns entgegen und sagte nur, als wären wir von einem Einkaufsbummel zurückgekommen: Ich mache etwas zu essen, ihr habt bestimmt noch nichts gegessen.

Claudia war erschöpft und saß stumm in der Küche, ich merkte ihr an, daß sie sprechen wollte und dann doch immer wieder ihre Worte hinunterschluckte.

Als Helen das Essen auftrug, sagte Claudia: Ich muß hier fort. Sie werden mich suchen ...

Da flog ein Stein durch das Küchenfenster auf den Küchentisch. Ein Teller zerbrach und das Besteck fiel durch den Aufprall des Steins zu Boden.

Ich sprang auf und lief vor das Haus, aber ich konnte nur noch die Marke des Wagens erkennen.

Wir müssen die Polizei rufen, rief Helen.

Keine Polizei, rief Claudia verzweifelt.

Ich forderte Claudia auf mitzukommen. Sie folgte mir ohne zu fragen. Wir durchquerten unseren Garten und liefen über den Feldweg, der parallel zu unserer Straße bis zu Bauschultes Garten führt. Ich kletterte mit Claudia über den Zaun und trat mit ihr in sein Glashaus und sagte: Du mußt mir deinen Wagen leihen, es ist dringend.

Bauschulte sah auf Claudia und er antwortete: Der Wagen steht in der Garage, sie ist offen, der Schlüssel steckt im Wagen.

Bauschulte hielt ein Vergrößerungsglas in der Hand und betrachtete die Blätter einer Pflanze: Läuse. Ich habe mich schon immer gewundert, warum das Zeug nicht wächst ... Wo willst du mit ihr eigentlich hin?

Nach Hagen, wo sie absolut sicher ist.

Lothar, erzähl mir alles, wenn du zurückkommst, sagte Bauschulte und er sah besorgt auf Claudia und beugte sich dann aber gleich wieder mit dem Vergrößerungsglas über die Pflanze.

Ich werde dir alles erzählen, antwortete ich.

Das große Einfahrtstor zur Schwinghammerschen Villa war verschlossen. Als ich meinen Namen durch die Sprechmuschel gesagt hatte, öffnete es sich lautlos.

Ich fuhr bis an das Rondell an der Terrasse.

Frau Schwinghammer kam aus einer Blumenrabatte, sie trug blaue Arbeitskleidung und Gummihandschuhe.

Ich wollte ihr mein Kommen erklären, aber sie winkte ab. Sie nahm Claudia an den Schultern und führte sie ins Haus. Ich sah über das Tal.

Ein schönes Bild.

Wer es nicht wußte, der konnte annehmen, er blicke ins Voralpenland und nicht in eine Landschaft mit geballter Industrie.

Frank, es ist soweit.

Ich weiß. Helen hat mich geholt, als du in Hagen gewesen bist ...

Ich habe provisorisch dein Küchenfenster vernagelt, bis der Glaser kommt, aber Helen hat mir nicht viel gesagt ... was ist wirklich los.

Frank nagte am Knochen eines Eisbeins, an dem es nichts mehr zu essen gab, er wischte sich die fettigen Finger an seiner Arbeitshose ab und winkte Gabi: Mach uns bitte Kaffee ... laß uns allein. Er wies auf ein Schränkchen, das eigentlich eine Flurgarderobe war und im Wohnzimmer stand als Telefonablage. Zum erstenmal sah ich bei Frank ein Telefon, das er in irgendeinem Antiquitätengeschäft gekauft hatte. Aber das Telefon war nicht angeschlossen, denn in der gesamten Siedlung gab es keine Telefonanschlüsse, die Anwohner waren auf öffentliche Telefonzellen angewiesen.

Gabi setzte uns den Kaffee auf den Fußboden, und notgedrungen mußte ich mich ebenfalls im Schneidersitz niederlassen. Gabi blieb im Zimmer, sie setzte sich auf einen hohen Barhocker, der neben dem Fenster stand, und sah nach draußen.

In dem Schränkchen dort habe ich etwas, das wird Balke unterschreiben ... er wird es unterschreiben, weil er nämlich nicht dumm ist.

Ich ging nicht auf seine Andeutung ein und ich berichtete ihm in knappen Worten, was Claudia mir erzählt hatte. Frank hörte regungslos zu. Gabi räusperte sich manchmal erstaunt und verwundert. Und dann fügte ich noch hinzu: Ich habe mir gedacht, daß wir in der Nacht alle auf dem Friedhof antanzen, du, ich, Bühler und Bauschulte...

Dem Kopfjäger traue ich nicht, den laß zu Hause, erwiderte Frank schroff.

Frank, er muß dabei sein, er weiß alles und er ist wichtig, vielleicht der wichtigste von uns allen... ich fahre jetzt bei Bühler vorbei.

Also dann...

Ich klingelte den Alten heraus, er zog die herunterhängenden Hosenträger auf die Schultern, als er die Haustür öffnete. Komm rein, sagte er, es gibt Reibeplätzchen. Es riecht im ganzen Haus...

Es riecht gut, sagte ich.

Er nötigte mich, mitzuessen, seine Lebensgefährtin lächelte mich jedesmal aufmunternd an, wenn sie mir ein knuspriges Reibeplätzchen auf den Teller legte und Apfelmus darüberstrich. Es ist soweit, sagte ich, in der Nacht zum ersten Mai.

Nanu... und wie hast du dir das vorgestellt, Lothar.

Ich erläuterte ihm meinen Plan, daß wir, er, ich, Bauschulte und Frank am frühen Abend in meinem Aufenthaltsraum auf dem Friedhof warten und erst dann eingreifen würden, wenn sie die Gruft öffnen.

Die Frau hatte still am Herd weitergearbeitet und überhaupt nicht auf unser Gespräch gehört.

An der Wand über der Couch hing ein Wandteppich, der zwei Engel zeigte, die Kinder an der Hand führten, darunter war ein Spruch eingestickt: So führ denn meine Wege...

Wir sollten den Pfarrer dazuholen, sagte Bühler.

Laß ihn aus dem Spiel, er kann in Teufels Küche kommen, er hat sowieso schon mehr getan, als er tun durfte.

Bleibt es trotzdem noch bei der Fahne und den zwei Standarten, die meine Frau nähen soll.

Ja, Bühler, es bleibt trotzdem dabei, das eine hat mit dem andern nichts zu tun.

Er begleitete mich hinaus und deutete auf den Birnbaum: Drei Zentner habe ich letztes Jahr runtergeholt, dieses Jahr wird es nichts werden. Den hat mein Vater noch gepflanzt, achtundzwanzig, als die Häuser hier bezogen wurden, der Baum ist jetzt bald fünfzig

Jahre alt ... ein schönes Alter für einen Baum ... und er trägt wie in seinen besten Jahren ... Lothar, was willst du mit den Fahnen eigentlich.

Später, Bühler, später.

Ich brachte Bauschulte seinen Wagen zurück und weihte nun auch ihn ein. Er sah mich besorgt an: Lothar, sei vernünftig, ohne Unterstützung der Polizei geht das nicht.

Laß die Polizei aus dem Spiel, Bauschulte.

Ihr seid verrückt, du und Frank. Einmal ist ein Punkt erreicht, wo man nicht mehr Indianer spielen kann.

Hör auf, Bauschulte, Frank und ich haben kein Zutrauen zu deinen früheren Kollegen, und wir wissen auch warum ... deine Kollegen sind nämlich auf links getrimmt und nicht auf rechts, deshalb haben wir kein Zutrauen zu ihnen ... wenn du aussteigen willst, bitte, aber wir bringen das an die Öffentlichkeit, wir machen das allein ... auf unsere Weise und zwar so, daß man nichts mehr unter den Teppich kehren kann.

Er saugte an seiner kalt gewordenen Pfeife und sah die Straße hinunter: Gut, machen wir es allein, aber ich sage dir nur, es ist nicht ungefährlich. Vielleicht kommen nicht mal die Leute, die ihr erwartet ... sei nicht kindisch, Lothar, der Stein durch dein Küchenfenster sollte dir eine Warnung sein, die ganze Siedlung spricht schon davon, nur gut, daß die nicht wissen, um was es geht ... Glaub mir, es geht nicht ohne Polizei ...

Es muß gehen, antwortete ich gereizt.

Und der Pfarrer, fragte er mich.

Er darf nicht mit hineingezogen werden, er riskiert seine Stellung, sagte ich.

Und was glaubst du wohl, Lothar, was wir riskieren, sagte er patzig und ließ mich stehen.


Helen hatte aufgeräumt, an den Steinwurf erinnerte nur noch die geplatzte Resopalplatte auf dem Küchentisch und das von Frank notdürftig vernagelte Küchenfenster.

Der Glaser wird heute abend noch vorbeikommen, sagte Helen ...

Lothar, in was sind wir da hineingeraten ... ich hatte Angst, jetzt habe ich keine mehr.

Setz dich zu mir, Helen.

Ich berichtete ihr, was Claudia mir erzählt hatte, auch Helen unterbrach mich nicht, so wie ich Claudia nicht unterbrochen hatte. Nur manchmal atmete sie hörbar, und dann erzählte ich ihr auch noch, was ich mit Frank, Bühler und Bauschulte plante.

Lothar, was wollen diese Leute, sagte sie seufzend. Ein kleines Häuflein, mein Gott ...

Claudia sprach von einem Netz ...

Lothar, man kann doch mit Pistolen keinen Staat stürzen, das ist doch Wahnsinn ... sind die weltfremd.

Helen, wir wissen genau, was sie wollen, denk dran ... Helen, man kann auch mit Pistolen Angst und Schrecken verbreiten ... was würdest du sagen, wenn eines Tages in der Parteiversammlung ein paar Leute auftauchen würden und Frank mit vorgehaltener Pistole daran hindern würden, eine Rede zu halten ... Und wenn sich das wiederholt, dann bekommen die Leute Angst und werden nicht mehr zur Parteiversammlung hingehen, und so geht das weiter, und nicht nur hier, sondern auch anderswo ... und junge Leute machen gerne mit, Hauptsache, sie haben was zum Mitmachen, und weil die meisten nicht politisch denken können, merken sie nicht, in was sie hineingeschickt werden ... Claudia ist abgesprungen, und wir haben doch nichts falsch gemacht. Sie ist im letzten Moment zurückgeschreckt, auch wenn dieser Luigi erst der Auslöser dazu war ...

Aber Lothar, die können sich doch jetzt ausrechnen, daß Claudia sich nicht nur versteckt, daß sie auspacken wird, sagte sie verzweifelt.

Das Risiko, Helen, müssen wir eingehen. Vorläufig ist sie in Sicherheit.

Lothar, jetzt habe ich wieder Angst.

Es war eine laue Nacht.

Jeder von uns hatte eine Taschenlampe mitgebracht. Bühler hatte die Gaslampe angezündet und sie auf Sparflamme gedreht und vor das Fenster meines Aufenthaltsraums eine Decke gehängt. Wir saßen in meiner Bude um den Tisch und sahen aneinander vorbei.

Bühler kaute seinen Priem, Frank malte mit einem Filzstift unentwegt Kreise auf ein Stück Papier und Bauschulte saugte an seiner Pfeife und stieß blaue Kringel in die stickige Luft.

Ich öffnete das Fenster einen Spalt weit, aber Frank schloß es sofort wieder.

Heute nacht werde ich den Balke erpressen, sagte er.

Wenn er kommt, warf ich ein.

Er wird kommen, sagte Bauschulte.

Je später es wurde, desto nervöser wurden wir, aber jeder verhielt sich so, als sei er der ruhigste von allen.

Das Warten wurde unerträglich, die Luft war dick und schwer geworden und Bauschulte paffte. Immer noch saßen wir da und sahen aneinander vorbei, als hätte jeder Angst, dem anderen ins Gesicht zu sehen.

Plötzlich hob Bühler wie ein witterndes Tier den Kopf und sagte leise: Sie sind da ... Die sind früher gekommen, als ich gedacht habe.

Angespannt traten wir nacheinander ins Freie. Wir vermieden die Kieswege, die weichen Rasenstreifen dämpften unsere Schritte. Keine Hast, Leute, flüsterte Bühler, die brauchen ihre Zeit, ich habe die Abdeckungen verklemmt. Gebückt liefen wir hintereinander zur Südmauer, und an der hohen Platane, um deren Stamm ich vor einigen Tagen Holzbänke aufgestellt hatte, blieb Bühler stehen und deutete in die Nacht: Dort sind sie.

Ich konnte nichts sehen.

Dort drüben, sagte Bühler, dort.

Nun gewahrte auch ich allmählich die Schatten, die sich zwischen Steinen und Hecken bewegten, aber ich konnte nicht erkennen, wie viele es waren.

Mir wurde flau im Magen, aber es gab kein Zurück mehr, jetzt war es zu spät geworden, sich anders zu entscheiden. Bleibt hier, sagte Bühler leise, ich gehe allein, und er war schon fort, ehe ich ihn zurückhalten konnte. Er schlich sich durch die Hecken.

Kommt, zischte Frank, wir können den Alten nicht allein lassen, der macht bloß Dummheiten.

Gebückt erreichten wir wenige Minuten später eine große Gruft, hinter der Bühler schon kauerte und die unserer Gruft zehn Meter entfernt gegenüberlag. Die Heckenumfriedung und der hohe Grabstein sahen in der Dunkelheit aus wie hohe Mauern.

Von irgendwo hörte ich Eisenbahnwaggons aufeinanderschlagen. Erst als ich auf meinen Fersen saß, sah ich, wie sich gegenüber Schatten bewegten. Ich hörte Keuchen und unterdrücktes Fluchen, Eisen klirrte, es knackte und knarrte.

Die Nacht war laut geworden, auf der Straße jenseits der Südmauer fuhr ein Lastwagen vorbei.

Bühlers Kopf sah ich wie einen hellen Ball auf dem dunklen Grabmal.

Die Schatten gegenüber wuchsen und fielen wieder zusammen, sie keuchten und riefen sich leise Worte zu, die wir aber nicht verstanden.

Bühler kniete neben mir und kicherte leise: Denen hab ich es nicht so leicht gemacht. Ich habe die Heberinge verkettet, damit sie so richtig in Schweiß kommen.

Frank stieß mich an: Wie lange wollen wir noch warten.

Bis sie die Kisten raus haben. Oder willst du sie rausstemmen, fragte Bühler.

Dann gab es einen lauten metallischen Schlag.

Jetzt haben sie die Kette gesprengt, jetzt dauert es höchstens noch eine Viertelstunde, wenn sie keine Stümper sind, sagte Bühler und erhob sich und sah über den Rand des Grabsteins nach drüben.

Ich hörte Bauschulte flüstern: Wenn ich Los sage, dann leuchtet jeder denen da drüben mit der Taschenlampe ins Gesicht ... ich komm gleich wieder, bleibt solange hier.

Bauschulte kroch in die Nacht.

Wir stierten auf die bewegten Schatten und wußten immer noch nicht wie viele es waren und wer sie waren. Wir hörten Eisen an Eisen reiben, Eisen auf Beton knirschen und hörten es klopfen und quietschen.

Bauschulte hockte plötzlich wieder vor mir. Es sind fünf Männer, keuchte er.

Meine Beine waren eingeschlafen, ich fühlte nichts mehr, aber ich wollte auch meine Stellung nicht verändern, aus Furcht, uns zu verraten. Bühler stieß mich an: Setz dich auf deinen Hintern. Wenn du laufen mußt, fällst du um mit tausend Nadeln in den Beinen.

Es polterte laut durch die Nacht und dann war Stille.

Sie haben die Abdeckung auf, sagte Bühler ...

Die Männer drüben sprachen jetzt laut, sie fühlten sich anscheinend sicher, arbeiteten aber nach wie vor ohne Licht.

Was jetzt? fragte ich Bauschulte. Hast du jemand erkennen können von denen da drüben.

Nichts überstürzen, ich habe niemand erkennen können.

Ich spürte die Kälte in mich eindringen und die tausend Nadeln prickelten in meinen Beinen, und als ich endlich meine Stellung veränderte, hörte ich jemand laut sagen: Eine Fahne ist hier!

Eine Fahne? ... Das war zweifelsfrei Balke.

Er war also doch gekommen.

Ich stieß Bühler in die Seite und sagte zu ihm: Ich hab dir doch gesagt, du sollst die Finger davon lassen ... wann hast du das gemacht ...

Reg dich nicht auf ... als ich die Abdeckung verkettet habe ... und jetzt holen sie die Kisten raus ... hört ihr das.

Und wieder hörte ich Balke sagen: Tatsächlich, eine Fahne ... So eine Scheißidee, das Zeug auf einem Friedhof zu verstecken, rief eine junge Stimme wütend, Banktresor wäre sicherer und sauberer gewesen.

Halt die Klappe, erwiderte Balke.

In diesem Moment sprang Bauschulte auf und rief: Stehen bleiben! Die Lichtkegel unserer Taschenlampen fielen auf die fünf Gesichter, ihre Verblüffung war so stark, daß sie erst unfähig waren, sich zu rühren.

Wir rannten zur Gruft und kreisten sie ein, Balke stand gebückt, als wollte er die Fahne aufheben, die zu seinen Füßen lag. Er machte eine Bewegung, aber da trat ihn Frank in die Kniekehlen, daß er auf die Knie sackte.

Es waren vier junge Männer um die zwanzig, sie trugen braune Parkas und Arbeitshandschuhe, sie sahen auf Balke und in das Licht unserer Taschenlampen, das so hell war, daß sie nicht wahrnehmen konnten, wer sich hinter diesem Licht verbarg.

Als Bühler auf sie zuging, stürzten sich plötzlich zwei von ihnen auf den Alten, und ich sah, wie ihre Arme flogen und Bühler zu Boden stürzte.

Da zog Bauschulte eine Pistole aus der Tasche und schoß schnell dreimal hintereinander. Wir waren wie gelähmt, die beiden Männer ließen von Bühler ab, Frank lag mit seinem ganzen Körpergewicht auf Balke.

Die vier jungen Männer in den Parkas rannten so schnell über den Friedhof, als hätten sie Nachtaugen.

Frank hatte Balke hochgezogen und beide Arme auf den Rücken gedreht, Bühler wickelte seelenruhig die Fahne um Balkes Oberkörper.

Komm, Balke, ich habe mit dir zu reden, sagte Frank.

Frank, was hast du vor, fragte ich besorgt.

Frag nicht, kommt.

Wieso hast du eine Pistole mit, fragte ich Bauschulte ...

Hast doch gesehen. Die Schreckwirkung war notwendig, gegen die vier jungen Männer hätten wir nie eine Chance gehabt.

Frank führte Balke vor sich her und wir folgten ihnen, ohne zu wissen, was Frank mit Balke vorhatte ...

Frank dirigierte ihn an meinem Aufenthaltsraum vorbei zum Leichenschauhaus.

Was willst du da, Frank, fragte ich beunruhigt.

Du hast den Schlüssel, Lothar, schließ auf, nun mach schon, ich kann dir keine schriftliche Einladung schicken.

Ich schloß auf und wir traten nacheinander in den kahlen und kalten Raum. Die Schritte hallten.

Hol einen Stuhl, befahl mir Frank, ich muß mit Balke reden und ihr bleibt hier, damit ihr alles mithört, vielleicht könnte das notwendig werden.

Wir können hier kein Licht machen, sagte ich.

Dann gehen wir eben in den früheren Sezierraum, sagte Frank, als handelte es sich um die selbstverständlichste Sache der Welt.

Plötzlich stand der Pfarrer in der Tür, niemand hatte ihn kommen hören.

Was geht hier vor? Was waren das für Schüsse? Was soll das? Und er deutete auf Balke und blickte mich abweisend an.

Herr Pfarrer, fragen Sie jetzt nicht, sagte Bauschulte, gehen Sie bitte zurück in Ihre Wohnung und warten Sie vor dem Telefon. Wenn Bühler kommt und an Ihr Fenster klopft, dann rufen Sie die Polizei an und sagen, daß auf dem Friedhof Leute sind, die sich an einer Gruft zu schaffen gemacht haben ...

Was haben Sie vor, fragte der Pfarrer.

Tun Sie, bitte, was ich Ihnen gesagt habe. Sie werden das hier noch früh genug erfahren ... Keine Angst, dem Mann hier passiert schon nichts ... Aber eins kann ich jetzt schon sagen: Ihm gehören die Kisten, und er wies auf Balke.

Der Pfarrer stand zwischen Balke und Frank und sah von einem zum andern, ich konnte nicht sehen, was sich in seinem Gesicht abspielte, wir hatten unsere Taschenlampen auf den Fliesenboden gelegt und vor den Glastüren die dicken schwarzen Vorhänge zugezogen.

Gut, ich gehe, sagte der Pfarrer, und ich vertraue Ihnen, weil Sie es sind, Herr Bauschulte, und ich hoffe, daß Sie mich in alles einweihen, was hier vorgegangen ist und noch vorgehen wird. Ich warte nicht länger als eine Stunde, damit das von vornherein allen klar ist.

Als der Pfarrer gegangen war, holte Frank ein Schreiben aus seiner Brusttasche: Also Balke, hör mal, du kannst gleich wieder nach Hause gehen, wenn du dieses Papier unterschreibst!

Ich unterschreibe nichts ...

Aber, aber, du weißt doch noch gar nicht, was drin steht ... du bist Vorsitzender der Nordbau AG, wie das Konsortium jetzt heißt, die reißt die Nordsiedlung ab und baut sie wieder auf, und wenn du jetzt unterschreibst, wie viele Abgeordnete du geschmiert hast, damit die Nordsiedlung verkauft, abgerissen und neu gebaut wird, damit du den Abbruch abtransportieren und das neue Material anfahren kannst ... ich habe eine ganz genaue Aufstellung darüber, daß du mindestens drei Millionen Mark dabei verdienen wirst ...

Ich unterschreibe nichts, sagte Balke.

Weiter, drängte Bauschulte, weiter, Frank, wir haben nicht viel Zeit.

Frank stieß Balke sanft an das Schienbein: Balke, ich habe die ganzen Wochen auf diese Stunde gewartet, ich weiß, wen du geschmiert hast, und das steht alles in dem Papier: Dem Abgeordneten Köner hast du das Material für seinen Hausbau kostenlos angefahren, dem Stadtverordneten Röddinghoff hast du das Bauholz für seinen Bungalow umsonst angefahren, und dem Abgeordneten Bergermeier hast du die Zufahrt zu seinem Haus umsonst gemacht und ihm zehntausend Mark geschenkt ...

Gefälligkeitsarbeiten ... und die zehntausend Mark sind ein zinsloses Darlehen ...

Warum gibst du mir kein zinsloses Darlehen, fragte Bühler.

Sei still, Bühler, sagte Frank.

Das ist Erpressung, schnaufte Balke.

Balke, du brauchst mich nicht aufzuklären. Du wirst das unterschreiben, denn in spätestens einer knappen Stunde wird der Pfarrer die Polizei rufen, und hier sind vier Männer, die bezeugen, daß du die Gruft mit den Kisten aufgebrochen hast ... Balke, mir liegt nichts an dir, mir liegt etwas an diesen Abgeordneten, die dich zum Vorsitzenden gemacht haben, damit du verdienst, damit die verdienen ... Balke, sei vernünftig, dir bleibt keine andere Wahl, hast du das immer noch nicht begriffen ... unterschreibe! ... Schau mal, Balke, du hast dich ja gar nicht gedrängt, sie haben dich zum Vorsitzenden gemacht, gegen deinen Willen, damit sie die Siedlung leichter verschleudern können ... hier steht auch, daß die gesamte Nordsiedlung für fünfzehn Mark pro Quadratmeter verkauft werden soll und daß die Nordbau AG aber von einem Quadratmeterpreis von fünfunddreißig Mark ausgeht, wenn sie später die neuen Häuser hingesetzt hat ... Balke, unterschreibe, dir passiert nichts, du bist nur dein Geschäft los, und wenn du nicht unterschreibst, dann bist du dein Geschäft los und kommst zusätzlich hinter Gitter ... draußen an der Gruft stehen noch die Kisten, hast du das vergessen.

Ich bin doch nicht verrückt, ich unterschreibe doch nicht mein eigenes Todesurteil, keuchte Balke.

Frank, der die ganze Zeit über das Licht seiner Taschenlampe auf das Papier gerichtet hatte, leuchtete Balke ins Gesicht.

Bauschulte und ich standen an der Tür, Bühler hinter Balke.

An der Wand standen die schwarzen Böcke, auf die die Särge mit den Toten gelegt wurden. Der kahle Raum ließ mich frösteln, jedes Wort, das hier gesprochen wurde, zog ein leises Echo hinter sich her.

Balke, du wirst unterschreiben, daß die Türken, die in der Nordsiedlung gewohnt haben, nur deshalb ausgezogen sind, weil du jedem tausend Mark versprochen hast, wenn sie alles liegen und stehen lassen, damit die Siedlung verkommt. Du wirst auch unterschreiben, daß du Türken dafür bezahlt hast, daß sie Fenster zerschlagen und Bäume gefällt haben und ihre Gartenzäune verheizten.

Nein, schrie Balke und sprang auf.

Ich würde unterschreiben, sagte Bauschulte ruhig ... Bühler, geh jetzt zum Pfarrer, er soll die Polizei rufen.

Balke fiel auf seinen Stuhl zurück.

Ich unterschreibe, sagte er tonlos. Balke tat mir leid.

Frank kniete sich auf den Steinfußboden und glättete das Schreiben und forderte Balke auf, sich neben ihn zu knien.

Balke unterschrieb.

Ich hatte Mitleid mit Balke, ich schämte mich, ich sah ihn nicht an.

Frank nahm das unterschriebene Blatt und steckte es in seine Brieftasche: Ich danke dir, Balke. Du hast mir geholfen und ich habe dir geholfen, so ist das unter guten Geschäftsleuten.

Balke stand müde auf und ging zur Tür. Bühler folgte ihm, um dem Pfarrer das verabredete Zeichen zu geben.


Vor dem Friedhof warteten wir auf Bühler, und als er vom Pfarrer zurückkehrte, gingen wir vier nach Hause.

Unterwegs sagte Bühler: Wenn der Bajazzo noch auf hätte, könnten wir einen trinken gehen.

Wir begleiteten ihn nach Hause. Der alte Mann war müde geworden. Er hatte seinen Haustürschlüssel vergessen und klingelte. Seine Frau öffnete so schnell, als hätte sie hinter der Tür auf ihn gewartet, sie war im Morgenmantel und zog den Alten ins Haus. Laut drehte sie den Schlüssel im Schloß.

Jetzt möchte ich gerne wissen, was der Pfarrer den Polizisten erzählt, sagte Frank und er lachte ein wenig.

Der Friede der Toten war gebrochen worden.

Der Friedhof von Leuten geschändet, denen nichts mehr heilig war auf dieser Welt. Der Friedhof als Tummelplatz krimineller und radikaler politischer Elemente. Der Waffenfund auf dem Friedhof war nicht nur eine skandalöse Schändung des Gottesackers, sondern auch eine schwere Beleidigung der Stadt. Neues Operationsfeld radikaler und krimineller Elemente – sollen jetzt schon Sicherheitskräfte mit durchgeladenen Maschinenpistolen unsere Friedhöfe bewachen? Die letzten Schranken der Scham sind gefallen – heute werden Waffen gefunden, morgen vielleicht die Verstorbenen aus den Gräbern gerissen.

Das waren zwei Tage später die Überschriften in den Zeitungen, groß aufgemacht, mit Fotos und nicht nur der regionalen Presse, auch der überregionalen, mit Aussagen des Pfarrers und der Polizisten, die zuerst mit dem Pfarrer an der Gruft eingetroffen waren.

Der Pastor hätte nichts bemerkt, er hätte in seinem Arbeitszimmer gearbeitet. Und wäre, um frische Luft zu schöpfen, auf den Balkon getreten und hätte auf dem Friedhof etwas Verdächtiges wahrgenommen und daraufhin die Polizei gerufen, denn sowohl von seinem Arbeitszimmer als auch vom Balkon des Pfarrhauses habe man einen guten Blick auf den Friedhof, und es wurde daran erinnert, daß es auch der Pfarrer gewesen sei, der damals die Polizei rief, als diese schändlichen Schmierereien sich zugetragen hatten, von denen man immer noch nicht wisse, wer sie ausgeführt habe. Ungeklärt, so berichteten die Zeitungen weiter, ist bislang noch, warum der oder die Täter die Kisten zurückgelassen haben, anscheinend wurden sie durch etwas für sie Bedrohliches gestört, anders sei das Zurücklassen der Waffen nicht zu erklären.

Auch der Friedhofswärter Lothar Steingruber wurde vernommen, er gab zu Protokoll, daß er in den letzten Tagen nichts Verdächtiges bemerkt habe, er habe auch keine Veränderungen an Grüften und Gräbern wahrgenommen.

Auch die Spurensicherung habe keine greifbaren Anhaltspunkte gefunden, die auf einen bestimmten Täterkreis schließen lassen, die Polizei stehe vor einem Rätsel.

Gabi hatte Frank und mir das Wichtigste aus den Zeitungen vorgelesen, während wir genüßlich unseren Kaffee tranken, und Frank und ich konnten ein Grinsen nicht unterdrücken, fanden sich in den Zeitungen die absurdesten Vermutungen.

Ich werde noch ein paar Tage warten, dann gebe ich eine Fotokopie von Balkes Brief an die Öffentlichkeit, sagte Frank, und er schien über den Ablauf der Ereignisse der letzten Tage sehr zufrieden zu sein, aber mir war nicht wohl, denn jetzt mußte mein Plan ausgeführt werden, sonst würde alles wieder verpuffen, die Leute waren vergeßlich.

Bauschulte war vorgefahren, und er sagte, als er eintrat und Gabi in die Küche gegangen war, um auch ihm eine Tasse Kaffee zu bringen: Bühler geht es schlecht, er kann sich nicht bewegen, er hat einen bösen Hexenschuß. Armer Alter.

Bauschulte ging an die Wand und betrachtete sich den in Glas gerahmten Scheck. Er schüttelte ehrlich verwundert mehrmals den Kopf, sprach aber seine Verwunderung nicht aus.

Warum bist du eigentlich hier, fragte Frank Bauschulte und sah ihn dabei nicht an, Frank sah aus dem Fenster, als würde es da wunders was zu entdecken geben.

Um etwas zu erfahren, Frank, erwiderte Bauschulte kühl. Er trat in das Zimmer zurück und tippte Frank auf die Schulter, als er fortfuhr: Ich will jetzt wissen, was ihr beide vorhabt.

Ich dachte, das wäre klar, Bauschulte, warum kommst du noch einmal und fragst.

Nichts ist klar, antwortete Bauschulte, stopfte umständlich seine Pfeife und als sie qualmte, schritt er durch das Zimmer, immer von der Tür zum Fenster, vom Fenster zur Tür ... nichts ist klar, weil ihr beide nämlich zwei verschiedene Dinge wollt ... laß mich ausreden, Frank. Du willst die Nordsiedlung erhalten, mit allen erlaubten und unerlaubten Mitteln, jedes Mittel ist dir recht, auch das der Erpressung ... Lothar aber will etwas auffliegen lassen, ein Komplott, wenn das Wort erlaubt ist ... Ihr müßt euch beide erst mal darüber klar werden, was ihr gemeinsam wollt ... du Frank ... hängst an der Nordsiedlung, die nicht mehr zu retten ist, Lothar will mehr, er will nämlich sich und anderen beweisen, daß es Kräfte in unserem Land gibt, die eines Tages, wenn man sie nicht ernst nimmt, dieses Land wieder dorthin führen, wo wir schon mal gewesen sind ... deshalb denkt Lothar weiter ... du hängst dich an etwas, das nicht mehr zu retten ist, und du weißt das, Frank, du willst es dir selber nämlich nicht zugeben ...

Bist du fertig, fragte Frank ungeduldig.

Noch nicht, Frank: Wenn du mit der Erklärung, die Balke unterschrieben hat, an die Öffentlichkeit gehst, wird Balke zurücktreten, ganz klar, zurücktreten müssen, und die, die mit drinhängen auch. Es wird Staub aufgewirbelt. Aber alles in allem bleibt es ein schmieriger Korruptionsvorgang, wie er jeden Tag irgendwo in diesem Lande passiert ... Es wird ein neuer Vorsitzender der Nordbau AG gewählt und es sitzen neue Stadtverordnete im Stadtparlament. Und nichts hat sich geändert ... nichts für die Nordsiedlung, die nicht mehr zu retten ist, nicht mit Balke und nicht ohne Balke. Deshalb muß das Nest in Werl erst ausgehoben werden, bevor du mit dem Schreiben an die Öffentlichkeit gehst, denn das eine hängt mit dem anderen ganz eng zusammen. Begreif das endlich, Frank.

Eine Wallfahrt nach Werl, fragte Frank ironisch. Sonderbare Heilige seid ihr, ausgerechnet nach Werl.

Frank, du mußt jetzt mitspielen, sagte ich, Bauschulte hat recht, im Getränkelager in Werl liegt der Schlüssel, ich habe es dem Bauschulte schon erzählt, dir auch, was Claudia mir berichtet hat, aber du hast ja immer nur an deine miese Erpressung gedacht ... jawohl, es gibt eine Wallfahrt nach Werl, wenn du so willst, warum nicht. Aber unsere Wallfahrt hat das Ziel, daß wir ein Nest ausheben, ein gefährliches Nest.

Damit es dich beruhigt, Frank, warf Bauschulte ruhig und in einem versöhnlichen Ton ein, ich habe einen guten Freund im Präsidium, den habe ich eingeweiht, dem habe ich alles gesagt ... das, was wir wissen und nicht das, was die Zeitungen wissen sollen.

Und wie stellt ihr euch das praktisch vor, fragte Frank zweifelnd. Ich erklärte: Bühlers Frau hat zwei Fahnen und zwei Standarten genäht ... eine Fahne kennst du ja, die hatte Bühler dem Balke um den Leib gewickelt ... wir mieten uns einen Wagen und fahren damit nach Werl und heben das Lager aus. Claudia hat mir genau geschildert, wo es ist. Und dann fahren wir mit den Kisten nach Dortmund zurück ... Und haben Öffentlichkeit hergestellt, denn wir werden nicht zu übersehen sein ... mit den Fahnen. Und unseren Fund kann niemand unter den Teppich kehren, schon gar nicht unter den Teppich, unter dem sie vorgeholt worden sind ... kapiert ... für diese Fahrt müssen wir einen Pritschenwagen mieten.

Pritschenwagen mieten, rief Frank, was denn, Balke hat doch genug Autos, in allen Größen. Ich bin dabei. Ihr helft mir und ich helfe euch. Und trotzdem, es ist verrückt, total verrückt, was ihr euch da ausgeheckt habt ... das wird mir meinen Kopf kosten in der Partei, das ist so sicher wie das Amen in der Kirche.

Wir holten Bühler von zu Hause ab, wir mußten ihm auf den Pritschenwagen helfen, weil er mit seinem Hexenschuß kaum laufen konnte. Unser Zureden, im Bett zu bleiben, hatte ihn nur noch störrischer gemacht, er sagte, und das konnten wir nicht widerlegen und wollten es auch nicht, er sei vom ersten Tag an dabeigewesen und er wolle auch am letzten Tag dabeisein.

Die Fahnen, die seine Frau genäht hatte, hatte Bühler in einen Plastiksack gestopft und Frank hatte ihn auf die Pritsche geworfen. Bühler lehnte sich während der Fahrt an den weichen Sack. Die beiden Stangen für die Standarten hatte Bühler selbst angefertigt aus zwei alten Gardinenstangen, die bei ihm seit zwanzig Jahren im Keller standen und die niemand haben wollte, weil sie unmodern geworden waren.

Frank, der den Wagen fuhr, hatte ihn von Balkes Fuhrpark besorgt: Er hatte dem Fahrleiter, den er gut kannte, vorgelogen, daß er von Balke komme und einen VW-Pritschenwagen brauche, der Fahrleiter gab ihm arglos Zündschlüssel und Wagenpapiere.

Frank, Bauschulte und ich hatten uns lange darüber beraten, ob wir den Pfarrer in unseren Plan einweihen sollten. Da er uns aber in der Vergangenheit so viel geholfen hatte, wäre es ihm gegenüber nicht fair gewesen, unsere Fahrt zu verschweigen. Ich hatte es dem Pfarrer erzählt, er wollte dabei sein.

Der Pfarrer trug eine hellblaue Hose und ein weißes Hemd, als er sich neben Frank in das Führerhaus setzte, und er sagte: Kein guter Tag heute. Es sieht nach Gewitter aus.

Frank fuhr auf der alten Bundesstraße eins nach Werl und bog wenige Kilometer hinter Unna ab und fuhr auf einer schmalen Straße Richtung Süden zum Haarstrang. Auf der Höhe des Haarstrangs angekommen, lenkte er den Wagen in einen Feldweg und hielt wenige Meter weiter an.

Frank stieg aus.

Ich fragte erstaunt von der Pritsche: Frank, was ist los.

Frank steckte sich eine Zigarette an und rauchte hastig.

Ich weiß nicht, Lothar, mit kommt das plötzlich nicht geheuer vor. Der Weißmann in Werl ist doch nicht blöd. Wenn der Balke was gerochen hat, dann hat er Weißmann längst informiert. Und Lothar, da ist immer noch deine Tochter ... Da ist alles vergeblich. Wir finden ein leeres Nest, wir machen uns selbst zum Narren. Nein, Leute, das geht nicht, wir sind doch keine Kinder mehr ... warum sind wir darauf nicht früher gekommen, der Weißmann lebt doch nicht in den Tag wie ein Träumer, der hat das doch mit den zurückgelassenen Kisten auch in der Zeitung gelesen ... wenn er der ist, für den wir ihn halten, dann ... Frank steig ein, sagte ich. Wir können nicht mehr zurück ... Um Claudia mach dir keine Sorgen, die ist in Sicherheit. Fahr. Auf dem Feldweg kam uns ein Traktor entgegen und der Bauer winkte aufgebracht, weil wir ihm den Weg versperrten. Frank stieg ein und fuhr rückwärts auf die schmale Straße zurück, der Bauer folgte uns dichtauf mit seinem Traktor und schrie etwas, das ich allerdings nicht verstehen konnte.

Frank fuhr wieder auf der Bundesstraße eins und direkt nach Werl. Zwei vollbeladene Getränkewagen verließen den Hof, als wir vor der großen, mit Eternit bedachten Lagerhalle hielten.

Die blaugelben Lieferwagen trugen die Aufschrift: Mensch sei schlau, trink bei gelb und blau.

Ich hatte Weißmann nur einmal gesehen, aber ich erkannte ihn sofort wieder, sein unförmiger Bauch, der über den Gürtel hing, und seine Brille mit den dicken Gläsern.

Weißmann war aus der Lagerhalle getreten und sah uns erstaunt entgegen, als Bauschulte und ich von der Pritsche sprangen.

Frank war ausgestiegen und entschlossen auf Weißmann zugegangen: Balke hat uns geschickt. Wir müssen die Kisten zum Teutoburger Wald fahren, es eilt ... nach der Pleite auf dem Friedhof in Dortmund.

Ich rauchte erregt. Was passierte jetzt. Es muß doch etwas passieren, diese Ruhe war unheimlich.

Weißmann musterte uns und sah dann zu seinem Wohnhaus hinüber, als störte ihn dort etwas.

Wir wollen hier nicht anwachsen, mahnte Frank zudringlich.

Was soll das, erwiderte Weißmann unfreundlich, da könnte jeder kommen und Waren abholen. Ich kenne Sie überhaupt nicht, weisen Sie sich erst mal aus.

Und Weißmann sah mich prüfend an.

Ob er mich erkennt, dachte ich. Das wäre nicht gut für uns. Ich wendete mich ein wenig ab.

Der Balke kann die Ware nicht abholen lassen, das ist gegen die Abmachung. Was soll die Ware auf dem Bauernhof. Diese jungen Tölpel dort ... der Balke kann mir doch nicht wildfremde Leute auf den Hals schicken, er hätte mich vorher anrufen müssen, so geht das nicht, das ist gegen die Abmachung ... wer seid ihr eigentlich ... verlaßt mein Grundstück.

Wir sind Luigis Nachfolger, sagte ich einfach so dahin.

Mit Weißmann ging eine Veränderung vor. Er zuckte zusammen und seine Hände griffen ständig ineinander über, er sah wieder zu seinem Wohnhaus, als erwartete er von dort Hilfe, er sah in den Himmel und dann sah er mich direkt an: Fahren Sie ab, Mann, fahren Sie, flüsterte er tonlos.

Balke hat uns geschickt, erwiderte Frank dreist, die Ware abzuholen. Ohne Ware gehen wir nicht vom Hof. Wenn Sie uns das Zeug nicht freiwillig geben, dann holen wir es uns ... Wir haben nämlich unsere Zeit auch nicht gestohlen ... wir müssen noch zum Teutoburger Wald, und wenn wir nicht pünktlich kommen, werden die Leute dort unruhig ... Sie wissen doch wie das ist, sagte Bauschulte, der dabei Weißmann immer wieder mit dem Zeigefinger seiner rechten Hand vor die Brust stieß.

Kommt, Leute, rief Bauschulte.

Bauschulte stieg in den Wagen, startete und fuhr ihn in die Halle, in der gelbe und blaue Getränkekästen bis zur Decke gestapelt waren.

Was hilft das, dachte ich, von Claudia wußte ich lediglich, daß unter einem Betondeckel die gestapelten Kisten liegen, wenn wir den Deckel finden wollten, mußten wir alle Kisten umstapeln, und dazu brauchten wir mindestens einen halben Tag, trotz dreier Gabelstapler, die in der Halle herumstanden.

Auf dem asphaltierten Hof flimmerte die Hitze, das Gewitter kündigte sich an. Weißmanns Hemd spannte sich über seinem Bauch und er wischte sich mit einem weißen Tuch dauernd den Schweiß vom Gesicht. Er war ratlos.

Der Pfarrer, der ebenfalls von der Pritsche gesprungen, uns aber nicht in die Halle gefolgt war, stand hilflos neben Weißmann.

Ob er den Schwindel gerochen hat, fragte ich Bauschulte in der Halle und wies hinaus auf den Hof.

Frank sah sich verwirrt um: In der Halle hier ist es, wie wenn du eine Nadel im Heuhaufen suchen wolltest, sagte Frank, und er war wütend, und ungehalten rief er nach draußen: Weißmann, nun kommen Sie endlich, wir wollen aufladen.

Frank, ich habe das Gefühl es geht schief, sagte ich, dann packte mich die Angst.

Es wird nicht schiefgehen, mach dir nicht in die Hose ... hast du gesehen, Luigi hat ihn getroffen ... es ist dir wohl nur so rausgerutscht ... egal, das hat gesessen, sagte Frank, ohne sich aus der Ruhe bringen zu lassen.

Mißtrauisch schlurfte Weißmann zu uns in die Halle und der Pfarrer folgte ihm, und ich fürchtete mich davor, einer der Getränke-wagen könnte plötzlich zurückkehren, um Leergut abzuladen, Getränke aufzuladen.

Kommen Sie endlich, Weißmann, Gabelstapler kann ich selber fah-ren, und Frank boxte Weißmann freundschaftlich in die Seite. Als Weißmann nicht antwortete und auch nicht erkennen ließ, uns zu helfen, setzte sich Frank auf einen Gabelstapler und ließ den Mo-tor an, er fuhr direkt auf Weißmann zu, der erschreckt zur Seite sprang. Frank lachte.

Kommen Sie da runter, schrie Weißmann.

Frank ließ den Gabelstapler sich schnell wie ein Karussell drehen und mitten in einer Drehung stoppte er, sprang vom Sitz und baute sich vor Weißmann auf.

Hören Sie, ich, wir wollen hier nicht anwachsen. Wo soll ich absta-peln . . .

Da rannte Weißmann zum großen Tor und drückte dort an der Wand auf einen großen blauen Knopf, das Leichtmetalltor schloß sich langsam und geräuschlos, wir staunten, Weißmann kehrte um und wies auf einen Stapel gelber Getränkekisten, die seit längerer Zeit nicht mehr bewegt worden waren, denn sie waren staubig. Frank begann nun immer zweimal acht Kisten auf einmal abzutra-gen, dabei fuhr er so geschickt, als hätte er sein ganzes Leben nichts anderes gemacht.

Weißmann stand neben dem Pfarrer und sah unentwegt auf die Stahlkonstruktion an der Wand.

Als Frank nach einer Viertelstunde, ohne einen Blick auf seine Umgebung, die letzten Kästen vom Betonboden abgetragen hatte, sahen wir ein Viereck von etwa zwei mal zwei Meter Länge, bo-dengleich und betonfarben. Frank sprang von seinem Stapler und wir betrachteten neugierig das Viereck, als gäbe es wunders was zu entdecken.

Aufmachen! rief Frank.

Doch als ich mich umdrehte, sah ich Weißmann, wie er gerade durch eine schmale Seitentür verschwinden wollte. Frank setzte ihm mit großen Schritten nach und erreichte ihn gerade noch in dem Moment, als er ihm die Tür vor der Nase zuschlagen wollte und führte Weißmann, der sich heftig sträubte, zum Viereck zu-rück. Frank packte Weißmann am Nacken, alles an dem dicken Mann bebte, und er rang nach Luft.

Frank sagte ruhig: Das könnte dir so passen. Abhauen und uns hier einsperren.

Ich wollte doch nur zu meiner Frau, japste Weißmann und er tat mir auf einmal leid. Mein Gott, wenn man so dick ist und so dicke Gläser tragen muß.

Aufmachen, sagte Frank in einem Ton, der keinen Widerspruch zuließ. Aber Weißmann rührte sich nicht, er stand mit geschlossenen Augen vor uns und zitterte.

Aufmachen! brüllte Frank.

Nein, antwortete Weißmann, ihr könnt mich nicht täuschen, ihr kommt nicht von Balke.

Sie können ja Dr. Wurm anrufen, hörte ich Bauschulte plötzlich sagen. Kommen Sie mit, ich wähle Ihnen sogar die Nummer.

Mensch, Weißmann, bock nicht wie ein Kind, du weißt selbst, daß die Kisten auf dem Friedhof hin sind, wir müssen jetzt an die Kisten hier ran, sonst läuft nichts mehr da oben im Wald. Oder hast du jetzt nur noch Coca-Cola im Hirn, na komm schon. Frank spielte den Kumpel.

Nein, ich mache nicht auf, nur über meine Leiche, preßte Weißmann seine Worte gequält heraus.

Ach, du willst nicht, sagte Frank gefährlich freundlich, weil du schon deine Leiche erwähnt hast ... wie wäre es denn, wenn wir Luigi rufen, der weiß nämlich, wie das aufgeht.

Wieder überfiel Weißmann ein Zittern und er schwitzte heftiger, er holte endlich aus seiner Hosentasche einen Schlüsselbund, hob an der Wand eine Plastikkappe an, von der ich glaubte, sie wäre eine abgesicherte Steckdose, er steckte einen schmalen Schlüssel in den Schlitz, drehte einmal nach links und dann zweimal nach rechts, und wir staunten: das Viereck begann sich plötzlich an einer Seite zu heben, lautlos und zeitlupenartig.

Da hörte ich Bühler sagen: Wie im Kino.

Wir waren alle verblüfft, denn auf so etwas war wohl keiner vorbereitet.

Die Abdeckung hatte sich so weit gehoben, daß sie in einem Winkel von fast neunzig Grad zum Fußboden senkrecht stand, das Viereck war etwa einen halben Meter dick, aus Metall und mit Beton ummantelt.

Mein Gott, sagte Bühler, wie im Kino.

Weißmann zog den Schlüssel aus der Dose und ließ den Plastikdeckel darüber klappen. Bauschulte deutete auf das dunkle Loch: Was ist das? Weißmann holte erst tief Atem, bevor er antwortete: Ein atomsicherer Bunker. Weißmann sagte das nicht ohne Stolz ... Den habe ich mir bauen lassen, bevor die Getränkehalle gebaut worden ist. Hat eine Menge Geld gekostet. Die Abdeckung hebt sich hydraulisch, ein technisches Wunderwerk ... nicht wahr.

Steig runter, forderte ihn Frank auf und schob Weißmann vor sich her. Weißmann stieg auf einer schmalen Leichtmetalltreppe in das dunkle Loch hinunter und wenige Sekunden später wurde es unten taghell.

Bühler würgte ein heftiger Hustenanfall, so daß ich ihn stützen mußte, er krümmte sich und stöhnte auf vor Schmerzen.

Setz dich ins Führerhaus, riet ich ihm.

Er befolgte den Rat, und der Pfarrer blieb bei ihm.

Bauschulte und ich stiegen nach unten.

Der unterirdische Raum war weit größer, als das Viereck ahnen ließ, Wände, Fußboden und Decke waren mit einem mattglänzenden Metall verkleidet, sonst aber war der Raum kahl, nur an einer der etwa zehn Meter langen Wände lagen Kisten unterschiedlicher Länge und Breite. Unsere Kisten.

Ich habe noch nicht das Geld aufbringen können, um den Bunker nach Vorschrift einzurichten. Das kostet eine Menge Geld. Was da alles noch rein muß: Dauerkonserven für ein halbes Jahr, Sauerstoffvorrat für ein halbes Jahr, Lichtaggregate, Lüftungsleitungen, Betten, Geschirr, Toilettenabzug, aber sonst ist alles angeschlossen, Licht, Wasser ... alles nach Vorschrift.

Der gesamte Raum wurde durch ein angenehmes indirektes Licht erhellt, es kam mir vor, als strahlte das Licht durch die Metallverkleidung, ich war ein paar Minuten so verwirrt, daß ich einfach zu fragen vergaß, wie Weißmann auf diese Idee eines atomsicheren Bunkers gekommen war.

Möchte nicht da unten wohnen, sagte Frank gezwungen schnodderig, aber es war auch ihm anzusehen, daß er bedrückt war.

Wenn man gezwungen wird, muß man, antwortete Weißmann und strich fast zärtlich über die Metallverkleidung und ihm war anzusehen, wie stolz er auf das war, was er uns zeigte und erklärte.

Man muß das Leben sicher machen in diesen unsicheren Zeiten, sagte Weißmann, man muß alle Möglichkeiten ausschöpfen, damit man sich hinterher nichts vorzuwerfen hat. Wenn ich den Bunker nach Vorschrift eingerichtet habe, dann werden meine Frau und ich das eine oder andere Wochenende hier unten verbringen, einfach testen für den Ernstfall, man kann nie wissen ...

Wir drei sahen uns ungläubig an, Bauschulte stand mit offenem Mund vor mir und Frank tippte sich an die Stirn und schüttelte den Kopf.

So, für den Ernstfall, versuchte Bauschulte zu scherzen, aber auch er quälte sich diese Worte heraus.

Frank packte sich die erstbeste Kiste und trug sie auf der Schulter nach oben. Wir bildeten eine Kette: Bauschulte reichte sie von unten hoch, ich nahm sie halb auf der Treppe, der Pfarrer trug sie zum Wagen und Frank schichtete sie auf der Pritsche. Er stapelte die Kisten so, als müßte er einen Kreuzverbund mauern.

Nach einer Viertelstunde lagen alle Kisten aus dem Bunker auf dem Wagen, die Kisten waren verschieden schwer, die längeren leichter als die kleinen viereckigen, und als mir Bauschulte zurief, es sei nun die letzte Kiste, stiegen Frank und ich wieder in den Bunker hinunter.

Weißmann stand stolz in seinem Bunker. Der neue leere Raum wirkte größer und die mattglänzenden Metallwände machten ihn trotzdem warm.

Frank stieß Weißmann freundlich an: Wir fahren jetzt, mach das Tor auf, damit wir rausfahren können.

Weißmann folgte uns nach oben. Er sah mich weiter prüfend von der Seite an, sagte aber nichts.

Bühler hatte sich gegen unseren Rat wieder auf die Pritsche gesetzt und der Pfarrer, der während dieses ganzen Unternehmens kein Wort gesprochen hatte, kauerte sich neben Bühler an die geschichteten Kisten.

Frank und Bauschulte stiegen ins Führerhaus, ich lief zum Hallentor und drückte dort den großen blauen Knopf, wie ich es Weißmann abgesehen hatte. Langsam und lautlos öffnete sich das Tor, es lief auf Gummirollen.

Als Frank im Schritt durch das Tor fuhr, sprang ich hinten auf die Pritsche. Die Schwüle trieb mir den Schweiß ins Gesicht, über uns stand das Gewitter. Es begann zu blitzen.

Auf dem Hof standen nebeneinander aufgereiht vier gelbblau lakkierte Getränkeautos, eine ältere Frau schrubbte die Eingangsstufen zum Wohnhaus.

Und als Frank auf die Straße einbog, sah ich Weißmann in dem großen Hallentor stehen. Ein einsamer Mensch.

Er wurde immer kleiner.

Kurz vor Unna trommelte ich mit beiden Fäusten an das Rückfenster des Führerhauses. Bauschulte drehte sich um, und ich gab ihm ein Zeichen, daß Frank halten sollte, denn Bühlers fortwährendes Stöhnen hatte mich beunruhigt. Seit Werl lag er apathisch auf dem Plastiksack mit den Fahnen.

Frank hielt auf einem Parkstreifen, stieg aus und sah mich fragend an: Was ist los, Lothar.

Ich wies auf Bühler. Aus beiden Mundwinkeln lief ihm Speichel. Wir sollten ihn erst zu Hause absetzen, sagte ich und sah besorgt auf den Alten, der nicht mehr an dem teilzuhaben schien, was um ihn her vorging.

Zum Nachhausefahren ist es jetzt zu spät, sagte Bauschulte entschieden, der ebenfalls ausgestiegen war, um nachzusehen, warum ich um einen Halt gebeten hatte, und der nun ebenfalls besorgt über den Pritschenrand guckte ... Lothar, meine Leute warten, wir sind sowieso schon zu spät dran.

Achselzuckend stieg Frank mit Bauschulte ein und fuhr weiter. Ich setzte mich neben Bühler und nahm ihn um die Schulter, ich sah den Pfarrer fragend an, aber er machte nur eine hilflose Gebärde, als wollte er sagen: Ich kann auch nichts machen. Bühlers Hemd war naß und klebte auf der Haut.

Frank bog hinter Aplerbeck von der vierspurigen Straße in den Nußbaumweg ein und stoppte am Sportplatz der englischen Armee, nicht weit vor der Wambeler Pferderennbahn.

Frank und Bauschulte sprangen zu uns auf die Pritsche, ich half ihnen, Bühler vom Plastiksack zu heben und in eine andere Ecke zu legen.

Er hätte zu Hause bleiben sollen, sagte Frank ungehalten.

Jetzt ist er aber hier, erwiderte ich. Wärst du zu Hause geblieben? Ich war auf Frank wütend.

Frank und Bauschulte steckten die beiden Standarten, die sie vorher in die Stangen verschlauften, in die Laschen links und rechts am Führerhaus und dann die beiden Stangen mit den Fahnen in die Laschen an der Rückfront der Pritsche.

Bauschulte blieb bei uns auf dem Wagen.

Einige Autos waren vorbeigefahren, hatten scharf gebremst, und die Insassen hatten uns verwundert betrachtet, waren aber weitergefahren, keiner hatte angehalten und gefragt, was wir da machten.

Frank stieg ein und fuhr langsam weiter, er fuhr nicht einmal fünfzig, was auf dem Hellweg erlaubt war.

Unser fahnengeschmücktes Auto erregte sofort Interesse, als wir auf dem Hellweg Richtung Innenstadt fuhren. Mein Gott, dachte ich, als ich die erstaunten, ungläubigen Gesichter der Passanten sah, was wir tun, das ist verrückt. Wir fuhren mit verbotenen Fahnen durch eine Stadt, in der es unerträglich schwül geworden war. Wir fuhren in die belebte Innenstadt zum Haus des Dr. Wurm.

Wir hatten uns blind auf Bauschulte verlassen, dessen alter Freund im Präsidium uns Rückendeckung und freies Geleit versprochen hatte.

Diese Fahnenfahrt war meine Idee, aber würde sie die Öffentlichkeit verstehen? Würde sie uns ernst nehmen oder für Narren halten. Ich war überzeugt, daß eine Fahrt mit verbotenen Fahnen durch die Stadt mehr für die Öffentlichkeit bringen würde als noch so gutgemeinte und empörte Artikel in den Zeitungen. Ich kniete mich auf die Pritsche, um besser sehen und besser beobachten zu können.

Nun begann der dichte Verkehr.

Frank fuhr so langsam, daß uns alle Autos hätten überholen können, aber hinter uns bildete sich eine Schlange. Wenn uns ein Auto überholte, fuhr es ein paar Meter im gleichen Tempo neben uns her. Fahrer und Beifahrer lachten, blickten ungläubig zu uns herüber, einige tippten sich an die Stirn. Passanten blieben gaffend stehen, auf den Bürgersteigen folgten Kinder und Jugendliche auf Fahrrädern und Mofas.

Fenster öffneten sich und Menschen beugten sich mit ungläubigen Gesichtern über die Fensterbrüstungen, viele blieben mit offenem Mund einfach mitten auf der Straße stehen, als sie unseren Fahnenzug ankommen sahen.

Als wir an der Hamburger Straße angekommen waren und Frank an einer Ampel halten mußte, hörte ich aus Richtung Kaiserbrunnen Heil! Heil! rufen.

Ein älterer Mann auf dem Bürgersteig drohte zum Wagen und schrie: Gangster.

Eine Frau rief uns zu: Zu welchem Verein gehört ihr denn? Habt ihr Handzettel?

Je näher wir der Innenstadt kamen, desto mehr drohten uns Passanten.

Die Jugendlichen auf ihren Fahrrädern und Mofas bildeten um unser Auto einen Pulk und behinderten die Straßenbahnen, die Fahrgäste sahen ungläubig und verstört durch die Fenster und machten sich gegenseitig auf uns aufmerksam.

Bauschulte stand aufrecht auf der Pritsche und hielt sich an einer

Fahnenstange fest, der Pfarrer lehnte an den Kisten, als gehörte er nicht zu uns.

An der Reinoldikirche fuhr vor uns der erste Polizist auf einem Motorrad. Er sagte etwas in sein Sprechfunkgerät, ließ sich zurückfallen und rief Frank etwas durch das geöffnete Wagenfenster zu. Dann fuhr er wieder vor uns her.

An der Ampel gegenüber der Reinoldikirche stürzten mit Gejohle Jugendliche auf die Fahrbahn und versperrten uns den Weg: sie hakten sich ein und bildeten über die Fahrbahn eine Kette. Als der Polizist auf dem Motorrad sie aufforderte, die Straße freizugeben, schrien sie im Chor: Nazis raus aus unserer Stadt! Polizei schützt Nazis und prügelt Sozis!

Plötzlich tauchten fünf Polizisten auf schweren Motorrädern auf und trieben die Jugendlichen rücksichtslos auseinander. Sie lösten sich auf und einige versuchten auf unseren Wagen zu klettern, aber da die Motorräder vor uns einen Keil gebildet hatten, hatte Frank bis zur Lindemannstraße freie Fahrt.

Hinter uns hörte ich den empörten Schrei der jungen Leute: Polizei schützt Nazis, Polizei knüppelt Sozis!

Der Schrei tat mir weh.

Wenn wir nur bald da wären, dachte ich verzweifelt, so muß früher Menschen zumute gewesen sein, die zum Spießrutenlaufen verurteilt worden waren. Der Pfarrer hielt Bühlers Hand, und mir taten die Menschen leid, die empört oder amüsiert unserem Fahnenzug entgegensahen oder ungläubig hinterher starrten.

Endlich fuhren wir in den Neuen Graben ein und hielten vor Dr. Wurms Haus.

Ich war entsetzt und beruhigt zugleich.

Vor Dr. Wurms Haus parkten drei Polizeifahrzeuge, die meisten Fenster im Neuen Graben waren geöffnet, denn die Polizisten, die lange auf uns gewartet hatten, hatten die Neugierde der Anwohner und Nachbarn geweckt.

Als sie die Fahnen an unserem Auto bemerkten und als die Polizisten aus ihren Fahrzeugen sprangen und uns einkreisten, klatschten einige und riefen «Bravo».

Sie mußten zu Recht glauben, die Polizei habe auf uns gewartet, um uns festzunehmen.

Bauschulte sprang als erster vom Wagen und begrüßte vor der Haustür einen älteren Beamten in Zivil, der ihn um zwei Köpfe überragte und der offensichtlich Bauschultes Freund aus dem Präsidium war. Der Mann sagte: Eine Stunde Verspätung.

Aber jetzt sind wir hier ... An der Reinoldikirche wurde es brenzlig. Zwei Polizisten führten Dr. Wurm aus dem Haus.

Erleichtert lehnte ich mich auf Franks Schulter: Frank, auf Bauschulte ist immer noch Verlaß ... aber noch einmal möchte ich das nicht machen ... nicht noch einmal. Es war gespenstisch. Ich sah mich nach Bühler und dem Pfarrer um. Ich rief: Bühler, du alter Halunke, komm runter, es ist alles vorbei.

Frank und ich traten an den Wagen. Ich sah auf die Pritsche. Der Pfarrer hielt Bühlers rechte Hand und sagte: Der alte Mann ist tot.

Wie mußte Menschen zumute sein, die wußten, daß sie ihr eigenes Grab schaufelten und wenige Minuten später zum Sterben verurteilt waren; hat je einer darüber geredet.

Sie hatten dazu keine Zeit mehr.

Ich hob Bühlers Grab aus, und nach jeder dritten Schaufel ruhte ich mich aus, ich war müde geworden, mir war, als schaufelte ich mein eigenes Grab.

Bühler war so alt wie das Jahrhundert, er hatte das Leben bejaht, und morgen wird er begraben.

Der Pfarrer saß auf der Einfassung des Nachbargrabes und sah mir bei meiner Arbeit zu. Schweiß lief mir über den nackten Oberkörper und staute sich am Hosenbund. Jedesmal wenn ich eine Schaufel Erde über die Randung warf, sah ich den Pfarrer sitzen und unbeteiligt in die Bäume starren.

Wo ist die Barmherzigkeit, Herr Pfarrer, fragte ich.

Im Tod, antwortete er, ohne zu zögern.

Morgen wird hier eine Bergmannskapelle in schwarzen Uniformen das Lied vom guten Kameraden spielen. Er wollte nicht verbrannt werden, er hatte sich eine einfache Granitplatte gewünscht mit Namen, Geburts- und Sterbejahr.

Der Pfarrer war aufgestanden, an das Grab getreten und sah zu mir hinunter. Ich blickte zu ihm hoch und wollte fragen, warum seiner Überzeugung nach der Tod eine ernste Angelegenheit wäre.

Aber ich sagte nur: Der Mai wird kühl werden.

Ich machte eine Pause. Kommen Sie, Herr Pfarrer, und ich wies zu meinem Aufenthaltsraum.

Er begleitete mich zu meiner Bude, und als ich eintrat, sah ich die

Blechschachtel auf dem Tisch liegen, in der Bühler seinen Kauta-
bak aufbewahrt hatte. Da erst wurde mir bewußt, daß er auf der
Fahrt nach Werl und zurück nicht geprimt hatte. Ich nahm die
Schachtel und warf sie in den Abfalleimer.

Bleiben Sie noch, Herr Pfarrer, sagte ich und hielt ihn zurück, ich
will Ihnen noch etwas sagen. Ich will Ihnen sagen, daß ich kündi-
ge. Wenn Bühler morgen unter der Erde ist, werde ich meine Arbeit hier aufgeben, Leute wie ich werden wieder gebraucht, ich
weiß nur nicht, wie lange.

Der Pfarrer war nicht erstaunt über meine Kündigung, er nickte
nur vor sich hin, als hätte er sie erwartet.

Ich kann Sie nicht hindern, Herr Steingruber, aber ich bitte Sie
herzlich, Ihren Vertrag einzuhalten. Sie haben eine vierwöchige
Kündigungszeit.

Für diese vier Wochen nehme ich meinen Urlaub, sagte ich.

Ist das fair mir gegenüber, fragte er.

Sie müßten mich doch am besten verstehen, Herr Pfarrer. Ich
schaufle morgen Bühlers Grab zu ... Sie finden schon jemanden,
Sie finden für mich Ersatz, es gibt genug, die herumlaufen und
nach Arbeit suchen ... nicht nur Zwielichtige, auch solche, auf die
man sich unbedingt verlassen kann.

Wir traten vor die Tür.

Wissen Sie, Herr Steingruber, die fünf Stunden auf dem Präsidium, das waren die denkwürdigsten meines Lebens. Manchmal
kam ich mir vor, als die Polizei das Protokoll aufnahm, als wäre
ich der Angeklagte und nicht einer, der mitgeholfen hat, diesen
Saustall aufzudecken ... Aber es hat sich gelohnt, Hauptsache, daß
die das jetzt weiterverfolgen, ich meine die, die uns vernommen
haben ... Die Zeitungen sind voll ... hoffentlich werden sie voll
bleiben, damit andere nicht einschlafen und etwas begreifen ...

Die fünf Stunden, Herr Pfarrer, die habe ich schon vergessen. Ich
lief mit ihm zum Haupttor am Leichenschauhaus vorbei, wo Bühler aufgebahrt lag, gestorben an Herzversagen, so der ärztliche
Befund.

Als der Pfarrer sich von mir verabschiedete, sagte ich: Ich werde
morgen das Grab auf seine vorgeschriebene Tiefe bringen. Morgen
ganz früh.

Er lief hinüber zum Pfarrhaus, sein Schritt war fest.

Ich sah ihm nach, ich dachte: Es sollte mehr Menschen geben, die
so sind wie er, die das tun, was sie für richtig halten, und nicht
fragen, was die übergeordnete Dienststelle sagen würde.

Weit drüben sah ich einen Kran schwenken und Lasten heben. Es muß schön sein, auf einem Kran zu sitzen und die Welt von oben zu sehen und Häuser, die wachsen.

Helen hatte im Wohnzimmer alle Zeitungen ausgebreitet, die zum Teil in Schlagzeilen über unseren Fahnenzug berichteten, wir lasen uns gegenseitig aus den Zeitungen vor, insbesondere das Fettgedruckte oder die Worte, die besonders hervorgehoben wurden:

Ungewöhnliche Aktion! . . .

Gibt es Rechtsradikalismus in Deutschland . . .

Ist der Fund ein böser Jungenstreich oder ein Symptom?

Einzelfall oder Spitze eines Eisberges . . .

Ist der Bundesverfassungsschutz blind? . . .

Wühlarbeit der Rechten . . .

Wieso spielen zwei Zivilisten, ein pensionierter Kriminalbeamter, ein Invalide und ein Pfarrer in unserem Lande Geheimpolizei . . . Wir erinnern daran, daß unsere Zeitung vor Monaten schon darüber berichtet hat, daß jüdische Mitbürger beschimpft werden . . .

Wer steht wirklich hinter den Waffengeschäften . . .

Politiker! Wacht auf! Noch ist es nicht zu spät . . .

Gibt es wirklich eine rechte Gefahr? Die Fahnenaktion, irre in ihrer Ausführung, ist dennoch nur der Spaß von Leuten gewesen, die sich und uns die rechte Gefahr einreden wollen. Unsere Demokratie funktioniert . . .

Ein Friedhofswärter und ein Maurer, unterstützt von einem linksradikalen Pfarrer, machen in Panik . . .

Gibt es in unserem Lande wirklich Neofaschisten? Sagt der Waffenfund, erst auf dem Friedhof, dann in einem Getränkelager, tatsächlich etwas über rechte Gefahr aus . . .

Wer gab diesen Leuten die Erlaubnis, mit verbotenen Fahnen durch die Lande zu fahren . . . Wer hat sie gedeckt, wer in den roten Rathäusern ist dafür verantwortlich . . . Ein Fall für die Kriminalpolizei oder ein Fall für die politische Polizei . . .

Wir brauchen mehr solcher mutiger Männer . . .

Wer verführt wirklich die Jugend, wem gehört der Bauernhof in den Wäldern des Teutoburger Waldes . . .

Es klingelte, und wenig später stand Claudia im Zimmer. Sie deutete auf die Zeitungen und sagte: Es muß böse gewesen sein, Vater. Ich habe alles gelesen, Herr Schwinghammer hat mir alle Zeitungen zum Lesen gebracht ... ich bin froh, daß alles ins Rollen gekommen ist ... Und dann wird man auch über Luigi sprechen, wenn es zum Prozeß kommt ... es wird doch zum Prozeß kommen, Vater.

Ich starrte lange auf die Zeitungen und auf einzelne Worte, die so groß und fett gedruckt waren, daß sie sogar meinen Augen weh taten, einige Artikel verstand ich überhaupt nicht, weil die Artikelschreiber nichts kapiert hatten, einige berichteten so, als hätten wir das alles nur zum Spaß gemacht, sie beschäftigten sich mehr mit unserem Fahnenzug als mit den Tatsachen, die zu diesem Fahnenzug geführt hatten.

Ich werde nicht mehr lange in Hagen bleiben, sprach Claudia weiter. Ich hatte Mühe, das voll zu verstehen, was sie sagte: Das Haus in Hagen geht mir auf die Nerven. Ich bin dort eingesperrt, die Freundlichkeit der Leute geht mir auf die Nerven, ihre Fürsorge, ich kann keinen Schritt tun, ohne daß er beobachtet wird ...

Claudia, unterbrach ich sie, ich habe dich bei Schwinghammers abgeliefert, und sie haben nicht gefragt, warum, weshalb. Und das ist schon etwas in unserer Zeit, wenn man nicht gefragt wird.

Aber jetzt fragen sie, und Claudia deutete auf die Zeitungen, die Helen einzusammeln begann ... Ich habe heute morgen von Mutter am Telefon erfahren, daß Frank heute abend in der «Linde» Rede und Antwort stehen muß, da will ich dabeisein.

Nein, antwortete ich, bleib hier. Wenn es zum Prozeß kommt, dann hast du genug Gelegenheit zu reden ... mehr als dir lieb sein wird. Und du wirst reden.

Mir war jetzt nicht nach Auseinandersetzungen, und ich lief über den Fußweg zu Bauschulte. Er war nicht im Gewächshaus, sondern winkte mir vom Fenster seines Wintergartens, als ich über den Zaun stieg. Auch sein Wintergarten glich einem kleinen botanischen Garten.

Er kam mir auf halbem Weg entgegen und hielt eine Zeitung in der Hand: Meine Kollegen haben in den nächsten Wochen noch ganz schön zu tun, wenn sie bis zum Grund vorstoßen wollen ... Mir tun nur die jungen Leute leid, die auf Balke und Wurm hereingefallen sind.

Bauschulte, ich habe gekündigt. Der alte Bühler ist mein letztes Grab ... Ich kann den Friedhof nicht mehr sehen.

Wir liefen, ohne daß wir uns abgesprochen hatten, den Weg über die nun grünen Felder, den ich so oft mit Frank gegangen bin. Am Himmel klebten Lerchen, und ein Schwarm Tauben ließ sich auf dem Dach einer alten und baufälligen Scheune nieder.

Achtunddreißig junge Leute haben sie bis jetzt festgenommen, sagte Bauschulte, und die Traurigkeit war nicht zu überhören, mit der er es sagte. Und jetzt wird sich zeigen, ob Balke und Wurm und die anderen der Eisberg gewesen sind – oder nur die Spitze des Eisbergs ... Mein Gott, Lothar, die armen jungen Leute.

Ja, Claudia hat Gott sei Dank noch den Absprung geschafft, gerade noch.

Lothar, jetzt kann ich dir es ja sagen: wohl war mir nicht dabei, ich habe ganz schön geflattert ... Und wenn mein Freund im Präsidium nicht gewesen wäre, dann hätten sie uns hops genommen ... Und nicht die anderen ... Ich möchte nicht wissen, wie der im Präsidium geflattert hat.

Der kleine Saal mit den zweihundert Plätzen, der sich unmittelbar an Bajazzos Gaststätte anschloß, war überfüllt. Er war durch eine breite und hohe Schiebetür von der Kneipe getrennt. Der Saal wird von örtlichen Vereinen und für kirchliche Veranstaltungen benutzt. Und die Parteien halten in der «Linde» Versammlungen ab, auch größere Hochzeiten werden dort gefeiert, Konfirmationen und Familienfeiern, wenn die Wohnung für die vielen Gäste zu klein ist.

Dicker Zigarettenqualm biß uns in die Augen, als Helen, Bauschulte und ich eintraten. Zwei ältere Frauen in weißen Schürzen und weißen Häubchen im Haar bedienten.

Ein junger Mann, den ich noch nie gesehen hatte, bot Helen seinen Platz an, Bauschulte und ich blieben direkt an der Schiebetür stehen. Es dauerte eine Zeit, bis ich mich zurechtfand, die Gesichter erkannte, die Stimmen erkennen konnte.

Am Vorstandstisch redete Frank mit einem Journalisten, der in seiner Zeitung über alles berichtete, was in unserem Stadtviertel an

Veranstaltungen ablief, selbst wenn der Hühnerzuchtverein tagte oder der Handballverein.

Eine Spannung war im Saal, die mich fast körperlich quälte, die mir den Hals zudrückte, die mich lähmte.

Frank richtete sich auf, verabschiedete den Journalisten und nahm das Mikrofon in die Hand, um die Veranstaltung zu eröffnen. Doch bevor er sich Ruhe verschaffen konnte, stand einer auf und rief ruhig in den Saal: Genossen, unser Ortsgruppenvorsitzender hat uns brandeilig zusammengetrommelt. Wer die Zeitungen gelesen hat, weiß auch warum. Aber in Anbetracht der Wichtigkeit dieser außerordentlichen Versammlung stelle ich den Antrag, Nichtparteimitglieder aus dem Saal zu weisen. Ich weiß, das ist ungewöhnlich, aber der Grund, warum wir hier versammelt sind, ist ebenfalls ungewöhnlich ... äußerst ungewöhnlich.

Ich wollte mich sogleich verdrücken, denn auf einen Rausschmiß wollte ich es nicht ankommen lassen, aber Bauschulte hielt mich zurück, er flüsterte: Du bleibst hier.

Da hörte ich Frank erregt durch das Mikrofon sagen: Ich habe, wie es seit Jahren praktiziert wird, auch die Presse eingeladen, denn unsere Arbeit ist eine öffentliche für die Öffentlichkeit. Dann müßten wir auch die Presse ausschließen ... Und das wäre weiß Gott noch ungewöhnlicher.

Derselbe Genosse, der den Antrag gestellt hatte, rief aufgebracht: Hier geht es aber, soweit ich von anderen gehört habe, um eine Personaldebatte und nicht um Sachfragen. Bei Personaldebatten ist die Presse immer ausgeschlossen worden ... und deshalb müssen jetzt auch die Nichtmitglieder aus dem Saal.

Frank mußte dem Antrag stattgeben, ich sah ihm an, daß er darüber wütend war, sich aber glänzend beherrschte. Er mußte abstimmen lassen: Nur wenige stimmten gegen den Ausschluß von Nichtparteigenossen, die Mehrheit hielt ihr blaues Parteibuch nach oben und stimmte für den Ausschluß.

Etwa zwanzig Personen verließen den Saal.

In der Gaststube setzte ich mich direkt an die Schiebetür, um mitzubekommen, was sich im Saal tat.

Bajazzo stellte mir unaufgefordert ein Glas Bier auf den Tisch, er hatte wieder sein bestes Grinsen aufgesetzt, denn das war wieder ein Abend für ihn, über den er zufrieden sein durfte: Wo geredet wird, da wird gesoffen. Sein Geschäft blühte.

Nun bedauerte ich es, nicht mehr Mitglied zu sein, als Lauscher an der Wand hatte ich keine Möglichkeit einzugreifen. Hilflos saß ich vor meinem Bier. Ein Parteibuch hätte ich jetzt bitter nötig gehabt.

Der Platz an der Schiebetür nützte mir wenig, denn ich hörte nur Laute und keine Worte. Und auch wenn die Bedienung die Tür öffnete, hörte ich nur Worte, die keinen Zusammenhang ergaben.

Ein Parteibuch müßte man haben, dachte ich und war verzweifelt, denn Bauschulte und Helen würden niemals diesen Einfluß auf die Versammlung ausüben können, daß sie eine große Mehrheit für Frank hätten bilden können.

Osman, der mir meine Unruhe ansah, kam an meinen Tisch und sagte leise: Komm mit. Nicht auffällig mitkommen, Lothar.

Ich folgte Osman durch die Gaststube.

Draußen führte er mich über den Hof in einen Anbau, der mit Gartengeräten und alten Möbeln bis zur Decke vollgestopft war. Osman nahm zwei Stühle von der Wand und ein kleines Fenster, nicht viel größer als ein Guckloch, wurde sichtbar. Er deutete darauf: Du kannst nicht viel sehen, aber hören alles. Habe voriges Jahr für Bajazzo gearbeitet, als er hat renoviert, ich kenne das alles.

Der Raum hatte früher als Hühnerstall gedient, vor Jahren, als Bajazzos Kneipe noch ein kleiner Bauernhof gewesen war. Das Fenster war schmal, es hatte wahrscheinlich den Hühnern als Ein- und Ausstieg gedient, bevor Bajazzo die Scheune zu einem Saal ausbaute, denn an der Wand lehnte noch eine alte Hühnerleiter. Die kleine Scheibe des Fensters war blau bemalt.

Ich öffnete sie und konnte in den Saal sehen und alles deutlich hören. Frank verlas gerade das Schreiben, das er Balke abgepreßt hatte.

Ein Drittel des Saales konnte ich überblicken. Einige Gesichter waren so nah, daß ich an ihnen ablesen konnte, welche Wirkung Franks Worte bei ihnen auslösten.

Ich drehte mich um. Osman war verschwunden.

Nach Franks Bericht brach nicht, wie ich erwartet hatte, ein Tumult los, es blieb still, beängstigend still. Unverständlich still.

Ich konnte Bauschulte durch das kleine Fenster sehen, er war ruhig, seine Verzweiflung war ihm ins Gesicht geschrieben. Es muß doch etwas passieren, dachte ich verzweifelt, und dann redete Frank wieder: Liebe Genossen, das war es, was ich euch mitzuteilen hatte ... Ich habe diese Versammlung einberufen, damit wir eine Resolution an die Stadtverordneten verabschieden, um den Abriß der Nordsiedlung zu stoppen ... Ihr habt gehört, mit welch schmutzigen Tricks Bewegungen eingeleitet werden, die dann Sanierung heißen ... Wir haben gehört, warum sich einige Stadtverordnete für Abriß und Neuaufbau eingesetzt haben ... Was nach dem Abriß auf dem Gelände der Nordsiedlung gebaut werden soll, bringt den Bewohnern keine Vorteile – im Gegenteil, bis zu dreihundert Prozent Mietsteigerung ... Wir haben gehört, wie menschenverachtend sich Leute verhalten, die in der Öffentlichkeit vorgeben, für das Wohl der Bürger einzutreten ... Wenn wir, liebe Genossen, glaubhaft bleiben wollen bei unseren Wählern, dann müssen wir schonungslos aufdecken, wie hier hinter den Rücken der Bürger gemauschelt wird ... Das Projekt Nordsiedlung ist ein Beweis dafür, wie Abgeordnete ihr Mandat zur persönlichen Bereicherung mißbraucht haben ... Liebe Genossen, die Zeit eilt! ... Wir müssen die anderen Ortsgruppen mobilisieren, ohne Rücksicht darauf, wie unser politischer Gegner das ausschlachten wird ... Und da war der Tumult da.

Ich bewunderte Frank. Seine Sicherheit, sein flüssiges Sprechen. Ich war stolz auf ihn, ich war stolz auf meinen Freund.

Und was war mit den Nazifahnen, rief einer, davon hast du kein Wort gesagt. Du wirst deine Gründe haben, warum du darüber hinweggegangen bist.

Die Zeitungen sind voll! rief ein anderer dazwischen.

Und dann versuchte jeder den anderen zu überschreien. Frank war plötzlich vom Ankläger zum Angeklagten geworden. Ich stand im ehemaligen Hühnerstall und hätte mir am liebsten die Haare gerauft, ich konnte Frank nicht helfen, ich hatte kein Parteibuch mehr. Wie dumm, wie kleinmütig dieser ganze Verein da drinnen ist.

Was willst du überhaupt noch hier, ereiferte sich einer, woher nimmst du eigentlich die Frechheit, uns dazu zu überreden, gegen unsere eigenen Genossen im Stadtrat vorzugehen ...

Und ein anderer: Und dann noch mit Nazifahnen durch die Stadt fahren, das ist unerhört, das ist ...

Am liebsten wäre ich durch das Hühnerfenster gekrochen, aber das Loch war nicht einmal groß genug für meinen Kopf. Ich sagte zu mir: Lothar, schrei! Schrei, was die Lungen hergeben.

Verdammt! Jetzt wo es galt, Frank zu unterstützen, stand ich an einem Hühnerdurchstieg und hörte machtlos zu, wie Frank von ein paar Schreihälsen und politischen Dummköpfen, die nichts begriffen haben und nie etwas begreifen werden, niedergebrüllt wurde.

Endlich hörte ich Frank wieder sprechen, und ich bewunderte erneut seine Ruhe: Genossen, ich kann nicht mehr sagen als das, was die Polizei der Presse mitgeteilt hat und was dann auch in allen Zeitungen gestanden hat ... Genossen, denkt doch nur einmal eine Minute richtig nach: Hier geht es doch nicht um Nazifahnen, hier geht es um den Abbruch der Nordsiedlung, eines wertvollen Wohngebietes, das aus reinen Profitinteressen geopfert werden soll, und das Opfer müssen noch die Opfer bezahlen ...

Wieder tumultartige Unterbrechung.

Und als wieder Ruhe eingekehrt war, sprach derselbe Genosse, der zu Beginn der Versammlung den Ausschluß von Nichtmitgliedern gefordert hatte und den ich noch niemals in unserer Ortsgruppe gesehen hatte, eindringlich auf die versammelten Parteimitglieder ein: Genossen, hört zu, wo kommen wir hin, wenn in Zukunft auf diese Art und Weise schmutzige Wäsche gewaschen wird. Wenn wir unsere schmutzige Wäsche waschen, brauchen wir keine Zuschauer und brauchen wir niemand von der anderen Seite, der uns das Waschmittel dazu liefert. Unser Vorsitzender hätte nicht mit Nazifahnen durch die Stadt fahren dürfen, er hätte uns, seine politischen Freunde, vorher informieren müssen, damit das erst einmal parteiintern und in den einzelnen Parteigremien beraten worden wäre ... Das ist mehr als ein Vertrauensbruch uns allen gegenüber, denn wo kommen wir hin, wenn künftig jeder auf eigene Faust Saubermann spielt, dann brauchen wir nämlich keine Partei mehr ... Ein Vorsitzender mit Nazifahnen in der Öffentlichkeit ist untragbar. Dieser Vorsitzende muß zurücktreten.

Frank hatte während dieser Rede ausdruckslos am Vorstandstisch vor dem Mikrofon gestanden, er hatte nicht einmal den Versuch gemacht, den Redner zu unterbrechen. Einer schob Frank vom Mikrofon und erwiderte nicht minder eindringlich: Genossen, ich nehme unseren Vorsitzenden in Schutz. Hier geht es doch nicht um das, was wir aus den Zeitungen wissen, hier geht es um das, was Frank uns vorgelesen hat, und um die Resolution. Es geht nicht um Nazifahnen, es geht um die Nordsiedlung und um die Korrumpierung von Stadtverordneten unserer Partei ... Ich gebe ohne weiteres zu, der Fahnenzug war ungewöhnlich, aber manchmal sind solche Auftritte notwendig, um etwas aufzudecken, wenn gewichtige Kräfte an eben dieser Aufdeckung nicht interessiert sind. Dafür müssen wir unserem Vorsitzenden dankbar sein. Ich beantrage jetzt, über die von Frank vorbereitete Resolution abzustimmen, und wir müssen für diese Resolution stimmen, denn nur so bleiben wir in den Augen unserer Wähler glaubwürdig, auch wenn es uns allen weh tut.

Nur ein paar verlorene Stimmen pflichteten dem Redner bei.

Bei der nachfolgenden Abstimmung fand Frank keine Mehrheit.

Frank rieb sich, als das Ergebnis bekanntgegeben wurde, die Augen, als erwachte er, sah gefaßt in den Saal, stand auf und ging mit festen Schritten zur Schiebetür.

Armer Frank, dachte ich.

Ich hörte Bajazzo hinter mir sagen: Komm raus, Lothar, es ist alles gelaufen ... die werden es nie lernen, weil sie Rindfleisch von Pferdefleisch nicht unterscheiden können. Ich folgte Bajazzo.

Am Tresen traf ich Bauschulte und Helen. Helen saß das Weinen in den Augen, und Bauschulte hatte ich noch nie so niedergeschlagen gesehen. Er sagte zu mir: Lothar, denk an mich, die paar Schreier waren gekauft ... glaub mir, ich bin nicht umsonst ein zweibeiniger Spürhund gewesen.

Gekauft? fragte ich verwundert. Von wem denn?

Von wem? Liegt doch auf der Hand: von unseren eigenen Leuten. Das ist für mich so sicher wie das Amen in der Kirche ... Frank durfte auf dieser Versammlung seine Resolution nicht durchbringen, denn sie wäre dann zu einer Lawine geworden, verstehst du, Lothar, und eine Lawine kann Genossen begraben, die seit Jahren an ihren Stühlen festgewachsen sind.

Bauschulte, ich kann es nicht glauben, nein, ich will es nicht glauben ... wie wollen die denn die Wahlen gewinnen, wie wollen die vor die Wähler hintreten, was wollen sie sagen. Mein Gott, Bauschulte, es gibt doch nicht nur Dumme, verdammt noch mal.

Aber Leichtgläubige, die wollen glauben, daß das alles nicht wahr ist, weil sie sonst nichts mehr glauben können.

Am Ausgang stand Bajazzo, mit der Linken hielt er das Tablett vor die Brust, wie einen Schild zum Schutz. Er gab uns allen die Hand.

Das hatte es noch nie gegeben.


Die Invaliden, die während der Trauerfeier ausdruckslos am Grab gestanden hatten, lehnten die Einladung von Bühlers Lebensgefährtin zum Leichenschmaus ab.

Nachdem eine uniformierte Bergmannskapelle das Lied «Glück

auf, Glück auf, der Steiger kommt ...» und das Lied vom guten Kameraden gespielt hatte, löste sich die Trauergemeinde auf und die Invaliden gingen, nach vorn gebeugt, als müßten sie sich gegen den Wind anstemmen, in einem geschlossenen Trupp zum Hauptausgang. Ihre grünen Lodenmäntel, die sie ausnahmslos trugen, obwohl es erträglich warm war, hoben sich vom strengen Schwarz der übrigen Trauergäste ab.

Der Pfarrer hatte seine Grabpredigt geschlossen mit den Worten: Und wenn unser Leben köstlich gewesen ist, dann ist es Mühe und Arbeit gewesen.

Ich begann das Grab des Alten zuzuschaufeln, Frank und Bauschulte standen dabei und sahen zu, wie die Erde auf den Sarg fiel, und erst als ich das Grab zugeworfen hatte, sagte Frank: Ich habe heute morgen meinen Rücktritt erklärt und auch gleichzeitig meinen Austritt aus der Partei. Die blaue Fahne auf meinem Haus habe ich eingezogen ... aus, vorbei, nie gewesen.

Ich stützte mich auf meine Schaufel, Bauschulte und Frank hatten mir nicht geholfen, Bühler hatte mir immer geholfen, die Toten unter die Erde zu bringen. Wie von fern drangen Franks Worte an meine Ohren, und ich dachte: Jetzt verläßt Frank die Partei, in einem Augenblick, wo ich ernstlich erwäge, einen Antrag auf Wiederaufnahme zu stellen.

Mir lief der Schweiß über das Gesicht, im Hosenbund juckte der Schweiß, die Vögel in den Bäumen waren stumm.

Es ist mein letzter Friedhofstag, sagte ich, ich werde den Friedhof erst wieder betreten, wenn man mich aus meinem Haus mit den Füßen zuerst trägt, das schwöre ich euch ... ich werde wieder Häuser bauen, Maurer, wie ich einer bin, sind wieder gefragt.

Ist das klug von dir, entgegnete Bauschulte. Man wirft in der heutigen Zeit nicht ungestraft seine Sicherheit weg.

Sicherheit? Bauschulte, halt die Luft an. Sicherheit gibt es nur, wenn man Invalide geworden ist, das solltest du doch am besten wissen ... eine traurige Erkenntnis, aber immerhin eine Erkenntnis. Der Pfarrer war zurückgekommen, im Talar sah er älter aus, sein Backenbart war gestutzt, das machte sein Gesicht strenger.

Unter dem Arm trug er Gebetbuch und Bibel, und auch er sagte nichts, als er sich zwischen Frank und Bauschulte stellte, die drei sahen mir wortlos zu, wie ich einen Hügel über das Grab schaufelte und das hölzerne Kranzgerüst darüber setzte. Ich nahm die Kränze, die ich auf die umliegenden Gräber verteilt hatte, um Platz für meine Arbeit zu schaffen, es waren nur wenige Kränze, auf dem hohen

Kranzgerüst nahmen sie sich kümmerlich aus. Bühler hatte nicht mehr viele Freunde, die meisten waren vor ihm gestorben, und die wenigen Invaliden, die noch geblieben waren, spendeten keine Kränze, sie sahen das als rausgeworfenes Geld an.

Es bleibt also dabei, fragte der Pfarrer.

Es bleibt dabei, Herr Pfarrer. Ich gehe. Sie wissen warum.

Ich habe erst mal Ersatz für Sie gefunden, einen arbeitslosen Spanier, bis wir einen haben, der so tüchtig ist, wie Sie gewesen sind.

Danke, sagte ich. Den restlichen Lohn überweisen Sie mir bitte. Nur die Papiere, die müßte ich morgen schon haben, wenn ich mich auf Arbeitssuche mache.

Wir vier standen vor dem Grab und sahen auf die Kränze. Die Aufschriften auf den Schleifen waren nicht lesbar, der Wind bewegte sie hin und her.

Wir müssen uns wenigstens beim Leichenschmaus kurz sehen lassen, sagte Bauschulte, das sind wir dem Bühler schuldig und der Frau auch.

Ich ziehe mich in meiner Bude um, wartet am Tor auf mich, sagte ich und war plötzlich traurig, den Friedhof für immer verlassen zu müssen.

Der Pfarrer ging langsam vor uns her, er bestimmte mit seinen Schritten unser Tempo, aber wir hatten es sowieso nicht eilig, wir hätten auch stehen können und warten, bis jemand gekommen wäre, der uns gesagt hätte, auf was wir hätten warten sollen.

Der Pfarrer blieb stehen und sagte fast feierlich zu mir: Ich werde selbstverständlich, wenn der Prozeß kommt gegen Wurm und die anderen, für alles einstehen und die Verantwortung übernehmen für das, was ich stillschweigend geduldet habe und selbst mitgemacht habe ... Nicht daß Sie denken, ich lasse Sie im Stich. Es wird nicht leicht werden für mich, meine Gemeinde wird an mir irre werden und vielleicht meine Abberufung fordern, aber ich bin froh, daß ich dabeigewesen bin, daß ich etwas mit dabei tun konnte ... Ich weiß jetzt nicht, wie ich es sagen soll, jetzt, wo Sie vom Friedhof gehen, jetzt, wo ich mich an Sie gewöhnt habe ...

Bauschulte setzte seinen Zylinder auf und erwiderte, obwohl der Pfarrer nicht zu ihm gesprochen hatte: Sie werden sonst auch noch genug Schwierigkeiten mit Ihren Kirchenoberen bekommen. Ich wünsche Ihnen nur, dort sitzt wenigstens einer, der auf Ihrer Seite steht.

Ach ja, sagte der Pfarrer und lächelte, diese Schwierigkeiten habe ich schon. Er sagte es so, als hätte ihm jemand eine frohe Nachricht gebracht.

Dann gab mir der Pfarrer die Hand: Vielen Dank, Herr Steingruber, es war eine gute Zeit mit Ihnen, ich habe viel von Ihnen gelernt ...

Ich auch von Ihnen, Herr Pfarrer, sagte ich, und es war mir peinlich, daß er gesagt hatte, er habe von mir gelernt.

Ihre Papiere werde ich mit einem Boten schicken. Sie brauchen sich nicht selbst zu bemühen, Sie haben jetzt andere Sorgen ... ja, dann, was ich noch sagen wollte ...

Der Pfarrer ging über den Vorplatz, sein Schritt war fest und jugendlich, sein Talar schlug ihm um die Beine.

Bajazzo sagte bei unserem Eintritt: Ihr kommt zu spät. Die sind schon weg. Die Frau hatte ja auch nur zwei Platten belegte Brote bestellt, die waren schnell leer, könnt ihr euch doch wohl denken.

Wir drei stellten uns an den Tresen und tranken Bier. Ich sah mich um, aber Osman war nicht da, ich hätte ihn fragen sollen, was er mit seinem Lottogewinn gemacht hat, ob er ihn schon ausgegeben oder ob er sich in Anatolien schon ein Haus gekauft hatte.

Wer kennt sich bei denen schon aus.

Dein Austritt war unklug, Frank, sagte ich und lehnte mich mit beiden Armen auf den Handlauf des Tresens ... Frank, wer in diesem Lande noch Charakter hat, der geht nicht freiwillig, der läßt sich rausschmeißen.

Das hätte sie sowieso getan, denn meine Partei wird mir das nie verzeihen, erwiderte Frank, und er war nicht bedrückt, er war gelöst ... Weißt du, Lothar, ich habe sie an ihrer empfindlichsten Stelle getroffen, am Geld.

Die Maurerkolonne, in der ich unterkam, war ein seit Jahren eingespieltes Team, keiner war älter als Mitte Dreißig, ich war also der Älteste, und die fünf schielten mich am ersten Vormittag dauernd an, nachdem mich der Polier ihnen zugeteilt hatte, ob ich auch das Tempo halten könnte.

Sie beobachteten mich heimlich, doch keiner ließ mich auflaufen, um über mich lachen zu können, wie es mit Neulingen meistens passiert, um die eigene Überlegenheit zu signalisieren.

Der Polier hatte mich mit den Worten eingeführt: Das ist der Neue, von dem ich euch erzählt habe. Der Lack ist zwar schon ab, aber er soll trotzdem gut sein.

Sie sahen mir auf die Finger, wie ich mauerte und welche Tricks ich beim Mauern anwendete, aber ich fand schnell heraus, daß sie mit Absicht ein schnelleres Tempo vorlegten, um mich außer Atem, um mich in Verlegenheit zu bringen.

Zur Mittagspause nickten sie mir schon anerkennend zu. Sie waren mit mir zufrieden, und ich freute mich darüber, daß während des Vormittags noch keiner Opa zu mir gesagt hatte.

Nach Feierabend haute mir der Kolonnenführer auf die Schulter und sagte: Du bist unser Mann, Kumpel, mit dir haben wir einen guten Fang gemacht, mit dir werden wir noch ganze Städte bauen ... oder einreißen.

Damit war alles geklärt, und ich fühlte mich freier.

Sein Lob tat mir gut, denn ich hatte befürchtet, ihr absichtlich vorgelegtes Tempo nicht mithalten zu können, denn allgemein war der Akkord schon so kalkuliert, daß wenig Zeit für große Pausen blieb.

Meine Güte, dachte ich, ich war erst zwei Jahre vom Bau weg, aber wie hatte sich das Arbeitstempo verschärft. Es blieb kaum Zeit, während der Arbeit mit dem Nebenmann ein paar Worte zu sprechen, es reichte gerade noch, sich das zuzurufen, was für den reibungslosen Arbeitsablauf unbedingt erforderlich war. Aber meine Arbeitskollegen schien das nicht zu berühren, ihnen war das selbstverständlich.

Die Baustelle war ein großes Projekt am südlichen Stadtrand oberhalb der Ruhr, wo wir dreißig Ein- und Mehrfamilienhäuser, dazwischen sechsstöckige Blöcke hochzogen. Weil den ausführenden Firmen verbindliche Fertigungstermine gesetzt worden waren, drückte das auf unseren Akkord, das Tempo ließ mich atemlos werden, jeder Ziegelstein wurde einen Zentner schwer, jede Kelle Mörtel war wie eine Wanne Wasser ...

Dennoch fügte ich mich schnell und mühelos ein, als wäre ich niemals Friedhofswärter gewesen, der sich sein Arbeitstempo selbst festlegte, seine Pausen selbst bestimmte. Aber am Abend spürte ich, wie mir mein Rücken schmerzte, meine Hände waren rauh wie Sandpapier geworden, ich konnte nicht mehr aufrecht gehen, ich lief gebückt mit hängenden Armen – wie ein Affe im Zoo.

Ich blieb nach Feierabend noch ein paar Minuten auf dem Gerüst stehen und sah über das Ruhrtal und die nahen Berge des Sauerlandes. Ein schönes Bild, ein friedliches Bild, auch wenn unten die

Autos auf der Autobahn lautlos wie Spielzeuge in einer Bahn fuhren und die hohen Schlote Qualm abstießen.

War mein Entschluß richtig gewesen, meine gemächliche Arbeit auf dem Friedhof aufzugeben, um mich in ein Team einzufügen, in dem ich immer fürchten mußte, mit den Jüngeren nicht mehr Schritt halten zu können.

Der erste Tag war gutgegangen, und der erste Tag war immer der schwerste und immer der entscheidendste.

Helen hatte meinen Entschluß nicht bejubelt, sie war aber auch nicht dagegen, und hatte sie früher gesagt, ich sei in einem Alter, wo ich noch Wolkenkratzer bauen könnte, so sagte sie jetzt: Nach dem Sommer kommt der Winter. Du wirst dann wieder herumhängen und deiner Arbeit auf dem Friedhof nachtrauern. Und wenn der Frühling wiederkommt, dann wird man Männer in deinem Alter schon an den Schwanz der Schlange stellen, die um Arbeit ansteht. Aber tu, was du tun mußt, mir ist lieber, wenn du wieder unter lebendigen Menschen bist, auch wenn es unter den Toten nicht so schlecht gewesen ist.

Ich hatte Scheu, ihr zu sagen, daß mit Bühlers Tod etwas in mir zerbrochen war, wofür ich keine Worte fand, ich schämte mich, mit ihr von meinen Gefühlen zu sprechen, sie hätte mich verstanden und doch nicht verstanden. Seit Bühlers Tod wälzte ich mich wieder mit schrecklichen Träumen schweißnaß im Bett, einmal wachte ich schweißgebadet auf, ich hatte von aufgebrochenen Grüften geträumt, aus denen nackte Menschen stiegen, die sich mit Sonnenöl einrieben und nach der Sonne sahen, die steil über ihnen stand.

Aber ich genoß den Geruch von Zement und Kalk, Mörtel und Steinen; in den ersten Stunden auf dem Gerüst war mir, als wäre ich von einer großen Reise zurückgekehrt und Helen hätte mir zur Feier des Tages meine Lieblingsspeise gekocht.

Komm runter, Lothar! Was träumst denn da oben, rief der Kolonnenführer von unten.

Ich stand auf dem Gerüst und sah über das grüne Tal, sah die Sonne im Westen wie eine flache Scheibe am Himmel kleben, ich wollte das allein genießen, daß ich nämlich wieder für lebendige Menschen in den Himmel baute und nicht für Tote Gruben schaufelte, ich genoß es, daß ich wieder für Lebende da war, die noch Zukunft hatten, die noch ihren Träumen nachlaufen oder aber entgegenlaufen durften.

Ich war wieder ich geworden, und ich freute mich darüber, als hätte mir jemand ein besonderes Geschenk gemacht, ich fühlte mich um zehn Jahre jünger, weil ich mit zehn Jahre Jüngeren Schritt halten konnte und sie mir voller Respekt bei der Arbeit zusahen.

Da schrak ich zusammen: Ich hatte eine Stimme gehört, die ich nie in meinem Leben vergessen werde. Ich hörte einen Mann rumbrüllen: Ihr könnt doch jetzt nicht aufhören! Ich habe gesagt, bis Einbruch der Dunkelheit, ich habe gesagt, bis euch der Furz aus den Ohren kommt! Los, Leute, time is money! Auf die Gerüste, ihr Affen!

Wie benommen stieg ich die Leiter vom Gerüst und lief zum Baustellenwagen, immer die Stimme im Ohr, die, je näher ich dem Baustellenwagen kam, lauter an meine Ohren trommelte.

An einem Wasserhahn wuschen sich meine Arbeitskollegen Schweiß und Staub und Mörtel von Händen, Armen und Oberkörper. Sie wuschen sich gelassen, als hätte hier niemand herumgebrüllt.

Ich fragte den Kolonnenführer: Wer schreit denn dort vorn wie ein Verrückter herum?

Den mußt du nicht so ernst nehmen, Lothar, das ist der kaufmännische Geschäftsführer. Der schreit nach Feierabend immer so ... Vergiß ihn gleich wieder und nimm dich vor ihm in acht.

Ich ließ den kalten Wasserstrahl über die Hände gleiten und sah hinüber zu den Häusern, auf denen die Dachdecker noch arbeiteten. Dort stand der Mann, er trug verwaschene Jeans und eine buntbestickte Mütze auf dem Kopf, er holte aus einem alten und klapprigen VW eine Rolle mit Zeichnungen und hielt sie einem Handwerker vor die Nase. Der sah kurz auf die Zeichnungen, drehte sich um und ließ den Mann mit den verwaschenen Jeans stehen. Der Mann war Bäuerlein.

Als ich ihn so vor mir sah, dachte ich: In unserem Lande gibt es Menschen, die sind wie Fische oder Katzen: die einen schlüpfen durch die engsten Maschen, und die anderen fallen immer auf die Pfoten. Nun müßte man nur noch wissen, wer die Maschen geknüpft hat und wer die Pfoten mit Samt umwickelt hat.

Durch Bauschultes Vermittlung war ich auf dieser Großbaustelle hier untergekommen. Warum gerade hier?

Der Lehrjunge brachte zwei Kästen Bier auf einer Schubkarre an, die ich als Einstand, nach hergebrachten Regeln, spendieren mußte und die er von einer nicht weit entfernten Getränkebude geholt hatte, und als wir sechs auf Bohlen vor dem Gerätewagen im Kreis saßen und uns zuprosteten, trat Bäuerlein in unseren Kreis, geschäftig, Unruhe verbreitend.

Ich sah ihm an, daß er lospoltern wollte, aber die anderen fünf prosteten ihm zu, und der Kolonnenführer forderte ihn auf, mitzutrinken.

Bäuerlein sah mich scharf an und fragte: Sag mal, dich kenn ich doch von irgendwoher. Dich hab ich schon irgendwo gesehen.

Natürlich, erwiderte der Kolonnenführer, der Lothar stand doch ganz groß in der Zeitung, in allen Zeitungen, Chef, wie ein Filmstar. Mit einer Hakenkreuzfahne war er abgebildet. Jaja, nicht so ungläubig gucken, Chef, das ist er wirklich, ganz berühmte Leute haben wir in unserer Kolonne, kaum zu glauben ... aber Chef, es ist wirklich wahr. Stimmt. Aus der Zeitung, erwiderte Bäuerlein, aber er sagte es zweifelnd.

Er setzte sich einfach in unseren Kreis und nahm eine Flasche Bier, ohne zu fragen, wer es spendiert hatte, und als er den ersten Schluck getrunken hatte, wiederholte er: Stimmt, aus der Zeitung ... Aber ich kenne dich von noch woanders her ... ist auch egal, ist auch nicht so wichtig.

Bäuerlein trank die Flasche leer und fragte dann: Wer hat denn das spendiert? Der da? Und er wies mit der leeren Flasche auf mich. Der Filmstar? Und er lachte.

Klar, unser Filmstar, antwortete der Kolonnenführer.

Alle lachten, Bäuerlein am lautesten.

Dann stand er auf und redete auf uns ein: Also, Kameraden, wir müssen von jetzt an jeden Tag eine Stunde zulegen, sonst droht uns eine empfindliche Konventionalstrafe, wenn der ganze Komplex nicht bis Anfang Oktober oben ist. Keine Widerrede. Wir müssen den Sommer über einfach zwölf Stunden arbeiten, kann doch nicht so schwer sein, früher haben die Leute vierzehn Stunden am Tag gearbeitet und dazu noch einen Haufen Kinder gezeugt, keine Widerrede, Vertragserfüllung steht obenan, time is money, auch für euch, ich werde mit dem Bauführer sprechen, keine Widerrede, den Winter könnt ihr dann wieder auf der faulen Haut und auf der Mama liegen, ab morgen zwölf Stunden, denkt an eure Lohntüte. Keine Widerrede. Er ging und drehte sich noch einmal um und sah mich prüfend an. Sein VW war beim Fahren so laut, als kreise über uns ein Hubschrauber, die vorderen Kotflügel klapperten und flatterten. Ich wartete darauf, was die anderen zu Bäuerleins Forderungen sagen würden, aber die fünf tranken bedächtig ihr Bier weiter, und als der Kolonnenführer aufstand, die leeren Flaschen in den Kasten steckte, sahen ihn alle erwartungsvoll an. Er sagte nur: Ihr habt es gehört, Leute, es wird ein langer Sommer ... Keine Widerrede, meine Herren.

Die Welt ist verrückt, dachte ich.

Ihr wollt wirklich zwölf Stunden am Tag arbeiten, fragte ich ungläubig. Das ist doch Wahnsinn, ihr macht euch doch kaputt. Wann wollt ihr denn noch leben.

Was ist heute kein Wahnsinn, erwiderte der Kolonnenführer wie nebenbei ... Mensch, Lothar, ich war ein Jahr arbeitslos, ich bin froh, daß ich wieder Mörtel zwischen den Fingern spüre ... Oder hast du vielleicht Angst, daß du die Arbeit und das Tempo nicht mehr schaffst ... In deinem Alter wäre das verständlich. Dann sag das gleich, wir mögen dich, aber wenn du glaubst, daß du es nicht schaffst, dann suchen wir uns gleich einen andern.

Ich dachte nur an die Steuer, erwiderte ich, die Steuer läßt uns vom Überstundengeld nicht mehr viel übrig.

Da mach dir bloß keine Sorgen, Lothar, der Bäuerlein ist ein Schlitzohr, der kann sein, wie er will, der dreht das schon so, daß wir zu unserem Geld kommen und das Finanzamt nichts davon merkt ... Den hatten sie mal bei Gericht am Wickel, aber den mußten sie wieder laufenlassen, sagte der Kolonnenführer, und Respekt vor Bäuerlein klang aus seinen Worten.

Auf dem Nachhauseweg wußte ich: Ich hatte viel geträumt die letzten zwei Jahre, von Bäuerlein aber nie.

Im Wohnzimmer zu Hause saß Gabi. Helen saß ihr gegenüber, und beide blickten mir sorgenvoll entgegen, als ich pfeifend ins Wohnzimmer trat.

Frank sitzt zu Hause und heult, sagte Gabi weinerlich ... Gekündigt haben sie ihm, weil er fünf Tage nicht auf der Baustelle war, eine Gemeinheit ist das, wo er doch so viel zu tun hatte in der letzten Zeit. Helen sah mich hilfesuchend an.

Lothar, er hat im Garten die Fahne vergraben. Wir ziehen morgen wieder in den Marienkäferweg, hat der Frank gesagt ... Lothar, geh zu ihm, er braucht dich, er sitzt zu Hause und heult, wir ziehen morgen um ... mein Gott, nimmt das denn nie ein Ende. Wenn das Eberhardchen wüßte.

Geh nach Hause, Gabi, sagte Helen, sag Frank, Lothar kommt, er kommt ganz bestimmt, er muß sich nur noch duschen und essen, dann kommt er ... geh nach Hause, Gabi.

Was soll denn jetzt bloß werden, Helen, jetzt, wo wir wieder in den Marienkäferweg einziehen wollen.

Gabi, ihr könnt doch morgen nicht umziehen, und sie schüttelte sich, ihr könnt doch nicht in ein Haus einziehen, das nichts weiter als ein stinkendes Loch ist nach dem Auszug eurer Mieter.

Ach, weißt du, Helen, ich habe schon in vielen stinkenden Löchern gewohnt, antwortete Gabi, ich werde das Haus allein reparieren, ich kann selber anstreichen und tapezieren und was sonst noch gemacht werden muß ... Ich kann das schon. Aber Frank muß raus aus der Nordsiedlung, ich habe einfach Angst um ihn, nach allem, was gewesen ist ... Warum haben wir denn unser eigenes Haus, auch wenn jetzt noch die Tapeten von den Wänden fallen ... aber es ist doch unser Haus, im anderen hat er die Fahne vergraben.

Gabi erhob sich schwerfällig und ging ohne Gruß.

Du siehst müde aus, sagte Helen.

Ja, sehe ich? Trotzdem bin ich glücklich, weil ich den Friedhof nicht mehr sehen muß.

Aber es ist noch etwas, Lothar, das hast du mir noch nicht gesagt.

Ach ja, sagte ich und ließ mich schwer in einen Sessel nieder: Für den Sommer kannst du mich abschreiben, ich komme nur noch zum Schlafen nach Hause, wir müssen zwölf Stunden am Tag arbeiten, und wenn es notwendig werden sollte, auch noch samstags, wenn die Firma an der Konventionalstrafe vorbeigehen soll ...

Lothar, rief Helen entsetzt.

Weißt du, Helen, ich hätte Gabi auch sagen können, er soll auf meine Baustelle kommen, da brauchen sie bestimmt noch Leute, aber dann müßte ich ihm auch sagen, daß da einer rumläuft mit verwaschenen Jeans und einer buntgestickten Mütze auf dem Kopf und der fährt einen uralten VW, ein Wunder überhaupt, daß dem sein VW noch fährt.

Lothar, fragte Helen besorgt, es geht dir doch gut.

Ja, Helen, es geht mir gut.

Komm in die Küche, Lothar, die Bratkartoffeln werden trocken, wenn sie zu lange auf der Herdplatte stehen.

Claudia ist endgültig fortgegangen.

Sie ist nicht mehr nach Hause gekommen, sie hat uns aus Hagen einen Brief geschrieben: Ihr Lieben! Ich gehe nach Berlin. Ich gehe, weil ich immer noch Angst habe. Und weil ich nicht ewig hier in diesem Hause leben kann. Ich weiß, daß ich jederzeit zu Euch zurückkehren kann, aber jetzt möchte ich das noch nicht. Ich gehe nach Berlin, und wenn ich dort zur Ruhe gekommen bin, werde ich Euch schreiben. Ich war bei einem Dortmunder Rechtsanwalt,

Herr Schwinghammer hat mich freundlicherweise hingefahren, und er war auch die ganze Zeit dabei, als ich meine Geschichte zu Protokoll gegeben habe. Das war das, lieber Vater, was ich Dir an der Möhnetalsperre erzählt habe. Ich gehe nach Berlin, um meine Angst loszuwerden. Anfangs wird mir Ruppert helfen. Ich kann nicht mehr länger hier in diesem Hause leben und bei Euch noch nicht wieder. In Liebe, Claudia.

Die Küchenuhr tickte laut und der Kühlschrank summte laut. Helen und ich saßen uns ausdruckslos gegenüber, und als ich ihr den Brief in die Hände schob, weinte sie ohne Tränen.

Draußen war es Nacht geworden, aber wir knipsten kein Licht an. Helens Hände waren kalt und feucht; ich drückte sie und rieb sie dann fest in den meinen.

Helen stand auf und setzte sich auf meinen Schoß, und wir hielten uns lange umschlungen. Wir lösten uns auch nicht voneinander, als das Telefon im Flur laut unsere Stille zerstörte. Helen wollte aufstehen, aber ich hielt sie zurück und so lange fest, bis das entnervende Läuten verstummt war.

Die Tage zerrannen lautlos.

Ich wartete auf etwas Bestimmtes und wußte doch nicht, auf was ich wartete. Auf dem Gerüst blickte ich über das Ruhrtal und fuchtelte manchmal mit der Kelle über meinem Kopf herum, weil ich begonnen hatte, mit mir selbst zu sprechen. Meine Arbeitskollegen riefen dann: He! Lothar! Mauerst jetzt mit Luft, ohne Mörtel.

Zu Hause in meinem Garten suchte ich nach Arbeit, obwohl sie zu meinen Füßen lag.

Helen und ich sprachen in den nächsten Tagen nur das Nötigste miteinander, wir drückten uns stumm die Hände, und einer strich dem anderen tröstend über Schulter und Rücken, und wir saßen auf der Couch, Rücken an Rücken. Helen blätterte in einem Buch, und ich sah auf die Wand und das Bild, das Claudia in der Abiturklasse für Helens Geburtstag gemalt hatte: es war ein halbentblätterter Baum, auf dem zahllose kleine lilafarbene Vögel hockten. Durch meine Arbeit auf der Großbaustelle fand ich kaum Zeit, Frank zu besuchen, der mit Gabi wieder in sein Haus in den Marienkäferweg eingezogen war und der nun abermals in einer Speditionsfirma als Ausfahrer untergekommen war, aber es war nicht die, in der er schon einmal gearbeitet hatte.

Wenn ich frühmorgens zur Baustelle fuhr, sah ich Gabi schon Fenster putzen, und sie winkte mir mit dem Fensterleder hinterher. Bauschulte hatte sich ein drittes Glashaus in seinem Garten bauen lassen, und er hatte weder Frank noch mich gefragt, ob wir die Betonsockel und Fundamente betonieren wollten, ich hätte dafür auch keine Zeit gefunden, denn ich war von der Arbeit auf der Baustelle einfach zu müde.

Kurz entschlossen hatte mir Helen Claudias Zimmer hergerichtet. Hier hast du deinen Raum für dich. Ich weiß, du hast dir immer ein eigenes Zimmer gewünscht. Ich habe ja mein Büro in der Bücherei, ich brauche hier im Haus kein eigenes Zimmer.

Ich nahm von Claudias Zimmer Besitz. An meiner Werkbank im Keller arbeitete ich immer seltener, ich hoffte auf den Winter und auf die langen Abende, um wieder zum Basteln Zeit zu finden.

Sechs Wochen nach Claudias Abschiedsbrief besuchte mich der Pfarrer, er war etwas verlegen, seine Hände unruhig.

Ich habe in der Nähe einen Hausbesuch zu erledigen gehabt, sagte er wie entschuldigend, weil er so unvermutet bei uns aufgetaucht war.

Auf der Terrasse setzte er sich auf einen weißgestrichenen Stuhl und blieb stumm, er sah nur in den Nachbargarten, aber im Nachbargarten gab es nichts zu sehen. Ich wollte nicht fragen.

Endlich sagte der Pfarrer: Sie sollten sich das ebenfalls ansehen. Am kommenden Montag ist es soweit. Es lohnt sich schon, das anzuschauen.

Er brauchte mir nicht zu erläutern, daß er die Nordsiedlung meinte.

Ist es sehenswert, wenn etwas zerstört wird, fragte ich. Wenn etwas dem Erdboden gleichgemacht wird, wo Generationen drin geboren worden sind.

Ich denke schon, Herr Steingruber. In diesem Falle. Nicht daß zerstört wird, ist sehenswert, sondern wie zerstört wird, ist sehenswert.

Ich müßte meine Arbeit versäumen, winkte ich ab.

Sonderbar, dachte ich, die Nordsiedlung war mir gleichgültig geworden, seit Frank nicht mehr dort wohnte, und ich war sogar einen Moment erstaunt darüber, daß der Pfarrer noch so leicht von der Nordsiedlung sprechen konnte, denn bis auf zehn türkische Familien war dort alles ausgezogen.

Vor vierzehn Tagen bin ich durch die Siedlung gefahren, um einen Weg abzukürzen, ich fuhr auch durch die Straße, in der Frank gewohnt hatte. Die Häuser glichen Höhlen, die Gärten waren zu Dschungeln verkommen, und was nicht niet- und nagelfest gewesen war, war gestohlen worden, von Leuten aus den angrenzenden

Siedlungen. Sie hatten einfach mitgenommen, was sie brauchen konnten.

Die zehn türkischen Familien wohnten dort wie Ausgestoßene in einer täglich immer mehr zerfallenden Welt. Ein trostloses Bild, ein Bild, das mich noch Stunden später bedrückte, fast war es wie eine Vision vom Ende der Welt.

Sie brauchen Ihre Arbeit nicht zu versäumen, sagte der Pfarrer, was Sie sich ansehen sollen, das wird vor Morgengrauen passieren. Ja, vor Morgengrauen.

Klingt nach Krieg, versuchte ich zu scherzen.

Der Pfarrer antwortete ernsthaft: Das ist Krieg.

Er stand auf und nickte Helen freundlich zu, die aus dem Haus auf die Terrasse getreten war und dort wartete.

Also, ich lade Sie zur Nordsiedlung ein für Montag morgen vier Uhr an der Südseite vom Amazonas.

Ich wollte ihn fragen, wie er mit dem neuen Friedhofswärter zufrieden sei, fand die Frage dann aber doch unpassend. Helen hatte alles mitgehört, ich brauchte nichts zu wiederholen, und sie bat mich, Frank aufzusuchen, um ihm das, was mir der Pfarrer gesagt hatte, mitzuteilen.

Aber Frank wußte schon Bescheid, denn vor mir hatte der Pfarrer Frank besucht, vor Frank Bauschulte.

Frank sagte: Ich gehe nicht hin. Und wenn der Pfarrer auch noch so geheimnisvoll tut ... Ich gehe nur noch zum Bajazzo. Die Menschen sind es doch nicht wert, daß man sich für sie einsetzt ... Die dummen Kälber schaufeln ihre Gräber selber ... Ich habe die Nase voll, gestrichen voll. Wer bin ich denn ... Aber ich tröste mich, in ein paar Jährchen, wenn ich um Rente einreiche, Lothar, dann haben wir die Freiheit, die wir schon immer haben wollten, dann kann keiner mehr kommandieren, dann mache ich es so wie Bauschulte, ich züchte Blumen, aber auf dem Dach.

Frank sagte das alles ohne Bitterkeit, aber gerade das schmerzte mich. Er sah mich an und fragte: Ist noch was? Na also.

Bauschulte stand vor seinem neuen Gewächshaus, kraulte seinen Labrador und rief mir entgegen: Ich weiß nicht, was dir der Pfarrer gesagt hat, aber ich weiß auch nicht mehr, Lothar, du brauchst mich also nicht zu fragen.

Er stopfte umständlich seine Pfeife, als würde er für die Zeit des Stopfens bezahlt, zündete sie aber nicht an, er rauchte kalt, der Hund sprang an ihm hoch und jaulte.

Und dann wurden wir drei uns doch einig, uns am Montag beim

ersten Hahnenschrei am Südrand des Amazonas einzufinden, auch Frank konnten wir noch überreden, seine ablehnende Haltung aufzugeben, er tat es mürrisch, aber wahrscheinlich war er genauso neugierig geworden wie wir, was der Pfarrer uns zeigen wollte.

Pünktlich um vier Uhr morgens standen wir vier, der Pfarrer, Frank, Bauschulte und ich, am Südrand des Wäldchens, den die Leute Amazonas nannten und von dem keiner wußte, was dieser Name zu bedeuten hatte, wahrscheinlich hatte man diesen Namen erfunden, weil weit und breit kein geschlossenes Waldstück zu finden war. Es war noch empfindlich kühl, im Osten stieg schon zaghaft der fahle Morgen zum Himmel, es war noch still in unserem Viertel, nur eine Amsel sang laut, weil wieder ein neuer Tag angebrochen war.

Es wird ein heißer Tag werden, sagte der Pfarrer und winkte uns vom Waldweg zu einem anderen Platz.

Wir stören hier nur, sagte er, und dabei war weit und breit niemand zu sehen.

Wir traten an ein Gebüsch und rückten dort eng zusammen, als wollten wir uns gegenseitig wärmen. Ich kam mir kindisch vor, vier erwachsene Männer standen im Morgengrauen an einem Waldrand und warteten auf etwas.

Der Pfarrer machte mich nervös, denn er sah dauernd auf seine Armbanduhr, und als es halb fünf geworden war, hob er seine Hände, als wollte er um Ruhe bitten. Aber das war überflüssig, denn wir hatten während des entnervenden Wartens kein Wort miteinander gewechselt.

Und dann hörte ich es.

Hinter uns im Amazonas wurden Motoren angelassen. Erst einer, dumpf, ein zweiter, heller, und dann war die Zahl der aufheulenden Motoren nicht mehr zu zählen, es dröhnte, die Erde unter unseren Füßen bebte, und wenig später donnerten auf beiden Wegen, die vom Wald in die Siedlung führten, Kräne, Rammen, Bagger und Raupen, an den Kränen baumelten große Eisenkugeln.

Die schweren Fahrzeuge brachen in die Siedlung ein und begannen niederzuwalzen und niederzureißen, was sich ihnen entgegenstellte. Wie Panzer waren sie aus dem Wald hervorgebrochen, laut und furchterregend und wie Panzer waren sie in die Siedlung eingebrochen, sie knickten Gartenzäune nieder wie Streichhölzer, entwurzelten Obstbäume, es dröhnte, knirschte und splitterte vor uns. Und die Häuser stürzten unter den schwingenden Eisenkugeln zusammen.

Ich war so entsetzt darüber, daß ich mir die Ohren zuhielt, auch noch, als die letzten Fahrzeuge schon längst an uns vorbeigefahren waren.

Der Pfarrer hatte recht: Das war Krieg.

An einem kühlen Morgen inmitten einer friedlichen Stadt, in der die meisten Menschen nun aus ihren Betten stiegen, um sich für ihre Arbeit fertig zu machen.

Das Verderben brach aus einem kleinen Wäldchen, das Kindern und Frauen als Insel der Erholung diente und den alten Leuten, die täglich an den aus Baumstämmen gesägten Tischen Karten und Domino spielten. Die Abbruchfahrzeuge waren aus dem Amazonas gebrochen wie Panzer in eine Schlacht.

Das war Krieg.

Es war der Pfarrer, der als erster Worte fand: Es hat sich gelohnt, das zu sehen. Das war generalstabsmäßig geplant. Und es ist ihnen auch gelungen, diese Aktion bis zur letzten Sekunde geheimzuhalten. Ich habe es von einem Amtsbruder erfahren, er weiß es von einem dieser Fahrer, die eben an uns vorbeigefahren sind, er hat es meinem Amtsbruder erzählt, als er nach einem bunten Abend nicht mehr nüchtern war ... der Mann war stolz.

Generalstabsmäßig? fragte ich, aber warum?

Warum? Ganz einfach. Die Nordbau AG hat wahrscheinlich befürchtet, daß im letzten Moment noch von irgendeiner Seite Widerstand kommen könnte. Deshalb wurden in der vergangenen Nacht die Fahrzeuge von der Nordseite des Amazonas her in den Wald gefahren und am Kinderspielplatz abgestellt. ... Die Männer haben heute nacht in ihren Fahrzeugen geschlafen ... Ja, meine Herren, das wars, generalstabsmäßig, mitten im Frieden ... und was dort geschieht, und er wies auf die Siedlung, über der sich eine immer größere Staubglocke bildete: das ist brutal, menschenverachtend, nur auf Profit ausgerichtet ...

Ich wollte nicht mehr mitansehen, wie die Häuser schon beim dritten und vierten Anstoß der bulligen Fahrzeuge wie Kartenhäuser zusammenkrachten, Löschfahrzeuge spritzten Wasser in den Staub, aber es gelang nicht, die immer dichtere Staubwolke zu binden.

Da waren auch die ersten Neugierigen aufgetaucht, verschlafen und verstört sahen sie dem Schauspiel zu.

Der Pfarrer stieg in seinen Wagen, den er in einem Seitenweg geparkt hatte, und fuhr ab, ohne ein Wort des Abschieds.

Ja, es hat sich gelohnt hierherzukommen, sagte Frank, das war Krieg, mitten im Frieden, und auch er strebte seinem Wagen zu, und er drehte sich noch einmal um, und seine Stimme klang heiser, als er uns zurief: Lothar, du hast es selbst gesehen, gegen Panzer ist man machtlos.

Bauschulte und ich waren übriggeblieben, wir sahen zu, wie die Staubwolke über der Siedlung immer höher stieg und breiter und dichter wurde, wir sahen die Staubwolke immer dichter und dichter werden, bald wird sie die Sonne verdunkeln, die im Osten am Himmel stand wie eine glühende Wurfscheibe, und wir hörten die Mauern einstürzen und die Eisenkugeln an die Wände klatschen und die Rammfahrzeuge dröhnen.

Bauschulte, hörte ich mich sagen: Wir sitzen im Kino, ein Horrorfilm.

Aber es ist wahr, es ist kein Kino, Lothar ... Mir wird schlecht, ich gehe zu meinen Pflanzen, die sind stumm und schön. Nutzlos schön.

Und ich fahre auf meine Baustelle. Vielleicht werden die Häuser, die ich jetzt baue, auch eines Tages wieder abgerissen, wenn damit nicht genug zu verdienen ist.

Ganz gewiß, Lothar, solange nicht ein Gesetz kommt, daß menschliche Behausungen den Kirchen gleichgestellt werden.

Auf der Baustelle war ich an diesem Tag ein schlechter Arbeiter, ich wurde das Bild nicht los, daß der Ziegelstein, den ich gerade auf den frischen Mörtel setzte, mir von fremden Händen weggerissen wird, mir war, als mauerte ich für den Schutt und für den Abfall.

Das Tal drüben war grün, an den Hängen gegenüber der Ruhr hing Dunst, es sah aus, als hätte jemand einen weißen, durchsichtigen Schleier über die Landschaft gebreitet.

Stehe ich am Ufer des Flusses. Wenn ja, dann muß ich auch ein Feuer schüren und nicht warten, bis mir jemand die Streichhölzer wegnimmt. Wir haben zu lange gewartet. Warten ist tödlich, auch wenn man dabei noch lebt.

Gleich nach Feierabend fuhr ich ohne die sonst fällige Flasche Bier nach Hause, mir war auf der Heimfahrt, als hätte ich Häuser für Leichen gebaut.

Helen wartete vor der Haustür.

Wenn Helen vor der Haustür wartet, bedeutet das nichts Gutes. Sie winkte mir zu, den Wagen nicht in die Garage zu fahren. Fahr zur Nordsiedlung! rief sie aufgeregt, als sie einstieg. Warum, Helen, warum?

Frag jetzt nicht, fahr, du wirst es gleich sehen.

Aus der Nordsiedlung war ein einziger Trümmerhaufen geworden, es sah aus wie nach einem Bombenangriff. Die Ungetüme, die das alles vernichtet hatten, waren abgerückt, die Schlacht war gewonnen – gewonnen für den Profit.

Parke hier, sagte Helen, immer noch etwas außer Atem.

Sie faßte meine Hand und führte mich in die Straße, die einmal Laubenweg geheißen und wo Frank einmal residiert hatte mit einer blauen Fahne auf dem Dach und unter dem Dach mit der Hoffnung auf Menschlichkeit. Nur ein Schutthügel war geblieben, ein paar Meter hoch und auf dem Schutthügel saß Gabi und weinte.

Ich blieb sprachlos vor diesem Bild auf der Straße stehen und war unfähig mich zu rühren.

Dann sprang Gabi auf und wühlte mit bloßen Händen im Schutt, sie war verzweifelt.

Das Bild war erschütternd und grotesk.

Hol sie runter, Lothar, um Gottes willen, hol sie runter, flehte Helen und packte mich am Arm.

Und jetzt hörte ich Gabi schreien: Wo habt ihr meinen Scheck. Meinen Scheck, ihr Hunde. Verdammt sollt ihr sein.

Ich kletterte auf den Schuttberg und holte Gabi auf die Straße herunter.

Komm, Gabi, ich bring dich nach Hause.

Ich mußte mich beherrschen, um nicht selbst laut loszuschreien.

Auf der Straße und auf anderen Schuttbergen und vor unserem Auto standen Neugierige und lachten über Gabi.

Zu Hause ließ sich Gabi willig in ihr Haus führen, und sie sagte nur: Immer wenn ich Frank brauche, dann ist er nicht da ...

Wasch dich erst einmal, unterbrach sie Helen, du siehst furchtbar aus, schau mal in den Spiegel.

Aber Gabi rührte sich nicht, sie saß breit und apathisch auf der Couch und stierte vor sich hin, sie merkte nicht einmal, als wir das Wohnzimmer verließen.

Ich fuhr mit Helen zu Bajazzo für ein Bier.

Bajazzo freute sich, als er uns sah. Aber wir stellten uns nicht an den Tresen, sondern suchten uns einen Tisch in der hintersten Ecke der Gaststube, wo es dunkel war.

Helen lehnte sich an mich, es war wie früher, als ich sie von der Buchhandlung abgeholt hatte. Und sie veränderte ihre Haltung auch nicht, als Bajazzo vor uns stand und uns fragte, was wir bestellen wollten.

Zwei Bier, sagte Helen, und kein Licht.

Aber wenn Gäste kommen und sich hier in die Ecke setzen, dann muß ich Licht anmachen.

Dann mach halt Licht an, Bajazzo, sagte ich, uns stört es nicht. Und als ich mein Glas an die Lippen setzte, sah ich in den getönten, blei-verglasten Scheiben ein Bild, das einem Tal ähnelte, in dem ein brei-ter Fluß sich in der Unendlichkeit verlor.

Prost, sagte Helen.

Prost, antwortete ich, und wir stießen unsere Gläser an.

# EIN WIRTSCHAFTSKRIMI
# VOLL SPANNUNG UND BRISANZ

364 Seiten. Leinen. DM 36,–

Ein Toter hängt im offenen Kirchturmfenster.
Der Fabrikant Heinrich Böhmer. Er hinterläßt Frau und Kinder,
eine jugendliche Geliebte, seine Elektromotorenfabrik und
ein Testament, das ohne Beispiel in der bundesdeutschen Geschichte ist
Die Hälfte dieser Fabrik vermacht er der Belegschaft.
Damit kommt die Lawine ins Rollen.
Wer war Heinrich Böhmer wirlich?
Welche Feinde hatte er?
War es Mord?
Wer ist der Mörder, wer die Hintermänner?

# LUCHTERHAND

Weil der Maurer Lothar Steingruber arbeitslos ist und w
er in Ereignisse verwickelt wird, die er nicht begreift, fr
er nach dem Sinn seines Daseins. Das Geld verdient se
Frau als Bibliothekarin. Die Tochter Claudia will Mu
studieren, aber sie besteht ihre Prüfung nicht, und b
darauf ist sie spurlos verschwunden. Hat die Verbitte
Unterschlupf bei einer rechtsradikalen Vereinigung gefu
den? Lothars Freund Frank, Ortsvereinsvorsitzender
SPD, gerät in Konflikt mit der eigenen Partei, die den M
zur Demokratie verloren hat.

Dieser auch vom Fernsehen verfilmte Roman des
kannten Erzählers ist «eine handfeste Anregung, über
gesellschaftlichen Widersprüche im eigenen Land nach
denken» («Süddeutsche Zeitung»).

DM 7